氢能利用关键技术系列

# 加氢站

Hydrogen Refueling Stations

王昌建　邹　昌　谢启苗　衡德锋　编著

化学工业出版社

·北京·

**内容简介**

《加氢站》系统梳理了加氢站的基础知识、关键设备、氢气输送方式、站点设计、加注协议、安全规范及运营管理等内容，全面覆盖加氢站基础设施建设与运行的核心环节。全书共分7章，首先简要介绍了氢能在能源转型中的地位，主要阐述国内外加氢站发展现状、压缩机与储氢容器等关键设备结构与选型、氢气生产与输送工艺、加氢站专业设计方法、氢气加注协议标准、安全风险分析与应急响应机制，以及加氢站的运营管理实践等内容。书中不仅引用了大量国内外政策与标准，还通过案例分析加强理论与实际的结合，为加氢站安全设计与规范运营提供系统支持和理论基础，具有较强的实用性与指导性。

本书适用于氢能领域的科研人员、工程技术人员、能源管理者及政策制定者，也可作为高等院校氢能工程相关专业课程教材或培训参考资料。

**图书在版编目（CIP）数据**

加氢站 / 王昌建等编著. — 北京：化学工业出版社，2026. 1. —（氢能利用关键技术系列）. — ISBN 978-7-122-49736-9

Ⅰ. U491.8

中国国家版本馆 CIP 数据核字第 202634DC90 号

责任编辑：袁海燕　　装帧设计：王晓宇
责任校对：刘曦阳

出版发行：化学工业出版社
（北京市东城区青年湖南街13号　邮政编码 100011）
印　　装：北京建宏印刷有限公司
787mm×1092mm　1/16　印张 11¼　彩插 2　字数 266 千字
2026年3月北京第1版第1次印刷

购书咨询：010-64518888　　售后服务：010-64518899
网　　址：http://www.cip.com.cn
凡购买本书，如有缺损质量问题，本社销售中心负责调换。

**定　　价：118.00 元**

# 前言

PREFACE

氢能作为未来清洁能源体系的重要组成部分，正在全球范围内加速发展，尤其在交通运输领域展现出巨大减碳潜力。加氢站作为氢能交通体系中的关键基础设施，其安全性、规范性与技术成熟度直接关系到氢能产业链的健康有序发展。当前，随着我国“双碳”目标的提出以及氢能产业政策的持续推进，加氢站建设步入快速发展期，对相关设计规范、安全管理与运营技术的系统性研究需求也日益迫切。《加氢站》的出版，旨在为从事氢能与加氢站相关工作的科研人员、工程师、高校师生以及政府相关管理部门提供一部集理论分析、工程实践与技术标准为一体的系统化参考书籍。

本书共分7章，从加氢站的宏观发展背景入手，系统梳理加氢站的类型与发展现状，深入讲解其关键设备、氢气输送方式与工艺流程；在设计方面，详细阐述工艺、电气、水暖通、土建等各专业的设计要点；针对氢气加注协议，结合国内外标准展开对比分析；在安全部分，系统介绍氢泄漏、火灾、爆炸等典型事故类型与应对策略，并配套详尽的安全设计、风险评估与应急响应机制；最后一章聚焦加氢站的运行管理，包括设备管理、运营操作、安全保障、政策支持与实际案例分析，力求理论与实践相结合，覆盖从规划设计到安全运营的完整链条。

本书主要读者对象包括高等院校能源、化工、机械、土建等相关专业的师生，氢能等新型能源研究领域的科研人员，加氢站规划、设计、建设与运营的技术人员，以及从事氢能政策制定、能源管理和标准研究的政府与行业机构工作人员。为确保内容的专业性与权威性，本书由王昌建教授牵头，联合氢能领域科研院所和企业工程技术人员共同编著，按章节分工撰写、统一审校，既注重理论的系统性，又兼顾实际应用的指导性。

在本书编著过程中，得到了多方专家的悉心指导和建议，在此我们谨向参与编写、审稿和提供数据支持的各位同行专家表示诚挚的感谢。同时，感谢国家和地方有关氢能发展政策为本书的内容编写提供了良好的外部环境。本书获得宁夏回族自治区重点研发项目的资助（项目号：2025BEE02010）。

本书虽经反复论证与审校，限于编著者水平，内容难免存在不足之处，敬请读者批评指正，以便今后修订完善。

编著者

2025 年 9 月

# 目录
CONTENTS

# 第 1 章
# 绪 论

## 1.1 氢能在能源转型及交通领域的减排作用

氢能是一种清洁、高效的二次能源，能够在石化、冶金、交通等领域替代传统能源，从而实现深度脱碳，改变现有对传统化石能源高度依赖的局面，在我国实现“碳达峰、碳中和”目标背景下具有深刻意义。氢能在交通领域的应用主要是氢燃料电池汽车，其具有零排放、长续航、补能快、耐低温等特点，可在特定场景下弥补现有燃油车和纯电动汽车的诸多不足[1]。

然而，氢能的广泛应用也面临一些挑战。首先是制氢技术，目前主要有天然气重整制氢、煤气化制氢和电解水制氢等方法。虽然电解水制氢被认为是最为环保的方法，但由于电能消耗巨大，成本较高，限制了其大规模应用。其次是储氢和运输问题，氢气具有低密度、高扩散性和易燃易爆性，因此安全高效的储运技术亟待突破。此外，氢燃料电池的寿命和成本问题也需要解决，以提高其经济性和市场竞争力。由于能源结构制约，交通运输行业在我国温室气体排放总量中占比约 12%，公路运输碳排放量占交通运输全行业总量的 80%以上，是降碳减排的重点领域。主要原因在于：一是长期依赖燃油汽车的公路运输导致交通碳排放规模居高不下；二是中国能源结构依然以传统化石能源为主，碳排放总量持续增加；三是风、光、电等新能源使用效率依然不高，新能源汽车以家用为主，对整体交通运输行业的减碳效应尚未显现。可见，我国公路交通运输行业依然面临严峻的降碳减排压力[2]。

图 1-1 显示了 1000 万吨氢能用于替代等量现有能源下在公路货运、铁路货运与客运中可能获得的碳减排数量。不难看出，氢能替代燃油车公路货运获得的碳减排效果最显著；1000 万吨氢用于替代现有燃油货运汽车可望产生近 1 亿吨的降碳效果[3]。可见，使用氢能有助于减缓交通运输行业的碳减排压力。

氢能汽车的推广使用对交通领域的减碳具有重要意义。然而，其广泛应用需要完善的基础设施作为支撑。加氢站作为氢能基础设施的重要组成部分，其数量和布局是制约氢能汽车广泛使用的关键因素，加大加氢站的建设和运营规模有利于氢能汽车的推广，从而促进交通领域碳减排目标的实现。

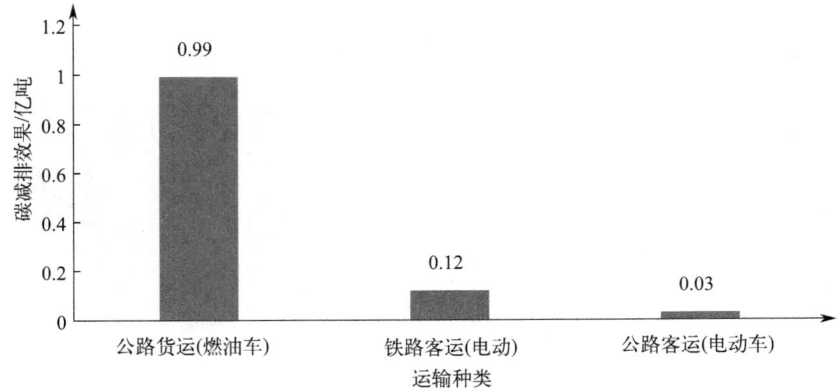


图 1-1　氢能对燃油车与电力运输的替代效果

## 1.2 加氢站分类

加氢站有多种划分方法，最主要的划分方式有 4 种（图 1-2），分别按加注压力、站级别（储氢量）、储氢形态和氢气源来划分。

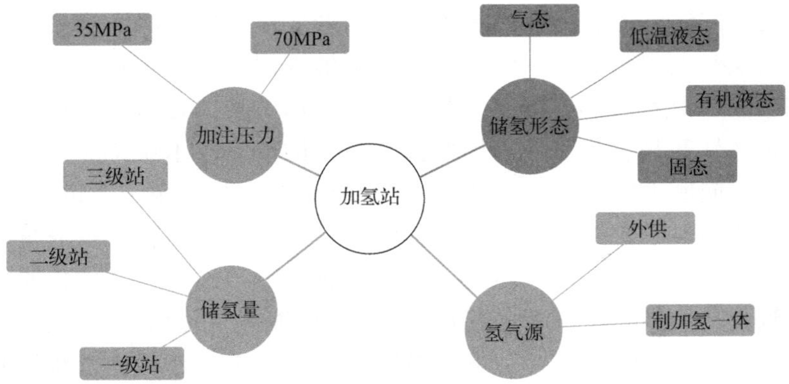


图 1-2　加氢站分类图

（1）按站级别—储氢规模

根据《加氢站技术规范（2021 年版）》（GB 50516—2010）的规定，总储氢量小于 3000kg 时，加氢站为三级站；储氢量在 3000～5000kg 之间，为二级站；储氢量在 5000～8000kg 之间，为一级站。

对于与加油站、加气站合建的加氢站，其等级也分为三个等级，具体划分规则按《汽车加油加气加氢站技术标准》（GB 50156—2021）执行。

（2）按氢气加注压力

按照氢气加注压力，即根据氢能汽车储氢瓶储气压力来分，加氢站分为 35MPa 级和 70MPa 级（含 35MPa 加注能力）的加氢站。

70MPa 级加氢站主要针对小型乘用车这一类储氢空间相对受限的车型，目前国内对 70MPa 加注能力的需求相对较小。

35MPa 级加氢站主要针对大型乘用车、轻重卡和特种车辆这一类对储氢空间相对不敏感的车型，目前国内加氢站实际运行加注压力基本都是 35MPa 级的加氢站。

（3）按储氢物理形态

按储氢物理形态分，加氢站分为气态储氢、低温液态储氢、固态储氢和有机液态储氢加氢站。

国内目前还是以气态储氢加氢站为主，有进行低温液态储氢加氢站建设的规划，有机液态和固态储氢还处在技术供应商小规模推广示范阶段。

（4）按氢气源

按氢气源，加氢站可分为外供氢加氢站和制氢加氢一体站。制氢加氢一体站根据制氢技术路线进一步细分为电解水制氢、天然气重整制氢、甲醇重整制氢等一体站。

# 1.3 国外加氢站发展现状

近年来，全球加氢站的数量持续增长，表 1-1 提供了除美国以外的国外运营和计划中的加氢站的数据。为公路氢燃料汽车加氢的加氢站在此范围内，而仅为向其他车辆（例如叉车、船只或踏板车）或其他目的供应氢气而建造的加氢站则不包括在内。截至 2024 年 8 月 15 日，国外（除美国）各国加氢站数量及占比如表 1-1 所示。

表1-1 国外（除美国）加氢站数量及占比

| 国家 | 数量/座 | 全球加氢站占比/% |
|---|---|---|
| 韩国 | 195 | 30.81 |
| 日本 | 184 | 29.07 |
| 德国 | 101 | 15.96 |
| 法国 | 22 | 3.48 |
| 荷兰 | 19 | 3.00 |
| 瑞士 | 18 | 2.84 |
| 澳大利亚 | 12 | 1.90 |
| 英国 | 10 | 1.58 |
| 加拿大 | 9 | 1.42 |
| 丹麦 | 8 | 1.26 |
| 比利时 | 8 | 1.26 |
| 瑞典 | 7 | 1.11 |
| 奥地利 | 6 | 0.95 |
| 挪威 | 5 | 0.79 |
| 印度 | 4 | 0.63 |
| 其他国家 | 25 | 3.94 |

## 1.3.1 日本

### 1.3.1.1 日本氢能总体战略

日本国内能源资源较为匮乏，能源供给高度依赖进口，20 世纪 70 年代的石油危机使日本极为重视能源供应安全。氢能低碳高效，作为能源载体可以储存、运输、利用可再生能源，通过氢能燃料电池在交通、家庭、工业乃至全社会领域的普及应用，可保障真正的能源安全[4]。2014 年 4 月日本政府第四次能源基本计划中首次提出将建设“氢能社会”。同年 6

月“产官学”联合召开的氢能与燃料电池的会议中，各界明确提出了“氢气与燃料电池战略路线图”，开启了日本氢能发展战略的序幕[5]。2017 年 12 月日本发布《氢能源基本战略》，确立了 2050 年氢能社会建设目标及近中期具体行动计划[6]。2018 年，日本发布《第四期能源基本计划》，将氢能定义为核心二次能源（与电力、热能并列），明确提出建设氢能社会[7]。2021 年 1 月，日本宣布《绿色增长计划》，提出在 2030 年氢能产量实现 300 万吨的目标。为了支持这一目标，日本政府宣布了一项 7000 亿日元的公共投资计划，支持日本氢气供应链发展[8]。2021 年 10 月 22 日，日本公布的《第六次能源基本计划》，围绕应对气候变化与日本能源供需结构转型两大核心目标制定，将氢能定位为一种新资源，力争 2030 年将氢的成本降低至与化石燃料同等水平，加速社会应用，并通过设置绿色创新基金支持技术创新，以实现 2050 年碳中和目标。总体而言，日本将通过加强技术研发，持续增加产业投资、强化规模效应，建立政企协力合作模式、国际供应链以及先进标准合作等方式打造氢能社会[9]，如图 1-3 所示。

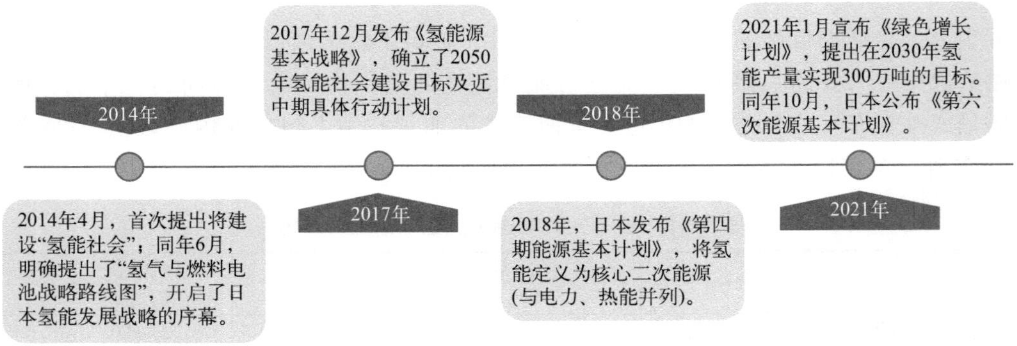


图 1-3 日本氢能发展阶段图

### 1.3.1.2 日本加氢站建设现状

日本一直坚定地推动氢能发展，已在氢能的储、运、加等技术领域取得了先发优势，总结出较为成熟的加氢站示范-运营-规模化推广模式。2015 年以前，日本加氢站建设主要依赖于企业自建自营。截至 2014 年 12 月，日本共建有 46 座加氢站，多数加氢站仅能提供约 300kg/d 的加氢服务，远未达到饱和水平。从 2015 年初至 2017 年底，日本的加氢站及相关基础设施建设逐步跨入以少数企业联合建设为主的阶段，上、中、下游的各自有代表性的企业开始逐步深化合作来推动氢能基础设施的建设。2015 年初，日本岩谷产业、丰田和大阳日酸等公司合资设立了尼莫西斯公司，主营移动式加氢站，其旗下的移动式加氢站的占地小于同规格固定式加氢站的 30%。自 2018 年初至 2022 年 6 月日本以企业联盟的形式来推动加氢站及相关基础设施的建设，力图构造闭环式氢基础设施产业[9]。2018 年 2 月，丰田汽车、日产汽车、本田汽车、新日本石油、出光兴产、岩谷产业、东京燃气、东邦气体、液化空气日本分公司、丰田通商、日本发展银行等 11 家公司合资建立了日本加氢站网络公司(Japan Hydrogen Mobility，JHyM)，该组织承担起日本市场内的氢基础设施建设和运营工作[10]。

截至 2024 年 8 月 15 日，日本共有 184 座加氢站投入运营，具体地区数量如图 1-4 所示。

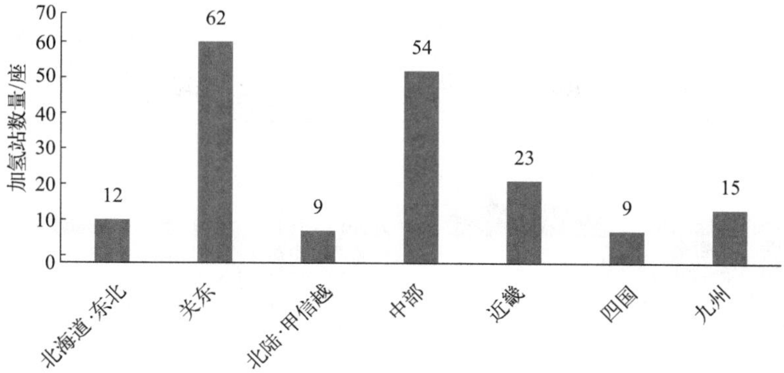


图 1-4 日本加氢站数量分布

## 1.3.2 欧洲

### 1.3.2.1 欧洲氢能总体战略

欧洲作为环境保护的先锋，其能源体系包含诸多可再生能源，在工业领域中，氢能已经成为理想的选择，是欧洲传统能源转型与经济发展的关键角色。在 2019 年 1 月，欧洲氢能源和燃料电池联盟发布《欧洲氢能路线图》，预计到 2050 年可占欧洲最终能源需求的 24%，并创造 8200 亿欧元（约合 6.4 万亿人民币）的市场。2019 年 6 月，欧洲能源研究联盟发布第 4 版《燃料电池与氢能技术联合研究规划》，该规划更新了欧盟在 2030 年以前，为使氢能实现大规模部署及商业化，在电解质、催化剂与电极、电堆材料与设计、燃料电池系统、建模验证与诊断、氢气生产与处理、氢气储存 7 个技术领域的目标及路线，同时确保欧洲能源研究联盟所属各单位在以上领域保持中长期竞争力。在 2019 年 11 月，欧盟委员会常务副主席 Frans Timmermans 在氢能源和燃料电池联盟利益攸关方论坛上提出：到 2030 年以前投资 520 亿欧元，通过发展氢能实现全欧洲的零碳排放目标，创造 85 万个就业岗位。欧盟委员会十分认可过去 10 年各成员国在氢能发展方面取得的成绩，为了保持这一优势，提出在制氢、储运、应用等领域加速技术研发，实现氢能价值链关键环节的规模化发展，并确保清洁氢技术的安全集中部署。2019 年全年，德国、爱尔兰、比利时、瑞士、法国、英国等经济强国也都为氢能发展提出与本国产业相结合的路线图或规划。在 2020 年初，为加速欧洲工业脱碳并保持欧洲工业领先地位，欧盟委员会发布的《欧洲工业战略》提出成立清洁氢联盟宜优先于低碳工业联盟、工业云平台和原材料联盟[11]，如图 1-5 所示。

### 1.3.2.2 加氢站建设现状

2009 年，欧盟完成“天然气管道运输掺氢”项目研究；壳牌、道达尔、法国液空、林德、戴姆勒等公司共同签署了 H2 Mobility 项目合作备忘录，将在 10 年中投资 3.5 亿欧元，在德国境内建设加氢站。2015 年和 2016 年分别启动了 H2ME 1 计划和 H2ME 2 计划，共投资 1.7 亿欧元，建设 49 座加氢站。

截至 2021 年 11 月底，欧洲共有在营加氢站 173 座，其中，德国 92 座；法国、英国、荷兰和瑞士分别为 22 座、13 座、10 座和 9 座。此外，多数加氢站日加氢服务水平不超过 500kg/d，加氢站的规模相对较小。截至 2024 年 8 月 15 日，欧洲在营加氢站共 210 座，各

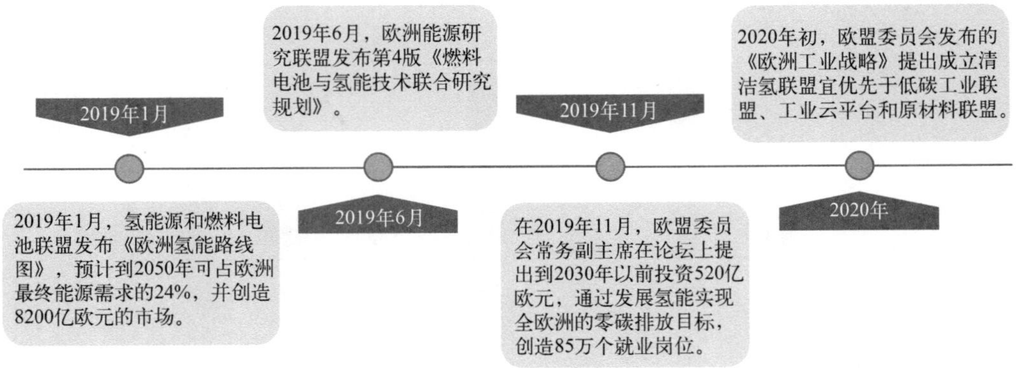


图 1-5 欧洲氢能发展阶段图

国在营加氢站数量如图 1-6 所示，排在前 3 位的分别为德国、法国、荷兰，在营加氢站数量分别为 101 座、22 座、19 座。德国作为欧洲氢能交通及相关基础设施领域发展较快的国家之一，其氢能和燃料电池产业的快速发展得益于政府的系统规划[10]。

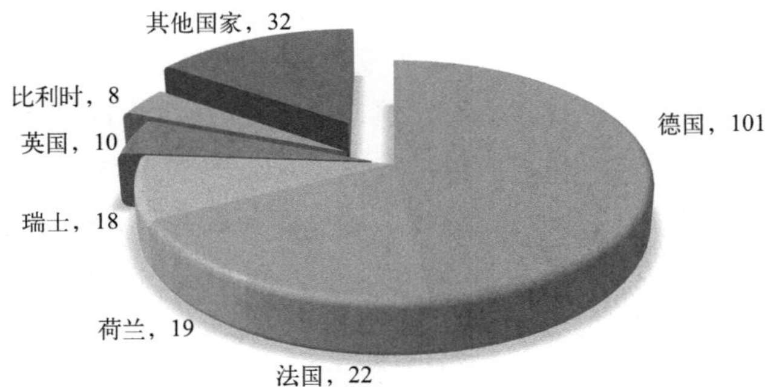


图 1-6 欧洲各国加氢站数量（单位：座）

## 1.3.3 德国

### 1.3.3.1 德国氢能总体战略

德国是欧盟发展氢能最具代表性的国家。德国政府将氢能视为能源安全和能源低碳转型的保障，注重与可再生能源协同发展以加快氢能产业链布局，在应用场景和产业化布局方面全球领先，明确氢能是重型运输、工业原料和建筑等“难以脱碳”领域的唯一选择，同时提升工业竞争力[9]。2004 年，德国联邦政府成立了国家氢能与燃料电池组织，支持氢能产业发展。2006 年，国家氢能与燃料电池组织启动了国家创新计划（National Innovation Program，NIP）计划来推动实施氢能发展项目的实施。2006—2016 年期间，德国联邦政府通过《氢能与燃料电池国家创新计划》，拨付了 7 亿欧元用于发展氢能与燃料电池技术[13]。2020 年 6 月，德国政府发布《国家氢能战略》（以下简称《战略》），拟从构建氢能战略的监管框架、制定绿氢发展技术路线图、推进国际合作、加大技术创新的政策扶持力度、增加工业、热力、交通领域基础设施的投入等方面推进绿氢产业发展。《战略》将能源供应安全性、经济性和生态性与创新型和智能型的零碳能源产业模式相结合。在统筹本国能源供应和供求关系的基础上，依托国家能源战略跨部门的宏观布局，将发展绿氢作为《战略》的核心目标和方向，助力德国实现 2050 年的零碳能源转型[14]。此外，德国还通过《未来计划》，追加 90 亿欧元用于加速国内氢能技术转化与推广，以及培育氢能国际伙伴关系，图 1-7 为德国氢能发展阶段图。

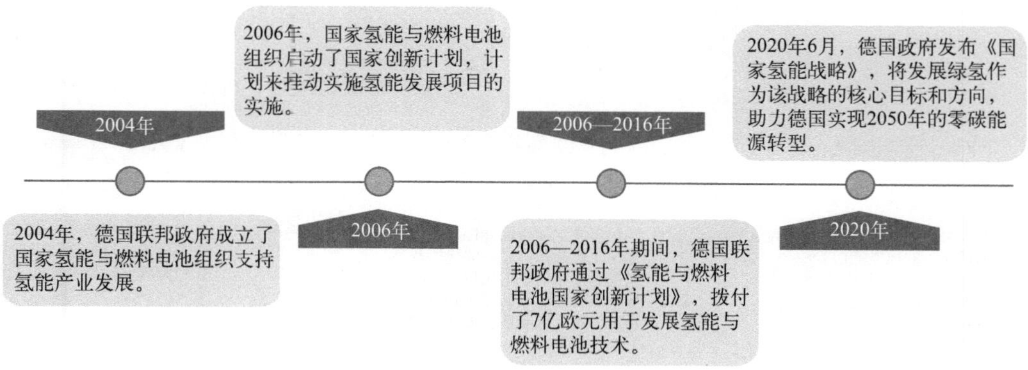


图 1-7 德国氢能发展阶段图

#### 1.3.3.2 加氢站建设现状

1999 年 5 月，世界上第一座加氢站在德国慕尼黑国际机场建成，此后世界各国相继开始推动加氢站的建设[15]。2013 年，德国正在运营的加氢站有 32 座，另有 7 座处于建设之中[16]。2016 年开始德国在柏林、汉堡、杜塞尔多夫、法兰克福、斯图加特和慕尼黑等大都市区一级连接高速公路上建立接近 50 个加氢站，一方面进行前期的加氢站技术探索，另一方面为起始阶段氢燃料电池汽车提供最基本的道路条件。德国第 71 座加氢站 2019 年 6 月在威斯特法伦州建成，根据高工产研氢电研究所研究发现，德国加氢站的建设速度在加快[17]。截至 2024 年 8 月 15 日，德国的加氢站数量为 101 座，德国的加氢站数量约为欧洲其他国家的总和，占欧洲在营加氢站的 48%。

### 1.3.4 美国

#### 1.3.4.1 美国氢能总体战略

美国对氢能始终保持积极态势，主要基于应对能源安全和气候变化考虑，后期主要作为先进技术进行战略投资。1970 年，通用汽车公司首次提出“氢经济”概念。1990 年的《氢研究、开发及示范法案》和 1996 年的《氢能前景法案》，制定氢能研发 5 年管理计划，投入 1.6 亿美元用于氢能生产、储存和应用研发，重点论证氢能技术的可行性，标志着美国政府确定氢能为未来能源发展的方向之一，开始开展氢能技术研究。2002 年的《国家氢能发展路线图》和 2004 年的《氢立场计划》等，计划在 5 年内投资 12 亿美元研发氢能生产和储存技术，促进氢燃料电池汽车技术及相关基础设施在 2015 前实现商业化，明确氢能产业发展要经过研发示范、市场转化、基础建设和市场扩张建立氢能社会 4 个阶段。2014 年制定《全面能源战略》，加快了氢能基础设施的建设及其在交通运输业中的应用，同时重视制氢和储氢领域相关新材料的研发，确定氢能在交通转型中的引领作用。2020 年 11 月，美国能源部发布《氢能计划发展规划》，提出未来 10 年及更长时期氢能研究、开发和示范的总体战略框架，明确氢能发展核心技术领域、需求和挑战，提出氢能技术主要经济目标，首次明确氢能在实现碳中和目标中的作用。2021 年美国启动第一批氢能攻关计划[6]，计划在未来 10 年使清洁氢能成本降低 80%，目标为降至 1 美元/千克[18]，图 1-8 为美国氢能发展阶段图。

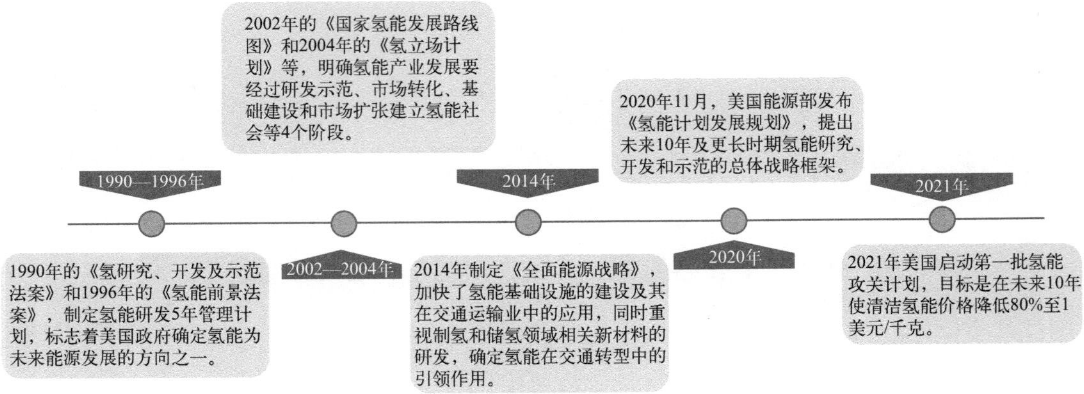


图 1-8 美国氢能发展阶段图

### 1.3.4.2 加氢站建设现状

自 2001 年起，美国便形成了较完整的推进氢能发展的国家政策、法律和科研计划体系，确定氢能为国家战略，引导能源体系向氢能经济过渡。在加州燃料电池合作组织（California Fuel Cell Partnership，CaFCP）等组织的推动下，美国在 2008 年以前就建成了很多座加氢站。2013 年，美国投入运营的加氢站总数有 68 座，另有 43 座计划待建[19]。2018 年底，美国拥有在营加氢站 42 座，主要位于加州[20]。2019 年 9 月，美国运营中的加氢站总计 60 座，其中有 41 座位于加利福尼亚州，且全部为向公众开放的零售加氢站。2021 年，美国加利福尼亚州加氢网络市场覆盖和单站利用率都进一步扩大。尤其是在燃料电池汽车销量增加 3341 辆（同比增加 37.4%）的情况下，加氢站数量仅增加了 3 座（同比增加 6.67%），整体平均利用水平达到 70%。

截至 2025 年 8 月 2 日，美国各州加氢站数量如图 1-9 所示。目前美国绝大部分的加氢站位于加利福尼亚州，由图 1-9 可知美国共有 72 个加氢站，其中 55 座位于加州。加利福尼亚州的加氢站形成了以旧金山和洛杉矶为中心的两大组团，并以 5 号州际高速公路为连接的“哑铃状”加氢体系，其中旧金山和洛杉矶组团加氢站数目较多，其余站点分布在高速沿线，

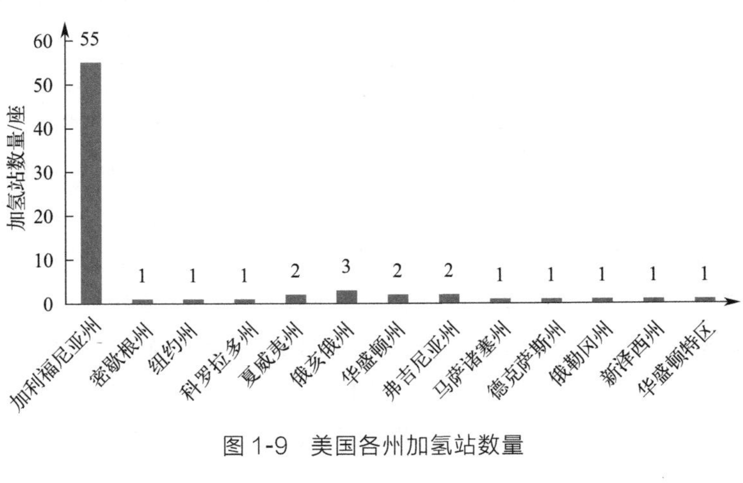


图 1-9 美国各州加氢站数量

两组团之间直线距离 500km，配合沿途站点完全可以满足氢燃料电池汽车当前的续航能力[21]。

# 1.4 国内加氢站发展现状

## 1.4.1 氢能总体战略

2016 年 10 月，由工信部委托中国汽车工程学会组织行业专家研究编制的《节能与新能源汽车技术路线图》发布，其中的燃料电池汽车发展路线图提出了我国氢能基础设施的发展路线与目标。同年由中国标准化研究院和全国氢能标准化技术委员会联合研究编著的《中国氢能产业基础设施发展蓝皮书（2016）》发布，也明确了相同的目标。2018 年《关于调整完善新能源汽车推广应用财政补贴政策的通知》对氢燃料电池汽车给出了具体补贴说明。2019 年，政府工作报告首次将氢能纳入，国内氢能产业迎来发展良机。2020 年，氢能被国家统计局首次纳入能源统计，氢能产业名义投资总额超过 1600 亿元人民币。同年 5 月 22 日，在《关于 2019 年国民经济和社会发展计划执行情况与 2020 年国民经济和社会计划草案的报告》中，氢能被首次写入国民经济和社会发展计划，国内氢能产业发展迎来良机。2021 年，中国氢能联盟发布了《中国氢能源及燃料电池产业白皮书（2020）》[22]。2022 年 3 月，国家发展改革委、国家能源局联合印发《氢能产业发展中长期规划（2021—2035 年）》（以下简称《规划》），作为指导今后 15 年氢能产业发展的纲领性文件，《规划》以"碳达峰碳中和"目标为指引，以推动高质量发展为主题，以高水平科技自立自强为主线，对于新时代积极有序推动有规模有效益的氢能具有重大指导意义，图 1-10 为中国氢能发展阶段图。

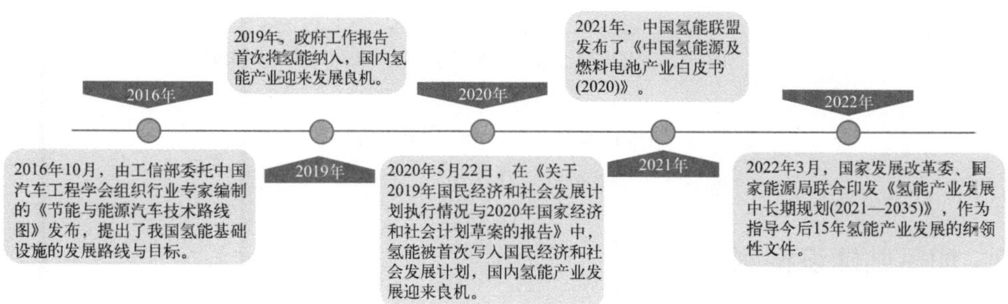


图 1-10 中国氢能发展阶段图

## 1.4.2 加氢站建设现状

为了推动燃料电池汽车的发展，我国也正在积极建设加氢站。2003 年，科技部正式启动"燃料电池汽车高压氢气加气站及供氢技术研发"863 项目[23]。2006 年，由清能华通和英国石油（British Petroleum，BP）公司合建的中国首个加氢站在北京新能源交通示范园正式投入运营，之后中国的加氢站发展陷入一个较长的缓慢发展期。至 2016 年，国内建成的加氢站仅 10 座。截至 2017 年，我国共建成加氢站 9 座，在运营的加氢站有 6 座，分别在北京、上海、郑州、大连、云浮和佛山，仅占全球运营数量的 2.2%；另外 3 座为大型赛事或活动而建，赛事活动结束被拆除，分别是上海世博会加氢站、广州亚运会加氢站和深圳大运会加氢站。2019 年，我国已形成了一批加氢站设计运营企业，主要集中在北上广地区。全国拥有在营加氢站 20 多座，在建加氢站数量约 40 座。2021 年，我国已建成加氢站 255 座，累计覆盖 27 个省（直辖市）所属 89 个地级市。其中，在营 183 座，待运营 69 座，暂停运营 3 座。在全部 255 座加氢站中，有 32 座主要用于氢燃料电池车企与氢燃料电池电堆系统内部测试，未面向社会开放。2022 年 3 月底，中国已累计建成 264 座加氢站，在氢气来源方面，建成的加氢站中有 17 座为制氢加氢一体站，其中有 16 座是电解水制氢加氢一体站[10]。

2024 年底的统计数据显示，全国加氢站数量为 540 座（部分机构统计为 497～527 座），区域分布不均衡，广东、山东等地数量领先。根据高工氢电产业研究所（GGII）《中国加氢站数据库》资料，截至 2025 年 6 月底，国内累计建成加氢站达到 527 座。其中，2025 年上半年新建成加氢站 27 座，同比增长 12.5%；目前在建及规划建设加氢站达 161 座。随着“十四五”规划收官临近，各地加快推进加氢站建设，上半年建设速度呈现小幅提升态势。从地域分布来看，2025 年上半年国内新建成的 27 座加氢站分布在 13 个省份。其中，北京和河北位居前列，两地合计新增 9 座，占新增总量 1/3；重庆、陕西、内蒙古、四川、贵州、湖北、安徽 7 个省份的新建数量达到 2 座。图 1-11 为中国已建成加氢站数量。

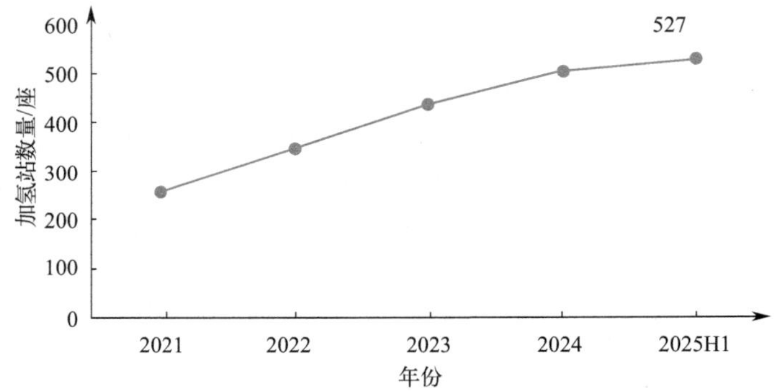


图 1-11　中国 2021～2025H1 已建成加氢站数量

H1—上半年

## 1.4.3　加氢站建设案例

### 1.4.3.1　安亭加氢站

安亭加氢站是科技部于 2003 年启动的“863”项目“燃料电池汽车高压氢气加气站及供氢技术研发”的重要组成部分，建成于 2007 年 12 月，坐落于上海市安亭国际汽车城内，是上海第一个固定加氢站，也是国内运行时间最长的加氢站[24]。该加氢站由上海舜华新能源系统有限公司和同济大学等单位共同建设，由上海舜华新能源系统有限公司负责运营和管理。

安亭加氢站配置了 1 台 35MPa 加氢机，1 组 45MPa 储氢瓶组和 1 台 45MPa 压缩机（采用两机一撬，一用一备的设计方案），最大日供氢能力为 800kg，可满足连续加注 20 辆燃料电池汽车或 6 辆燃料电池大巴车的加氢需求。

加氢机是由上海舜华新能源系统有限公司自主研发，加注压力为 35MPa，双系统双枪，三线进气。储氢装置采用的是电力用氨（Ammonia for Power，AP）的储氢瓶组，存储压力为 45MPa，储氢瓶组水容积为 6.93m³，最大储氢量约为 160kg，氢气压缩机采用的是整机进口隔膜压缩机（Pneumatic Diaphragm Compressor，PDC），排气量为 376m³/h@12.5MPa，并且撬上集成了风冷式冷却系统。本站采用长管拖车将 20MPa 的氢气运输进入加氢站，经 45MPa 氢气压缩机将氢气增压至 45MPa 固定储氢瓶组中，储氢瓶组与长管拖车分成高、中、低压三组储氢压力等级，加注机通过三级取气三线进气实现对 35MPa 燃料电池汽车加注，加注速度通过手动调节阀进行控制。该站增加了 8.16kW 光伏发电，35kW 储能，设置了 220V/32A 充电桩 2 台，具备给电动车辆充电的功能。

设备配置清单见表 1-2。

表1-2 安亭加氢站设备配置

| 项目 | 内容 |
|---|---|
| 加氢站类型 | 固定站 |
| 压缩机 | 一台全进口隔膜压缩机 376m³/h@12.5MPa，自集成风冷式冷却系统 |
| 储氢容器 | 一套储氢瓶组（6.9m³） |
| 加氢机 | 一台双系统双枪加氢机，三线进气，可同时加注 |

#### 1.4.3.2 上海化工区驿蓝加氢站

上海化工区驿蓝加氢站由上海驿蓝能源科技有限公司投资建设并运营，是加氢充电综合服务站。氢加注量为 1920kg/d，主要为上海驿动汽车服务有限公司的 100 辆氢燃料电池中巴车及 8 辆氢气长管拖车提供氢气加注及充装服务。上海舜华新能源系统有限公司为驿蓝加氢站提供新一代加氢工艺及整套设备，并将其安全运营管理经验植入到该站的运营当中。上海化工区驿蓝加氢站是全国首座利用管道供氢，具备长管拖车充装能力的加氢母站，是全国首个商业运营的全场景综合站，也是上海加氢走廊的重要里程碑。

该站通过管道供氢前段提纯后，经园区管道输送到站内。站内配置了 12 台 20MPa 充装柱，2 台 35MPa 加氢机，2 台 70MPa 加氢机，1 台 20MPa 氢气压缩机，1 台 45MPa 氢气压缩机，1 台离子液压缩机，1 组 20MPa 储氢瓶组，1 只 45MPa 储氢罐（预留 1 个），1 只 90MPa 储氢罐（预留 1 个）。该站具备为 20MPa 长管拖车充装的能力，为 35MPa 和 70MPa 燃料电池车辆加注的能力。舜华新能源系统提供 20MPa 单系统充装柱和第二代 35MPa 加氢机，加氢机为单系统双枪。一台 70MPa 加氢机为上海舜华新能源系统有限公司自主研制的第二代 70MPa 加氢机，采用微通道 70MPa 加氢机换热器；另一台为林德 70MPa 加氢机，采用埋地式套管换热器。20MPa 储氢装置选用的是安瑞科储氢瓶组，水容积 21.24m³，最大储氢量约 210kg；45MPa 储氢装置采用的是浙大巨化储氢罐，其水容积为 5m³，最大储氢量约为 145kg；90MPa 储氢装置同样采用浙大巨化储氢罐，其水容积为 1m³，最大储氢量约为 50kg。

20MPa 氢气压缩机和 45MPa 氢气压缩机均采用国产中鼎恒盛隔膜压缩，配闭式水冷式机组。90MPa 氢气压缩机采用林德离子液压缩机 IC90，顶部配置了风冷式冷却系统。

该站气源采用管道供氢，1.5～3MPa 的低压氢气通过园区管廊架空至站内，经计量撬计量后，再经 20MPa 压缩机增压给长管拖车充装，或储存在 20MPa 储氢瓶组内。45MPa

增压机利用 20MPa 储氢瓶组作为气源，增压后存储至 45MPa 储氢罐；离子液压缩机利用管道低压氢气（1.5～3MPa）直接作为气源，经过离子泵的 5 级增压，最高可增压至 100MPa，出口设置为 90MPa，将 90MPa 氢气储存在 90MPa 储氢罐内。同时，离子液压缩机预留了 45MPa 和 20MPa 出口管路，可作为 45MPa 及 20MPa 的应急增压机使用。

设备配置清单见表 1-3。

表1-3 设备配置清单

| 项目 | 内容 |
|---|---|
| 加氢站类型 | 加氢充电合建站 |
| 压缩机 | 20MPa、800$m^3$/h 中鼎隔膜压缩机，45MPa、500$m^3$/h 中鼎隔膜压缩机，90MPa、30kg/h 德国林德离子液压缩机 |
| 储氢容器 | 巨化储氢罐 90MPa：1$m^3$，预留 1$m^3$，45MPa：5$m^3$，预留 5$m^3$，20MPa：14.1$m^3$ |
| 加氢机 | 两台单线单系统 35MPa 加氢机，1 台 70MPa 林德加氢机 1 台 70MPa 舜华加氢机 |
| 冷水机组 | 配套压缩机水冷式冷水机组、微通道 70MPa 加氢机换热器 |

### 1.4.3.3 嘉善善东加氢站

嘉善善东加氢站坐落于浙江省嘉善县姚庄客运站内，是集充电加氢于一体的综合功能服务站，该站加氢能力可达 500kg/d，可满足 25 辆氢能源公交车的正常行驶；该站由上海舜华新能源系统有限公司负责提供整套设备、先进工艺并安装建设。

嘉善善东加氢站为集约式加氢站，该加氢站占地面积 1253$m^2$，站内布置了两台充电功率达 60kW 的分体式充电桩和一套加氢系统，是集加氢、充电供能方式为一体的综合能源供应站。采用进口液驱式氢气增压加注机，无储氢罐，最大日加氢能力为 500kg/d，加注压力 35MPa。

设备配置清单见表 1-4。

表1-4 嘉善善东加氢站设备

| 项目 | 内容 |
|---|---|
| 加氢站类型 | 集约站（氢电合建站） |
| 加氢能力 | 500kg/d |
| 压力等级 | 35MPa |
| 压缩机类型 | 40kg/h 液驱压缩机一台 |
| 储氢容器类型 | 无 |
| 加氢机 | 一台单系统双枪加氢机 |
| 冷水机组 | 一台配套压缩机的冷水机组 |

注：站内设置 1 台双枪单计量增压加氢机，另配套卸车、站控、仪表及吹扫气汇流排等设施，进一步保障氢燃料电池公交车和物流车的加注。

### 1.4.3.4 雄众加氢站

雄众加氢站由武汉雄众氢能有限公司投资建设，上海舜华新能源系统有限公司提供全套设备、工艺设计及安装，设计供氢能力为 1000kg/d，储备容量为 1000kg，该站于 2019 年 3 月正式建成投产。该加氢站采用加注压力为 35MPa，并预留了加注 70MPa 和加注能力 700kg/d 氢气的扩展空间。

加氢站主要由外供氢气的长管拖车、压缩机、在站储氢装置、冷却装置、加氢机、管路、监控系统等组成。该加氢站主要采用外供氢气，加注压力为 35MPa，存储压力为 45MPa，存储容量为 770kg（储氢罐 420kg＋长管拖车 350kg）。长管拖车将 20MPa 的氢气输送进雄众加氢站内，经两台国产压缩机将氢气增压至 45MPa，储存在站里固定的储气罐中，可为燃料电池车辆提供 35MPa 的氢气加注。该站还预留了 70MPa 加氢功能，升级后可为 70MPa 的燃料电池车辆提供氢气加注服务。

设备配置清单见表 1-5。

表1-5　雄众加氢站设备

| 项目 | 内容 |
|---|---|
| 加氢站类型 | 固定站（油氢合建站） |
| 加氢能力 | 1000kg/d |
| 压力等级 | 35MPa |
| 压缩机类型 | 中鼎隔膜压缩机 |
| 储氢容器类型 | 储氢罐（7. 3$m^3$+ 7. 3$m^3$）辽宁开原 |
| 加氢机 | 单系统双枪加氢机舜华 |
| 冷水机组 | 配套压缩机的冷水机组 |

### 1. 4. 3. 5　平湖樱花液氢加氢站

平湖樱花液氢加氢综合供能站位于浙江平湖经济技术开发区，由浙江石油投资建设，设有一座 14$m^3$ 的液氢储罐，两台 90MPa 的高压储氢瓶，一台 35MPa 加氢机，并配套建设一台 120kW 充电桩整流柜及两个充电车位。

该站具备液氢、气氢两种介质的增压加注工艺。利用罐车运输方式将液氢转移至加氢站固定式液氢容器，作为加氢站的物料供应源；气氢采用管束车作为氢气供应源。储罐中的低压液氢经液氢泵增压至 45MPa，进入汽化器相变换热为高压氢气，管束车的氢气经液驱增压泵增压至 45MPa 成为高压氢气，高压氢气经储氢气瓶缓冲暂存，而后向燃料电池汽车加氢。

基于液态/气态储氢加氢工作原理，整站主线工艺设备配备有液氢容器、液氢泵、汽化器、液驱泵、冷却装置、管道、阀门等。燃料电池汽车加氢过程，采用缓冲气瓶中的高压氢气经加氢机根据 SAE J 2601 加氢协议实现指定参数的氢气加注。系统设置多个排放或放气管道，利用氢集中管理安全排放系统实现液氢蒸发氢气及各点泄放氢气的安全处置方式。

设备配置清单见表 1-6。

表1-6　平湖液氢加氢站设备

| 项目 | 内容 |
|---|---|
| 加氢站类型 | 固定站（油氢合建站） |
| 加氢能力 | 500kg/d |
| 压力等级 | 35MPa |
| 压缩机类型 | 液氢泵+ 液驱增压泵 |
| 储氢容器类型 | 液氢罐（14$m^3$）+ 高压气瓶（2×1$m^3$） |
| 加氢机 | 单系统双枪加氢机 |
| 冷水机组 | 配套压缩机的冷水机组 |

### 1. 4. 3. 6　顺德兴顺加氢站

顺德兴顺加氢站位于广东省佛山市，由兴顺燃气有限公司投资建设，设有两座储氢量

288kg 的氢气储罐，两台 35MPa 加氢机，该站在原 LNG 和 L-CNG 加气合建站基础上增设加氢工艺系统，氢气加注量为 500kg/d，加注压力为 35MPa。

原加气站属于一级 LNG 与 L-CNG 加气合建站，包括 3 个 $50m^3$ LNG 储罐和 4 座 $3m^3$ CNG 储气井。增设加氢系统后，空置一个 $50m^3$ LNG 储罐增设两座 288kg 储氢罐。改造后属于一级加气加氢合建站。

设备配置清单见表 1-7。

表1-7 顺德兴顺加氢站设备

| 项目 | 内容 |
| --- | --- |
| 加氢站类型 | 固定站（LNG、CNG、氢合建站） |
| 加氢能力 | 500kg/d |
| 压力等级 | 35MPa |
| 压缩机类型 | 隔膜增压泵 |
| 储氢容器类型 | 高压气瓶（2×288kg） |
| 加氢机 | 单系统双枪加氢机 |
| 冷水机组 | 配置压缩机的冷水机组 |

### 1.4.4 加氢站发展趋势与展望

国内加氢站的建设运营在规模和技术进度方面均呈现出积极的趋势。在规模方面，近年来我国加氢站的数量正在稳步提升，在全球已建成加氢站的占比也在不断提高，成为全球最大的加氢站保有量国家，随着氢能及氢燃料电池车的广泛应用，这一数量将进一步增加。在技术方面，我国加氢站的技术也在不断进步。随着 70MPa 加注等级相关核心设备的研发、液氢加注技术的进步，国内加氢站也在向更高的加注压力以及液氢方向发展。此外，为了提高加氢站运营效率，降低加氢站建设运营成本，制氢加氢一体站以及加油加气加氢合建站也受到了更多的关注。总的来说，国内加氢站在规模、技术进度方面都在快速发展，这为氢能汽车的普及和氢能产业的发展奠定了坚实的基础。然而，也需要注意到，加氢站行业的发展还面临着一些挑战，如加氢站设备成本、氢气供应稳定性和氢气成本等，这需要政府、企业和社会各界共同努力，推动加氢站行业的健康、快速发展。

目前我国的氢能产业还处于发展初期，加氢站技术设备国产化率不高；加氢站审批流程还不规范，急需出台统一的规范性文件；需从氢制取、储运、加氢、氢利用全链条的各个环节共同推进，氢能才能实现良性、健康发展。关键技术装备国产化和完善加氢站标准体系，是我国加氢站未来快速发展的重要保障，我国加氢站发展的建议如下。

（1）完善加氢站标准体系与管理体系

学习借鉴国外加氢站相关标准，制定和完善适合我国具体国情的加氢站审批、建设、运营、安全管理的法规标准体系。优化加氢站工艺控制，规范加氢站的操作流程，提高安全监测与安全防护能力，保障储氢、用氢过程安全。建立加氢站监测预警平台，对加氢站运行状态进行实时动态监测；做好应急预案，及时应对各种突发情况；构建监管体系，保障加氢站安全运行。

（2）规范加氢站建站审批流程

国家尚无明确的审批流程，各地的相关部门均在探索。审批流程一般包括：项目选址和立项阶段、报建阶段。从国家层面考虑，在充分调研并结合现有的审批管理办法后，出台全国统一的、能有效实施的加氢站审批管理规定。由于气体性质相似，建议可参照《燃气车辆加气站》的审批流程来制定加氢站的审批流程。同时精简审批环节，建议将性质相同或类似的环节合并，如立项环节中的选址和核准，报建环节中的各种审查等。

（3）构建氢能产业良好生态环境

推广风电、水电等可再生能源制氢技术，建设以制氢企业为中心的加氢站网络，推进液氢储存型加氢站等具有未来发展趋势的加氢站建设进程。通过提高充装压力（如将加注压力从 35MPa 提升到 70MPa），研发液氢加氢站或者深冷高压充装加氢站，提升氢运输和加注效率，实现更高的氢能利用率。做好加氢站网络布局，满足氢燃料电池汽车的出行需求。研究氢油合建站和氢电合建站模式，充分发挥网点优势，提高土地利用率，减少立项审批中的规划、布局等环节。在燃料电池储能和分布式发电等领域，开发氢能利用的多样场景。建立良好的氢能产业生态环境，加速加氢站规模化、产业化进程。

（4）实现关键技术国产化

加氢站规模化发展的关键在于技术和设备国产化：重点需突破液氢制取储存技术；75MPa 以上高压储氢技术，提高气氢容器储氢压力；实现液氢储运关键装备国产化目标。如氢压缩机、加氢机关键技术，研发加氢站工艺设备，实现加氢站关键设备自主生产，降低建站及运营的成本。

# 第 2 章 加氢站关键设备

加氢站的功能是为燃料电池汽车提供加氢服务。加氢站加氢工艺设备主要由卸气系统、增压系统、储氢系统、加氢系统、氮气系统、氢集中排放系统和氢安全监控系统组成。常见典型 35MPa 级加氢站的氢气是站外供氢，其工艺系统流程如图 2-1 所示。在这种模式下，氢气由 20MPa 氢气长管拖车运输至加氢站，氢气长管拖车的氢气由 45MPa 压缩机压缩至 45MPa，可在 45MPa 储氢容器内存储，顺序控制装置将压缩的氢气通过 35MPa 加氢机加注到燃料电池车中使用。

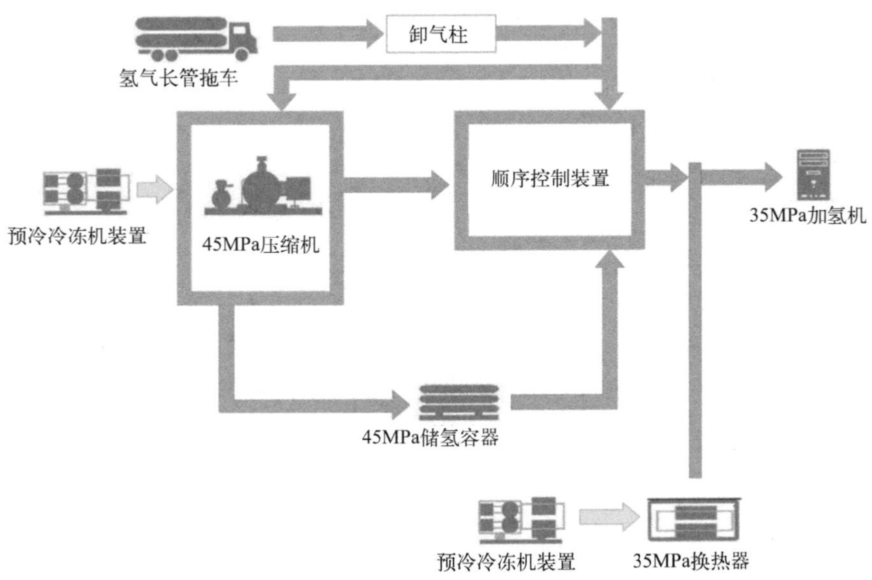


图 2-1 加氢站流程图

## 2.1 压缩机

压缩机作为加氢站内的核心设备，承担了氢气增压的重要作用。目前国内加氢站常用的氢气压缩机主要有隔膜压缩机、液驱压缩机和离子液压缩机等。其中，隔膜压缩机和液驱压缩机主要应用于储氢压力不大于 45MPa 的加氢站，国内多个生产厂家的相关技术已日趋成熟。而离子液压缩机主要应用于储氢压力 90MPa 的加氢站，目前国内在该压力等级的压缩机尚在研制过程中，主要依赖于进口[25]。

## 2.1.1 隔膜压缩机

### 2.1.1.1 隔膜压缩机的基本结构和基本原理

隔膜压缩机是一种特殊结构的容积式压缩机，由于其具有压缩比大、密封性好、压缩气体不受润滑油和其他固体杂质所污染的特点，因此已经成为我国大型装备国产化的攻关项目之一，并广泛应用于食品工业、石油工业、化学工业、电子工业、核工业、航空航天、军事装备及医学工程等领域[26]。

隔膜压缩机又称膜式压缩机，气缸内有一组膜片，缸盖和膜片之间所包含的空间构成气体压缩室，膜片的另一侧为油压室。活塞在油缸内做往复运动，使膜片在油压与气体压力差和本身弹性变形力的作用下来回折动，周期性地改变气体压缩室的容积，进行气体的压缩。隔膜压缩机因其特殊的结构，气缸不需要润滑，密封性能非常好，压缩介质不与任何润滑剂接触，因此可以压缩纯度极高的气体，适用于压缩、输送珍贵的稀有气体。另外，对于腐蚀性强、有放射性、有毒、易爆的气体，也特别适宜采用隔膜压缩机。隔膜压缩机气缸散热良好，可采用较高的压缩比，因而提供压力范围很广。

隔膜压缩机的工作原理是由电动机驱动曲轴转动，曲轴推动连杆，由连杆推动活塞做往复运动，从而活塞利用液压油对隔膜进行驱动，隔膜沿周边由两个限制板夹紧并组成气缸，隔膜由液压驱动在气缸内往复运动，从而实现对气体的压缩和输送。隔膜压缩机实物图与结构原理图如图 2-2 所示[27]。

(a) 实物图

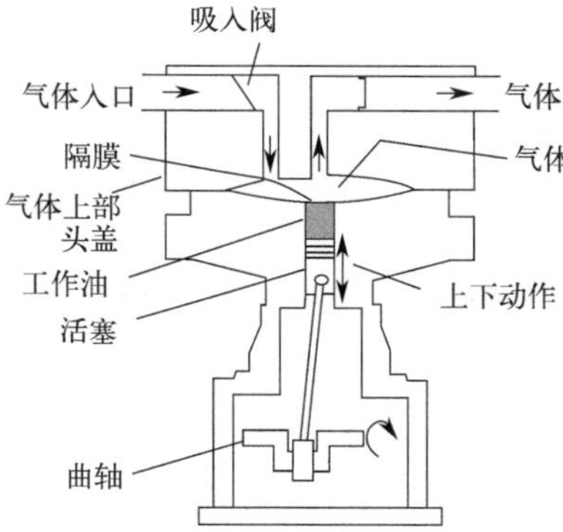


(b) 结构原理图

图 2-2 隔膜压缩机

### 2.1.1.2 隔膜压缩机优缺点

隔膜压缩机依靠液压推动膜片在气缸中往复运动来压缩气体。膜片将压缩腔与驱动部分完全隔开，气密性好，没有二次污染，气体洁净度易于保证；工作腔为碟形，气缸工作容积表面积与气缸体积的比值要远大于活塞式压缩机，故其压缩过程接近等温压缩，可实现单级大压比。另外，隔膜压缩机的相对余隙容积很小，所以气缸的容积利用率很高，单级压力比较高。隔膜压缩机最大的缺点是膜片的使用寿命比较短，尤其是在加氢站频繁启停和工况宽幅变化使用条件下，膜片的使用寿命更是大幅度缩短。另外，碟形工作腔本身容积较小，也使隔膜压缩机单机难以实现较大的处理量[28]。

隔膜氢气压缩机与液驱压缩机的不同点主要在于活塞和气体之间加入了液油和隔膜，从而增加了密封性。这种设计不仅提高了压缩机的密封性能，还进一步降低了“碳类物质”与气的接触，使得压缩机的洁净度极高。而其缺点与活塞式类似，也仅用于中小排量和高压的工况。较先进的压缩机排气压力可达 100MPa，流量为 200～700$m^3$/h，效率可达 80%～85%。其中三层金属隔膜结构压缩机输出压力超过 85MPa，多级压缩最高排气压力可达 400MPa。因此，该产品适用于平均日加氢量较大且需要连续运营的加氢站。

此外，隔膜压缩机因其密封属于静密封，压缩介质可以不与任何润滑剂接触，因此可以压缩纯度极高的气体，适用于压缩、输送珍贵的稀有气体，也适宜腐蚀性强，有放射性、有毒、易爆的气体，广泛应用于化工等各行业[29]。

#### 2.1.1.3 隔膜压缩机的参数

隔膜压缩机国外主要品牌有美国 PDC、PPI、德国 HOFER 等。国内品牌主要为芜湖中鼎恒盛、北京天高、江苏恒久等[30]。

隔膜压缩机的主要参数包括进气压力、排气压力、流量和功率，采用金属隔膜并由液力驱动的压缩机比较常见，其排气量可达 100$m^3$/h，多级压缩的排气压力可超过 100MPa，适用于各种气体的输送和加压。各公司品牌压缩机具体的特性和典型参数见表 2-1。

表2-1 几种代表性的隔膜压缩机参数

| 品牌 | 进气压力/MPa | 排气压力/MPa | 流量/($m^3$/h) | 功率/kW |
|---|---|---|---|---|
| 芜湖中鼎恒盛 | 30 | 70 | 800 | 55 |
| 北京天高 | 2~6 | 80 | 40~150 | 22~37 |
| 江苏恒久 | — | 100 | 110~1000 | 7.5~90 |
| 美国 PDC | — | 58 | 600 | 55 |
| 美国 PPI | — | 115 | 78 | 30 |
| 德国 HOFER | 20 | 90 | 142 | — |

隔膜氢气压缩机的最大排气压力可超过 80MPa，功率范围为 20～90kW。但体积流量较低，加氢站在建设时应当考虑加氢站的日加氢能力和储氢压力。目前在高压领域国产化技术成熟度和竞争力较差，国外技术成熟度相对较高。国产化面临的难题主要是隔膜压缩机本身材料在高压下的耐受度，以及隔膜本身的寿命。国内隔膜压缩机市场主要由美国 PDC 占据，该公司研发的设备日进气量为 5～2500kg，最大排出压力为 48.2～103.4MPa。由于隔膜压缩机成本较高，而在燃料电池车和加氢站大规模推广阶段，成本问题直接决定了加氢站氢气压缩机的选型。因此，隔膜压缩机在加氢站中应用的前提是降低其自身成本，这可以通过隔膜压缩机的国产化来实现。

图 2-3 为加氢站应用隔膜压缩机的工艺流程。根据图 2-3，加氢站应用隔膜压缩机的常规工艺流程为：当管束拖车的氢气压力在 8～20MPa 时，氢气直接经卸气柱达到 2 号、3 号两台主压缩机，增至 45MPa 以后进入 45MPa 低、中、高压瓶组，随后经过支路 1 由加氢机进行氢气加注。管束拖车低压入口流程为：当管束拖车的氢气压力在 3～8MPa 时，经过支路 2 将管束拖车中氢气经由 1 号隔膜压缩机，增压储存在 22MPa 瓶组。此瓶组中收集的氢气可再通过支路 3 进入压缩机压缩后按常规流程进行充装和加注。

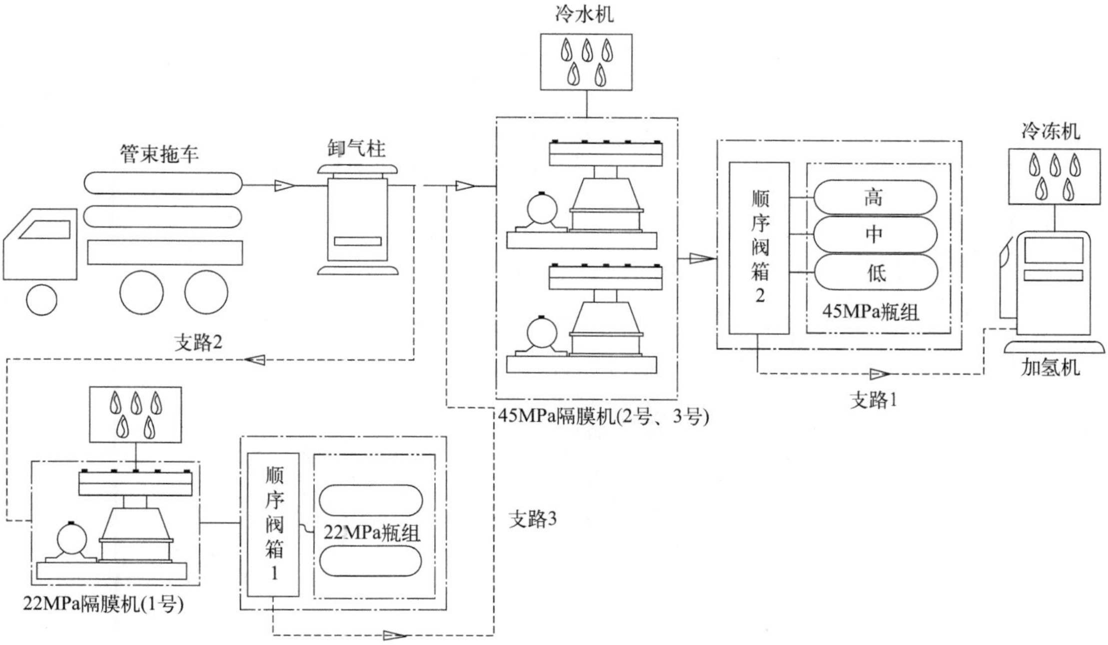


图 2-3 应用隔膜压缩机的加氢站工艺流程

## 2.1.2 液驱压缩机

### 2.1.2.1 液驱压缩机基本结构和基本原理

液驱压缩机的动力缸与往复泵的工作腔直接相通，往复泵的活塞通过液体（大多为油）驱动压缩机活塞完成气体的压缩。液驱压缩机中部为对置式的两个气缸，柱塞为活塞，用来压缩氢气，上部为控制滑阀，用于释放动力液缸中的油。这种结构可以做成多列，因此功率较大。

液驱压缩机是由液压油作为驱动介质，通过驱动侧活塞带动气体加压活塞运动实现气体的吸入和排出，气体侧缸筒上安装了单向阀，当活塞回程时气体压力打开吸入侧单向阀，输出侧单向阀处于关闭状态，实现吸气。当活塞推程时，吸入侧单向阀关闭，输出侧单向阀打开实现气体输出。压缩机为双头，活塞一个往复循环可以实现 2 次加压，加压效率高。实物图与结构原理图如图 2-4 所示。

### 2.1.2.2 液驱压缩机优缺点

液驱压缩机的优点是技术成熟、积累了大量的工业经验、压力范围大，同时系统结构简单，工作过程中气体和润滑油不接触，保证了氢气中不混入“碳类物质”，避免下游应用中膜电极与“碳类物质”反应出现故障。但其受自身结构限制，仅适用于中小排量和高压的工况。该产品适用于非连续运营的试验性加氢站和移动式加氢站。

此外，液驱压缩机为模块化设计，可通过灵活选择不同压缩比的泵，来实现不同压力等级和流量；可带载启停，频繁启停；且成本低，可靠性高，易损部件少，维护成本低。但是其密封性要求高，氢气可能泄漏，且单级压缩比较低，单台增压量小，活塞机构噪声大[31]。

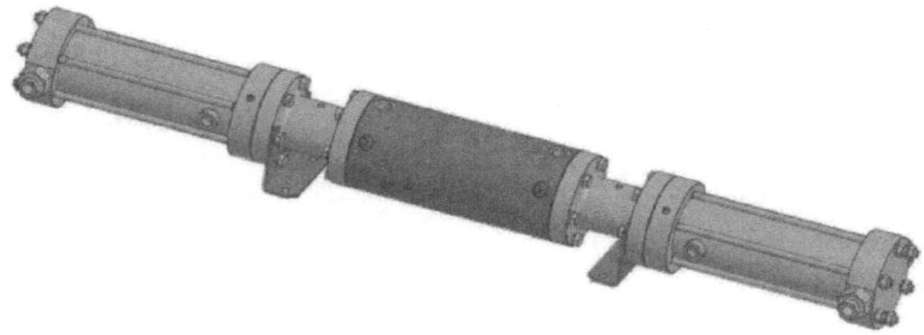

(a) 实物图

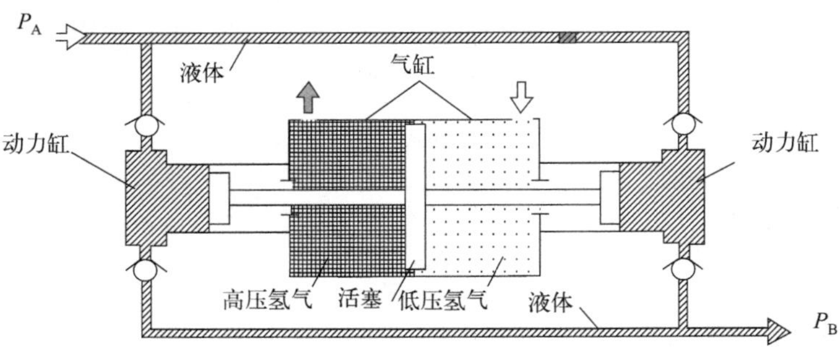


(b) 结构原理图

图 2-4 液驱压缩机的实物图和结构原理图

#### 2.1.2.3 典型液驱压缩机参数

液驱压缩机的主要参数有出口压力、入口压力、流量、电机功率等，国际上常用液驱压缩机的输出压力可达到 100MPa，流量为 300m$^3$/h。国内近两年加氢站上采用的液驱压缩机均为进口产品，主要品牌有德国 MAXIMATOR、HOFER、SERAL，美国 HYDRO-PAC、HASKEL 等，其中 MAXIMATOR 的产品应用量最大，年出货超过 20 套，且技术较为成熟[27]。其中 HOFER 液驱压缩机型号单一、成本高、交货期长，因此应用不多；HASKEL 品牌液驱压缩机应用较多，市场占有率较高，在国内加氢站也有应用。

国内深圳思特克（STK）、济南赛思特两家公司也正在开展该种机型的国产化研制与推广工作，目前已在各类燃料电池系统生产厂内试验应用，如南通安思卓用 STK 增压机进行系统测试，同时为示范燃料电池汽车提供加注。虽然此类压缩机在国内发展起步较晚，相应的规范标准也较为缺乏；但从加氢站建设和压缩机研发方面来讲，引起了越来越多的关注，正处于发展的上升期。赛思特公司生产的 GL、GL2、GH 系列液驱压缩机广泛应用于各种工业、试验设备，其中输出压力范围为 10～400MPa，流量最高 1200m$^3$/h，功率从 2.2kW 到 75kW，分为单级压缩和双级压缩，详细参数见表 2-2。

表2-2 典型液驱压缩机参数

| 系列 | 型号 | 出口压力/MPa | 入口压力/MPa | 流量/(m$^3$/h) | 电机功率/kW |
|---|---|---|---|---|---|
| GL | ST10-2.2-GL～ST10-45-GL | 10 | 1.4～10 | (8～60)～(170～1200) | 2.2～45 |
| | ST20-2.2-GL～ST20-45-GL | 20 | 2.8～20 | (7～55)～(160～1100) | 2.2～45 |
| | ST40-2.2-GL～ST40-45-GL | 40 | 5.5～40 | (6～45)～(150～1000) | 2.2～45 |

续表

| 系列 | 型号 | 出口压力/MPa | 入口压力/MPa | 流量/($m^3$/h) | 电机功率/kW |
|---|---|---|---|---|---|
| GL2 | ST10-2.2-GL2~ST10-45-GL2 | 10 | 0.5~1.0 | (6~10)~(111~205) | 2.2~45 |
| | ST20-2.2-GL2~ST20-45-GL2 | 20 | 0.5~1.0 | (4~7)~(69~127) | 2.2~45 |
| | ST40-2.2-GL2~ST40-45-GL2 | 40 | 0.5~1.0 | (2~4)~(50~93) | 2.2~45 |
| GH | ST70-7.5GH~ST70-75-GH | 70 | — | — | 7.5~75 |
| | ST105-7.5GH~ST105-75-GH | 105 | — | — | 7.5~75 |
| | ST140-7.5GH~ST140-75-GH | 140 | — | — | 7.5~75 |
| | ST210-7.5GH~ST210-75-GH | 210 | — | — | 7.5~75 |
| | ST310-7.5GH~ST310-30-GH | 310 | — | — | 7.5~30 |
| | ST415-7.5GH~ST415-30-GH | 415 | — | — | 7.5~30 |

在加氢站应用液驱活塞式压缩机时，为减少氢气损耗，将加氢站入口的管束拖车以往5～20MPa 的充氢压力改为 3～8MPa 和 8～20MPa 两档，由此将管束拖车的氢气消耗后压力从 5MPa 降至 3MPa。对于 1000kg/d（以每天工作 12h 为例）、45MPa 的加氢站，当采用液驱压缩机时，配备两台常规 45MPa、500kg/d 的主液驱压缩机。应用液驱活塞式压缩机的加氢站工艺流程如图 2-5 所示。根据图 2-5，当管束拖车的氢气压力在 8～20MPa 时，氢气直接经卸气柱达到两台主压缩机，增至 45MPa 以后，进入 45MPa 高、中、低压瓶组，再由支路 1 进入加氢机进行氢气加注。当管束拖车的氢气压力在 3～8MPa 时，液驱压缩机可将管束拖车中残余氢气增压储存在 45MPa 瓶组中的低压瓶组中。

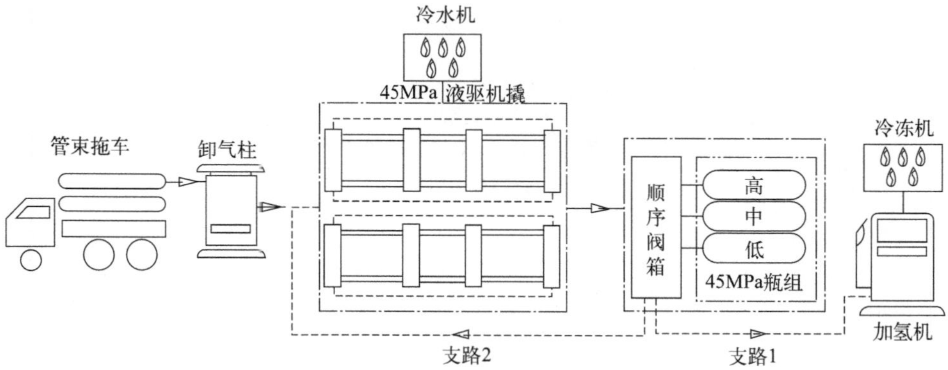

图 2-5 应用液驱活塞式压缩机的加氢站工艺流程

## 2.1.3 离子液压缩机

### 2.1.3.1 离子液压缩机的基本结构和基本原理

离子液压缩机的基本特征是使用某种离子液体代替活塞直接与被压缩工质接触完成压缩过程。对于离子液压缩机，世界各压缩机厂商及研发机构尚处于试验推广阶段，国际上并未形成统一制式与标准，故各厂商推出的离子液压缩机结构略有不同。

图 2-6 和图 2-7 为一种离子液压缩机的外形图和结构示意图，其放弃了传统往复式压缩

机的曲柄连杆机构，使用液体泵作为驱动，直接将液体泵入压缩腔对气体进行压缩，压缩过程结束后再送回液压系统。德国林德（Linde）公司近年来推出了一款用于90MPa加氢站的离子液压缩机，结构原理如图2-8所示，采用液压系统推动气缸内的固体活塞运动，固体活塞上部注入离子液体，将活塞和被压缩的气体分隔开，这一设计将压缩系统与驱动系统通过固体活塞分隔开来。液驱系统中凸轮转动，依次驱动液压油进出气缸，液压油通过推动固体活塞进而驱使离子液压缩气体，实现压缩机的进气、压缩、排气、膨胀过程。日本松下公司推出的离子液压缩机最大程度上保留了传统往复式压缩机的结构，即在使用固体活塞的基础上，仍以曲柄连杆作为压缩机的驱动机构，其结构示意如图2-9所示。

图2-6　离子液压缩机外形图

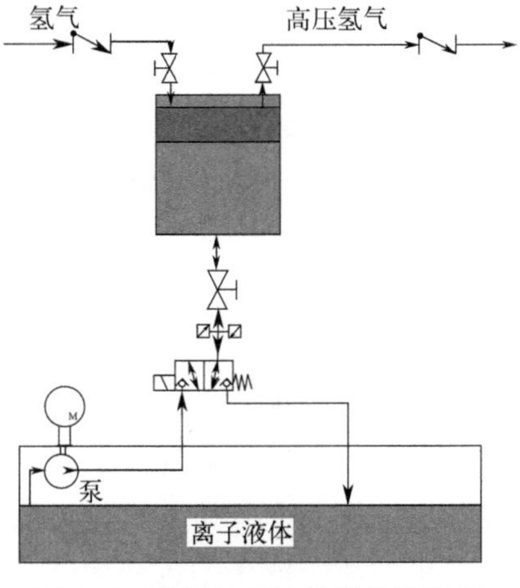


图2-7　离子液压缩机结构示意图

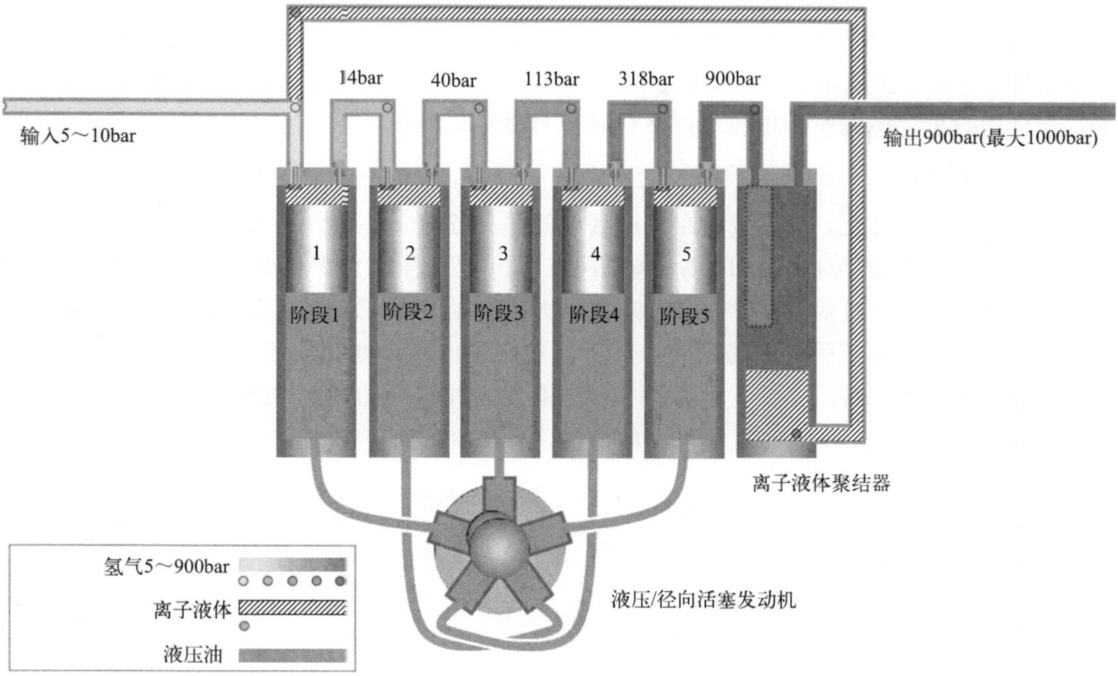


图 2-8 Linde 离子液压缩机示意图（1bar= 1×10⁵Pa）

### 2.1.3.2 离子液压缩机优缺点

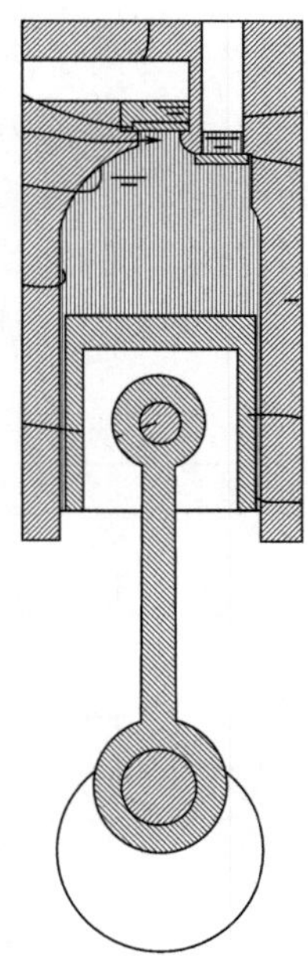

图 2-9 松下离子液压缩机示意图

与传统氢气压缩机相比，离子液压缩机使用离子液体构建液体活塞进行气体压缩，由于离子液体本身几乎不可压缩且蒸气压极低，所以压缩过程中不会污染氢气；因为良好的冷却效果，使压缩过程接近等温压缩，能降低压缩机排气温度，从而提高可靠性并节约能耗；因为采用液压驱动，所以离子液压缩机更容易达到高压；同时，离子液压缩机使用液压驱动，动部件少，相比普通压缩机构造简单，能够长期服役而无需维护。基于这些优点，离子液压缩机有望成为未来高压加氢站氢气增压的良好解决方案。

离子液压缩机在一定程度上兼具了传统活塞压缩机、隔膜压缩机、液驱活塞压缩机的综合优势。首先，离子液压缩机本质上与活塞压缩机相似，故可以做到相对高的转速与大缸径，实现大排量及高压力，并对加氢站频繁变化的宽工况具有良好的适应能力。其次，离子液体在气缸中除了作为压缩气体的介质，还兼具了密封与润滑的功能，解决了高压下传统活塞机润滑与密封的难题，且离子液体因其蒸气压极低而不会污染氢气。同时，由于液体的存在，提升了压缩系统的散热效率，可实现近似等温的压缩过程，降低压缩机排气温度，提高热效率（据 Linde 公司宣传资料称，离子液压缩机与一般活塞压缩机相比压缩单位质量氢气能耗可降低 40%）。气缸中的离子液体在压缩过程中能够改变边界，从而进入并填充阀腔通道等空间，可大幅度减小气缸的相对余隙，进而大大提高气缸的容积利用率，能够实现更大的单级压力比。当然，离子液压缩机因为这样一种构成特点及其工作方式，其系统构成也非常复杂，需要大量的液压阀件进行油路切换，机电执行机构远比传统形式的压缩机复杂，这可能会是其长期使用时可靠性方面存在的一个隐患。当然，离子液压缩机是一种新出现的事物，其可靠性、稳定性、耐久性、安全性、对下游质子交换膜燃料电池的影响等长期使用效果，还需要市场和用户进行耐心的观察和验证。

### 2.1.3.3 典型离子液压缩机参数

对于离子液压缩机，国际成熟在售产品仅德国林德公司一家，且在国外获得广泛应用。上海驿蓝加氢站采用了林德公司 IC90 离子液压缩机。国内对于离子液压缩机的研究刚刚起步。林德离子液压缩机的具体参数包含出口压力、流量、进口压力以及电力。该压缩机具有进口压力小，可满足不同应用场景的特点；而且能效提高，可以降低能耗 25%；此外，维护保养周期是其他产品的 4 倍，设备磨损少，生命周期长；也符合加氢协议 SAEJ 2601 的要求，能够助力 35MPa/70MPa 加氢站的发展，具体参数见表 2-3。

表2-3 林德离子液压缩机参数

| 产品 | 出口压力/MPa | 流量/（kg/h） | 入口压力/MPa | 电力/kW |
|---|---|---|---|---|
| IC 90/30 | <90 | 28 | 0.6~20 | 93 |
| Twin IC 90/60 | <90 | 56 | 0.6~20 | 186 |
| IC 50/30 | <50 | 28 | 0.6~20 | 93 |
| Twin IC 50/60 | <50 | 56 | 0.6~20 | 186 |
| IC/50 HyFlow/150[2] | 2/5/15/45/90 | 150 | 0.6/1.5/5/15/45 | 93 |

表 2-4 为离子液压缩机的参数表，所列型号为 H2900-370-5IC90，它的主要参数包括外形尺寸、进出口压力、流量、运行模式以及电源和通风要求。离子液压缩机没有隔膜部件，也没有活塞压缩机的活塞环和填料等易损件，而且离子液具有超强的稳定性，因此离子液压缩机具有超长的维护周期，且它的工作频率可达到 300～400 次/分钟，能实现较大的供气能力，适于未来大排量加氢站的商业化应用。具体参数见表 2-4。

表2-4 典型离子液压缩机参数表

<table>
<tr><th>序号</th><th>指标</th><th>单位</th><th>值</th></tr>
<tr><td>1</td><td>型号</td><td colspan="2">H2900-370-5IC90</td></tr>
<tr><td>2</td><td>外形尺寸 L×D×H</td><td>m</td><td>3.9×2.45×2.6</td></tr>
<tr><td rowspan="3">3</td><td colspan="3">质量</td></tr>
<tr><td>集装箱式</td><td>kg</td><td>16500</td></tr>
<tr><td>压缩机本体</td><td>kg</td><td>1850</td></tr>
<tr><td>4</td><td>安装位置</td><td colspan="2">室外</td></tr>
<tr><td>5</td><td>最小进气压力</td><td>bar</td><td>5</td></tr>
<tr><td>6</td><td>最大进气压力</td><td>bar</td><td>200</td></tr>
<tr><td>7</td><td>最大出口压力</td><td>bar</td><td>1000</td></tr>
<tr><td>8</td><td>最大流量</td><td>kg/h</td><td>33.6</td></tr>
<tr><td>9</td><td>额定流量</td><td>kg/h</td><td>25</td></tr>
<tr><td>10</td><td>运行模式</td><td colspan="2">5级压缩，无油</td></tr>
<tr><td>11</td><td>主电源</td><td colspan="2">3P/PE/N/400VAC/50Hz</td></tr>
<tr><td>12</td><td>辅机电源</td><td>VAC（交流电压）/VDC（直流电压）</td><td>230/24</td></tr>
<tr><td>13</td><td>电功率</td><td>kW</td><td>120</td></tr>
<tr><td>14</td><td>电流</td><td>A</td><td>200</td></tr>
<tr><td>15</td><td>通风要求（压缩机房）</td><td colspan="2">强制通风</td></tr>
</table>

### 2.1.4 压缩机性能对比

国内多个压缩机制造企业在隔膜压缩机和液驱压缩机的技术研发方面已日趋成熟，有相当一部分加氢站已开始应用完全国产化的氢气压缩机。但相对而言，国产压缩机在稳定性可靠性方面还有待提高。目前，国内有相当一部分加氢站设备供应商，采购进口的压缩机机头作为核心部件，配套辅助部件采用国内采购和组装的方式。这样，对于建设单位而言，不仅提高了设备的可靠性，同时也降低了设备采购成本。目前，国内已建成或在建的 35MPa 加氢站较多采用隔膜压缩机或液驱压缩机。而离子液压缩机更适用于加注压力较高的 70MPa 加氢站。隔膜压缩机、液驱压缩机和离子液压缩机三者的性能对比见表 2-5。

表2-5 隔膜压缩机、液驱压缩机和离子液压缩机三者性能对比

| 类型 | 优势 | 劣势 |
| --- | --- | --- |
| 隔膜压缩机 | （1）相对间隙很小，密封性好，氢气纯净度高<br>（2）单级压缩比较大<br>（3）压缩过程散热良好<br>（4）单台气体增压量大<br>（5）在国内加氢站的应用较广 | （1）单机排气量相对较小<br>（2）进口设备费用较高，约为国产设备的 2 倍<br>（3）频繁启停容易降低压缩机寿命<br>（4）排气压力较大时隔膜寿命会缩短 |
| 液驱压缩机 | （1）单机排气量相对较大<br>（2）相同输出效率的情况下，运行频率低，使用寿命长<br>（3）设计简单，易于维修和保养<br>（4）同等功率状态下，体积更小，效率更高<br>（5）可以带压频繁启停 | （1）密封性要求高，氢气受污染的可能性较大<br>（2）密封圈易损坏和老化，更换周期短，维护费用较高<br>（3）单级压缩比较低，单台增压量较小<br>（4）活塞机构噪声较大 |
| 离子液压缩机 | （1）构造简单，维护方便<br>（2）能耗较低 | （1）制造标准与国内不同，引进手续复杂<br>（2）价格较高 |

从工作性能角度，液驱压缩机具有可频繁带载启停、适应可变压力工况的优点，使得其在加氢站运营中兼具主路压缩、倒罐等不同功能，适应性更强；而隔膜压缩机更适合应用于压力和工况都比较稳定的环境；

从综合维修成本角度，液驱压缩机因其维修便捷、备件相对便宜，维修总成本低至约隔膜压缩机的 1/2；

从压缩机的泄漏和加氢站安全运营角度，尤其要避免的是隔膜压缩机膜片突然开裂污染下游管阀件等的情况发生；

从未来发展角度，两种压缩机都把高压、大流量作为开拓研发的主方向之一；隔膜压缩机更需注重结合加氢站应用的工况开展研发；而液驱压缩机在保留其可频繁启停、可变压力工况、维修便捷成本低等各类优点的基础上，在整体结构、高温高压条件下的密封寿命等方面也将有很大发展潜力和发展空间，相关标准也会陆续出台和完善，为其发展开辟道路。

隔膜压缩机通过隔膜的往复运动来压缩和运送气体，对比离子压缩机，它的氢气纯度更高，因为其气腔内可不添加任何润滑剂；而离子压缩机靠离子液体来冷却，可以实现等温压缩。但是，现在离子压缩机产品技术较新，成本较高，功率消耗较大，相对于隔膜压缩机，

其应用并不广泛。目前，外供氢加氢站一般采用隔膜压缩机[32]。

从价格和后期维护来看，隔膜压缩机单机费用较高，且远远高于国产设备。随着未来国产化率的提高会降低，液驱压缩机单机设备价格较低，但能耗高，备品备件更换和维护维修费用高。

## 2.2 储氢容器

储氢容器作为固定式加氢站的主要设备，其投资占整个加氢站设备总投资的20%～30%，储氢容器的配置是否合理，对整个加氢站的投资及取气率也有很大影响。因此，为了应对将来氢燃料电池车大规模、连续、快速加注的要求，对加氢站储氢容器的配置和工艺参数进行系统研究就显得尤为重要[33]。

### 2.2.1 加氢站用高压储氢容器分类

氢气的储存方法很多，目前用于加氢站的主要有：高压气态储存、液氢储存和金属化合物储存三种，部分加氢站还采用多种方式储存氢气，如同时液氢和气氢储存，这多见于同时加注液氢和气态氢气的加氢站。高压氢气储存期限不受限制，不存在氢气蒸发现象，是加氢站内氢气储存的主要方式[34]。

#### 2.2.1.1 按材质分类

高压气态储氢是目前广泛应用的储氢方式，在国内外已经实现一定规模商用。这种技术路线主要通过高压储气瓶来实现氢气的储存和释放。根据材质的不同，高压储氢瓶分为纯钢制金属瓶（Ⅰ型）、钢制内胆纤维缠绕瓶（Ⅱ型）、金属内胆纤维缠绕瓶（Ⅲ型）和塑料内胆纤维缠绕瓶（Ⅳ型）4 种，如图 2-10 所示。

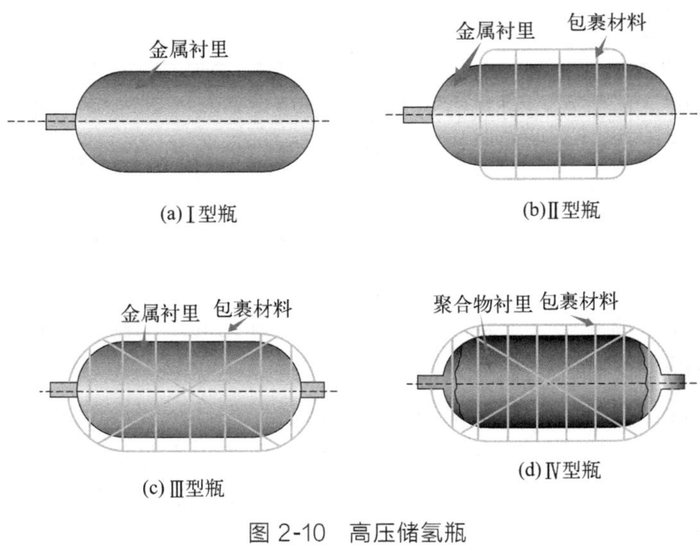


图 2-10 高压储氢瓶

#### 2.2.1.2 按使用要求分类

根据高压储氢容器的不同使用要求，可以将高压储氢设备分为固定式高压储氢瓶、车载轻质高压储氢瓶和运输用高压储氢瓶。固定式高压储氢瓶：在高压储氢技术中，目前最为成熟且成本较低的技术是钢制氢瓶和钢制压力容器，如目前工业上广泛采用 20MPa 钢制氢瓶，并且其可与 45MPa 钢制氢瓶、98MPa 钢带缠绕式压力容器进行组合应用于加氢站。但是由于钢制氢气瓶较高的重量，因此并不适宜汽车用。加氢站的储氢装置是关键设备，通常使用压力为 45MPa 的固定式高压储氢瓶来储存氢气：一般有两种方式，一种是用具有较大容积的气瓶，此类气瓶的单个容积在 600～1500L 之间，为无缝锻造压力容器；另一种是采用小容积的气瓶，单个气瓶的容积在 45～80L。高压储氢设备分类及性能见表 2-6。

表2-6 高压储氢设备分类及性能

| 性能 | 固定式高压储氢设备 | 车用高压储氢容器 | 运输用高压储氢设备 |
| --- | --- | --- | --- |
| 特点 | 容量大、固定式使用 | 轻质、高压 | 大规模点对点；主要用于将氢气从产地运输到使用地或加氢站 |
| 使用领域 | 主要用于在固定场所储存高压氢气，如加氢站和制氢站内的储氢罐，电厂内储存高压氢气的储罐等 | 燃料电池汽车或氢内燃机汽车上用于储存高压氢气 | （1）用大型高压无缝气瓶、“K” bottle 气瓶盛装氢气，并用汽车运输<br>（2）直接用高压氢气管道输送，在氢气的生产地或者配给地等设置输气站，将氢气输送到需要的地方 |

#### 2.2.1.3 储氢容器的特点

由于加氢站主要利用储氢容器和车载供氢系统间的压力差进行加氢，因此储氢容器的压力应当高于供氢系统，其设计压力往往超过 40MPa，比石油加氢反应器、煤加氢反应器、普通氢气瓶的压力都要高。由于储存压力高，储存介质易燃易爆，且容器材料有发生氢脆的倾向，加氢站用高压储氢容器（以下简称储氢容器）具有潜在的泄漏和爆炸危险。在加氢站建设初期，研究储氢容器的特点、风险及其建造和使用管理基本安全技术要求，对保障储氢容器安全、促进氢能健康发展具有重要意义[35]。

通过对国内外典型加氢站调研发现，与石油加氢反应器、煤加氢反应器等高压高温临氢容器和传统氢气瓶式容器相比，储氢容器具有以下 4 个基本特点。

（1）高压常温且氢气纯度高，具有高压氢环境氢脆的危险。

35MPa 加氢站储氢容器的设计压力一般取 45MPa、47MPa、50MPa；70MPa 加氢站储氢容器的设计压力通常取 82MPa、87.5MPa、98MPa、103MPa。在正常工作条件下，储氢容器壳体金属温度主要取决于大气环境温度。为满足氢燃料电池汽车用氢气的高纯度要求，储氢容器中氢气的纯度在 99.999%以上。长期在高压和常温氢气环境中工作，储氢容器材料可能会产生高压氢环境氢脆，导致塑性损减、疲劳裂纹扩展速率加快和耐久性下降，严重威胁储氢容器的安全使用。

（2）压力波动频繁且范围大，具有低周疲劳破坏危险（商用站尤为如此）。

目前，在设计寿命期限内加氢站用储氢容器的压力波动次数通常为 $10^3$～$10^5$ 次，属于低周疲劳范畴。其中移动（示范）站储氢容器的压力波动次数较少，而固定（商用）站的波动次数较多。此外，站用储氢容器的压力波动范围较大，通常为 20%～80%的设计压力

(或者对应气瓶公称工作压力)。因此，加氢站用储氢容器的疲劳失效问题非常突出，设计时必须考虑疲劳失效。与加氢站用储氢容器相似，压缩天然气加气站用储罐也储存有大量易燃易爆介质，且压力也有波动，但其压力波动范围小，疲劳失效问题并不突出。

(3) 容积大，压缩能量多，氢气易燃易爆，失效危害严重。

根据《加氢站技术规范》(GB 50516—2010)，一级、二级和三级加氢站的最大储氢量分别为8000、4000和1000kg。对于三级站，按储存压力45MPa、温度20℃计算，储氢容器的容积约为35m$^3$，即需用900L的高压容器至少39台。每台容器的物理爆炸能量相当于18.4kg TNT(三硝基甲苯)炸药，一旦发生爆炸，产生的冲击波、碎片、高温危害严重。

(4) 面向公众，涉及公共安全。

加氢站(特别是城市建成区加氢站)一般靠近道路，其附近往往人流较密集、车流量较大，面向公众，涉及公共安全，一旦发生爆炸，将会危及人民生命和财产安全，造成巨大损失，引起恐慌，社会影响恶劣[35]。

## 2.2.2 固定式高压储氢瓶

目前加氢站主要采用固定式高压气态储氢，高压气态储氢工业上主要使用20MPa、45MPa钢质氢瓶以及98MPa钢带缠绕式压力容器储存。储氢装置是加氢站中的重要装置，一般采用45MPa储氢瓶。

### 2.2.2.1 20MPa储氢瓶

大直径储氢长管：石家庄安瑞科气体机械有限公司2002年在国内率先研制成功20MPa大容积储氢长管(图2-11)，并应用于大规模氢气运输。长管气瓶材料为铬钼钢4130X，强度高，具有良好的抗氢脆能力。

图2-11 站用储氢瓶式容器组(20MPa)

### 2.2.2.2 45MPa储氢瓶

2020年6月8日，浙江蓝能自主研发设计的45MPa加氢站用储氢瓶式容器组(图2-12)正式完成首台套的制造并完成交付。45MPa加氢站用储氢瓶式容器组和传统的储氢容器相比，解决了产品制造过程中的旋压和热处理技术，可显著改善加氢站氢气加气系统稳定性和可靠性等技术性能，大大提升了加氢系统的工作效率，并缩短压缩机的工作时间，减小设备磨损，延长压缩机使用寿命。同时，通过储气瓶组高、中、低压分组配比，有效提高了储气瓶组气体利用率和加气速度，保证了产品的高效与节能。

图 2-12 站用储氢瓶式容器组（45MPa）

#### 2.2.2.3 98MPa 储氢瓶

钢带错绕式储氢罐：钢带错绕式储氢罐目前有 45MPa 和 98MPa 两种型号，如浙大与巨化集团制造生产的两台国内最高压力等级 98MPa 立式高压储罐，安装在江苏常熟丰田加氢站中。

钢带错绕式容器由 316L 不锈钢内胆、含 316L 不锈钢内衬的锻造封头和缠绕钢带组成，实物图见图 2-13。该类容器选用抗氢脆性能好的 316L 作为内胆材料，通过内胆外缠绕的钢带层提供足够的强度。该结构的优点是有效容积大、抗氢脆性能好，钢带可采用价格较低的 Q345R 等材料，制造成本相对纤维绕容器更低。其缺点是制造工艺复杂，焊缝较多，生产周期长，成本相比单层储氢容器更高，且容器的轴向力由内胆和扁平钢带间摩擦力承担，一旦钢带松散可能存在轴向爆破风险。目前国产的 100MPa 级储容器大部分为钢带错绕式容器，在国内部分加氢站中已有应用[36]。

图 2-13 钢带错绕式高压储氢容器

### 2.2.3 车载轻质高压储氢瓶

目前，车用高压储氢瓶的国际主流技术通过以铝合金/塑料作为内胆，外层则用碳纤维进行包覆，提升氢瓶的结构强度并尽可能减轻整体重量。目前，国外氢燃料电池汽车已经广泛使用 70MPa 碳纤维缠绕Ⅳ型瓶，与之相比，目前我国车载储氢方式大多为 35MPa 碳纤维缠绕Ⅲ型瓶，而 70MPa 碳纤维缠绕Ⅲ型瓶也已少量用于国产汽车中。

### 2.2.4 运输用高压储氢瓶

高压氢气的运输设备主要用于将氢气从产地运输到使用地或加氢站。管式拖车用旋压成型的大型高压气瓶盛装氢气。典型管式拖车长 10.0～11.4m，高 2.5m，宽 2.0～2.3m，盛装的氢气压力在 16～21MPa 之间，质量在 280kg 左右。

高压储氢瓶主要有Ⅰ型、Ⅱ型、Ⅲ型和Ⅳ型储氢瓶。

目前高压储氢容器已经逐渐由全金属气瓶（Ⅰ型瓶）发展到非金属内胆纤维全缠绕气瓶（Ⅳ型瓶）。几种类型的高压储氢气瓶见表 2-7[37]。

表2-7 不同类型储氢瓶对比

| 类型 | Ⅰ型 | Ⅱ型 | Ⅲ型 | Ⅳ型 |
|---|---|---|---|---|
| 材质 | 纯钢制金属瓶 | 钢制内胆纤维缠绕瓶 | 铝内胆纤维缠绕瓶 | 塑料内胆纤维缠绕瓶 |
| 工作压力/MPa | 17.5～20 | 26.3～30 | 30～70 | >70 |
| 介质相容性 | 有氢脆、有腐蚀性 | 有氢脆、有腐蚀性 | 有氢脆、有腐蚀性 | 有氢脆、有腐蚀性 |
| 质量储氢密度/% | 约 1 | 约 1.5 | 约 2.4～4.1 | 2.5～5.7 |
| 体积储氢密度/(g/L) | 14.28～17.23 | 14.28～17.23 | 35～40 | 38～40 |
| 使用寿命/年 | 15 | 15 | 15～20 | 15～20 |
| 成本 | 低 | 中等 | 最高 | 高 |
| 车载是否可以使用 | 否 | 否 | 是 | 是 |

以下只介绍Ⅰ型和Ⅱ型储氢瓶，车用储氢瓶不考虑在内。

#### 2.2.4.1 Ⅰ型储氢瓶

全金属储氢气瓶，即Ⅰ型瓶，其制作材料一般为 Cr-Mo 钢、6061 铝合金、316L 钢等。由于氢气的分子渗透作用，钢制气瓶很容易被氢气腐蚀出现氢脆现象，导致气瓶在高压下失效，出现爆裂等风险。同时由于钢瓶重量较大，储氢密度低，质量储氢密度在 1%～1.5% 左右。一般用作固定式、小储量的氢气储存。近年来，金属气瓶研究主要集中于金属的无缝加工、金属气瓶失效机制等领域，尤其是采用不同的测试方法来评估金属材料在气态氢中的断裂韧性特性。

此外，Ⅰ型瓶多采用性能较好的高强度无缝钢管旋压收口而成。这种结构形式往往体积较大、压力较低。通过增加壁厚，能一定程度上提高储存压力，但还是会导致容重比降低。而且随着金属材料强度的提高，对氢脆的敏感性增强，失效的风险也随之增加[38]。

#### 2.2.4.2 Ⅱ型储氢瓶

纤维复合材料缠绕气瓶即Ⅱ型瓶、Ⅲ型瓶和Ⅳ型瓶。其中Ⅱ型瓶采用的是环向增强，纤维并没有完全缠绕，工作压力有所增加可达 26～30MPa。但由于其缠绕的内胆仍然是钢制内胆，并没有减轻气瓶重量，质量储氢密度和Ⅰ型瓶相当，应用场景受限。

Ⅱ型瓶结构形式为用树脂基复合材料通过缠绕工艺包裹金属内胆的环向筒体部分。这样能利用圆筒形内压容器的环向应力是轴向应力两倍的特点，通过复合材料在环向上的加强，充分发挥金属球形封头的承压能力。因此，相对Ⅰ型结构形式，在相同容积和压力下，重量更轻，运输效率更高。同时也在一定程度上避免了随着压力升高 I 型壁厚过厚带来的旋压收口和热处理困难等问题。

#### 2.2.4.3 Ⅲ型、Ⅳ型储氢瓶

Ⅲ型瓶和Ⅳ型瓶是纤维复合材料缠绕制造的主流气瓶。其主要由内胆和碳纤维缠绕层组成。Ⅲ型瓶的内胆为铝合金，Ⅳ型的内胆为聚合物。纤维复合材料以螺旋和环箍的方式缠绕在内胆的外围，以增加内胆的结构强度。衬垫作为氢气与复合层之间的屏障，防止氢气从复合层基材的微裂纹中泄漏。国外的Ⅳ型瓶在汽车领域已经成功商用，我国高压储氢气瓶起步较晚，受限于碳纤维的材料性能与纤维缠绕加工等技术的限制，目前仍在大力发展Ⅲ型瓶。

Ⅲ型瓶结构形式为用树脂基复合材料通过缠绕工艺包裹金属内胆的所有外表面，这样能充分发挥树脂基复合材料的加强作用。由于树脂基复合材料轻质高强的特点，Ⅲ型结构形式相对Ⅱ型结构形式容重比又有显著提高。Ⅳ型瓶结构形式为用树脂基复合材料通过缠绕工艺包裹在非承压内胆（一般为塑料材料，只有瓶口部分采用金属材料）的所有外表面。采用塑料材料制造气瓶内胆，相比金属内胆气瓶，具有更高的耐疲劳性能，同时，选用的塑料材料具有更好的氢气相容性，可很好地解决内胆材料在高压氢气环境下的氢脆问题，容重比也是目前最高的。

#### 2.2.4.4 高压储氢容器的失效模式

高压气态储氢容器具有工作压力高、压力波动频繁且范围大、容积大、压缩能量高、储存的高纯氢气易燃易爆等特点，故高压气态储氢容器结构易发生的失效模式主要有：塑性垮塌、局部过度应变、脆性断裂、疲劳、泄漏 5 种形式。本书收集到 7 项高压气态储氢容器建造标准，各标准中包含失效模式的分类统计如表 2-8 所示[39]。

表2-8 国内外高压气态储氢容器设计相关标准包含的失效模式

| 失效模式 | SO 标准 | 美国标准 | 中国标准 |
|---|---|---|---|
| 塑性垮塌 | ISO/DIS 19884—2018 | ASME Ⅷ-3 | GB/T 150，JB 4732，T/CATSI 05003，GB/T 26466 |
| 泄漏 | ISO/DIS 19884—2018 | — | T/CATSI 05003，T/CATSI 02013 |
| 局部过度应变 | ISO/DIS 19884—2018 | ASME Ⅷ-3 | T/CATSI 05003 |
| 快速断裂 | ISO/DIS 19884—2018 | ASME Ⅷ-3 | T/CATSI 05003，T/CATSI 02013 |
| 疲劳（断裂力学法） | ISO/DIS 19884—2018 | ASME Ⅷ-3 | T/CATSI 05003，T/CATSI 02013 |
| 疲劳（疲劳设计曲线法） | ISO/DIS 19884—2018 | — | GB/T 26466 |

### 2.2.5 储氢容器的选择

国内近期建成或在建的加氢站主要采用高压储氢瓶组和高压储氢罐作为站内的固定储氢设施。

高压储氢设施具有氢气储存和压力缓冲的功能，通过压力、温度等传感器对储存介质参数、安全状态等进行监测。加氢站氢气储存系统的工作压力越高或该工作压力与氢能汽车充氢压力差越大，将使氢能汽车充氢时间缩短；氢气储存系统工作压力的提高也会使氢气压缩

机开启频繁度降低。

储氢压力不大于 20MPa 时，一般可选用高压储氢瓶组作为储氢设施。目前主要应用于通过低压管道氢气作为气源的加氢站，作为第一级储氢。此类储氢瓶组参照美国机械工程师协会（American Society of Mechanical Engineers，ASME）标准及 TSG 21—2016《固定式压力容器安全技术监察规程》的要求进行设计制造，主体材质为 4130X 高强度结构钢，瓶身为单层厚壁结构。

储氢压力大于 20MPa 时，考虑到高压氢气的“氢脆腐蚀”，一般选用高压储氢罐作为储氢设施，储罐壁也变为多层结构形式，内层采用耐氢脆腐蚀的不锈钢材质，外层采用高强度碳钢进行加固，从而兼具耐腐蚀和耐高压的特点。

35MPa 加氢站通常采用最高储氢压力为 45MPa 的储氢罐，70MPa 加氢站通常还要增设最高储氢压力为 90MPa 的储氢罐。

# 2.3 加氢机

## 2.3.1 加氢机的介绍及分类

加氢站储氢领域，以高压氢气储氢和低温液氢储氢为主，目前高压氢气储氢技术上已经成熟。所以在加注方面，主要采用高压氢气进行加注，技术上比较成熟的加氢设备是 35MPa 和 70MPa 加氢机[40]。

国外的高压储氢加氢机制造企业，主要有美国的 Plugpower 公司、Airproduct 公司、日本川崎公司和德国宝马公司等，图 2-14 为美国 Airproduct 公司的 35MPa 和 70MPa 加氢一体机样机。

图 2-14 进口加氢一体机

国内加氢机主要是 35MPa 压力条件，更高压力的加氢机是未来的发展趋势。从目前调研情况来看，国内厚普清洁能源（集团）股份有限公司生产成套的加氢设备，35MPa 条件下的加氢机设备已经量产，主要提供给郑州宇通加氢站，目前也已经研发出 70MPa 加氢机样品；北京三盈公司也已研发出 35MPa 加氢机，即将量产。图 2-15 为两个公司的国产加氢机样机。

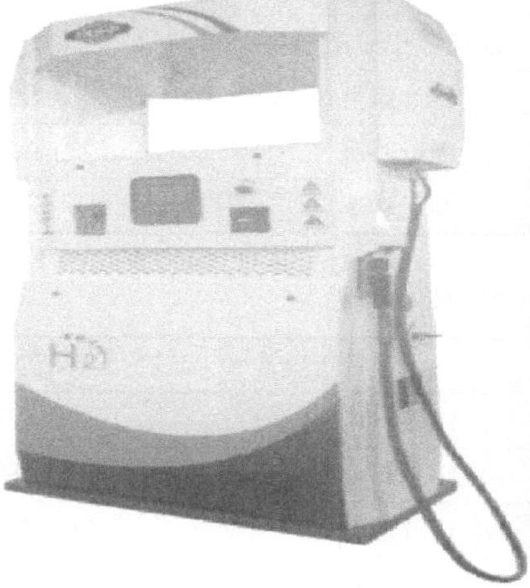

(a) 厚普加氢机

(b) 北京三盈加氢机

图 2-15 国产 35MPa 加氢机

## 2.3.2 加氢机的结构及工作原理

加氢机是连接加氢站和氢燃料电池汽车的关键装置，保障其安全、稳定和高效地运行是关键技术指标。加氢机由电磁阀、过滤器、流量计、压力表、调压阀、安全阀、加氢枪、枪座以及中控部分等组成。其中，电磁阀用于自动开启和切断氢气气源；过滤器用于过滤管路内气体中的杂质保证车载储氢瓶内气体的纯净度；流量计和压力表用于实时监测加注过程中气体的流量和压力；调压阀用于控制加氢过程中的升压速率，保障氢气的加氢率；安全阀用于在超压等紧急情况下的自动泄放保护[41]。

当加氢机接收到加氢信号准备进行氢气加注时，加氢站内的控制系统首先进行站内设备自检，自检完成后将加氢枪插入至车载储氢瓶加注口，加氢机内的电磁阀自动开启，同时调压阀开始动作自动控制加氢机的氢气流速，防止因流速过快导致车载储氢瓶的温升过高。当车载储氢瓶的氢气压力达到加氢机设定的加注压力时，电磁阀自动关闭，将加氢枪由车载储氢瓶加注口取出，停止氢气加注过程。

## 2.3.3 35MPa、70MPa 加氢机

### 2.3.3.1 加氢机技术参数

表 2-9 和表 2-10 为 35MPa 和 70MPa 加氢机的技术参数，两者流量范围均为 0.2～36kg/(min・枪)，设计精度为 2.50%，最小读数值为 0.01kg。对于 35MPa 加氢机，其最大工作压力为 43.8MPa，设计压力为 48.2MPa；对于 70MPa 加氢机，其最大工作压力为 87.5MPa，设计压力为 96.3MPa。

表2-9 35MPa加氢机技术参数

| 适用介质 | 压缩氢气 | 流量范围 | 0.2~36kg/(min·枪) |
|---|---|---|---|
| 设计精度 | 2.50% | 重复性 | 1.00% |
| 最小读数值 | 0.01kg | 额定工作压力 | 35MPa |
| 最大工作压力 | 43.8MPa | 设计压力 | 48.2MPa |
| 计量单位 | kg | 读数最小分度值 | 0.01kg |
| 单次计量范围 | 0~9999.99kg | 累计计量范围 | 99999999.99kg |
| 环境温度 | -25~+55℃ | 防爆等级 | ExdeibmbICT4Gb |
| 工作电源 | 220V/50Hz | 额定功率 | <200W |

表2-10 70MPa加氢机技术参数

| 适用介质 | 压缩氢气 | 流量范围 | 0.2~3.6kg/(min·枪) |
|---|---|---|---|
| 设计精度 | 2.50% | 重复性 | 1.00% |
| 最小读数值 | 0.01kg | 额定工作压力 | 70MPa |
| 最大工作压力 | 87.5MPa | 设计压力 | 96.3MPa |
| 计量单位 | kg | 读数最小分度值 | 0.01kg |
| 单次计量范围 | 0~9999.99kg | 累计计量范围 | 99999999.99kg |
| 环境温度 | -25~+55℃ | 防爆等级 | ExdeibmbICT4Gb |
| 工作电源 | 220V/50Hz | 额定功率 | <200W |

#### 2.3.3.2 无冷却系统和有冷却系统

加氢机加注时会产生节流效应（焦耳-汤姆逊效应）导致氢气温度升高，因此在氢气加注过程中要采取一定措施防止氢气温度不断升高。目前加氢机主要采取以下两种措施。

① 加氢机内设置通信接口，与燃料电池汽车的车载储氢瓶相连，并将充装过程中车载储氢瓶内的温度和压力信号传输到加氢机内，自动调节充装速率，防止氢气温度不断升高。

② 氢气预冷。在氢气进入加氢机前加装换热器，降低氢气进入加氢机之前的温度，通过一台大功率冷水机提前将氢气中的部分热量释放到外界。

第一种加注方式占地面积较小，而且相对节能；第二种加注方式加注速度更快，适用于日常加注车辆较多的加氢站[42]。

加氢机的主要功能是为氢燃料电池汽车的车载储氢瓶加注氢气。加氢机的基本部件包括箱体、用户显示面板、加氢口、加氢软管、拉断阀、流量计量、控制系统、过滤器、节流保护、管道、阀门、管件和安全系统等。另外，还包括一些辅助系统，包括电子读卡系统（如收费系统）、多级储气优先控制系统、两种不同压力的辅助加氢口和软管、温度补偿系统和车辆信息整合控制系统。如前所述，加氢机加注时如何防止氢气温度不断升高是加氢机的关键性能之一。目前国内主要的35MPa加氢机生产商在应对加注时氢气升温方面主要采用下面两种方式。

① 采用美国机动车工程师协会SAE（Society of Automotive Engineers）J2601标准，

在加氢机内设置与汽车车载瓶相连接的通信接口，将加注过程中车载气瓶的温度和压力信号输入到加氢机内，实现自动调节加氢升压速率，达到控制氢气温度的效果。

② 采用加氢前预冷的方式。氢气进入加氢机前首先通过一台外置换热器进行换热，使氢气温度下降后对车载气瓶进行加注。换热器冷却介质为低温循环冷却水，需要外设一台大功率冷水机组将冷却水温度降至 5～10℃。

在上述两种加氢机的选择上，可根据项目具体实际情况确定。如站址面积较为紧凑，且对节能要求较高的加氢站，可考虑采用第一种加氢机；对日常加注车辆较多，需要实现快速加氢需求的，可考虑采用第二种加氢机。

### 2.3.3.3　加注性能

加氢机在对氢燃料电池车加注时，典型的加注性能曲线如图 2-16 和图 2-17 所示。图 2-16 表示 35MPa 加氢机的工作性能曲线，图 2-17 表示 70MPa 加氢机的工作性能曲线。

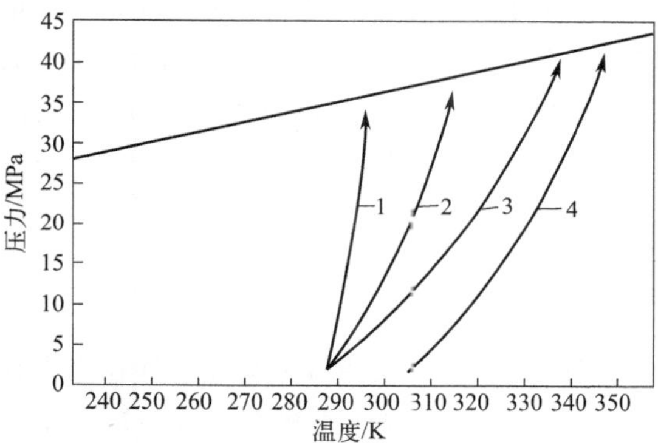


图 2-16　35MPa 加氢机加注性能示意图

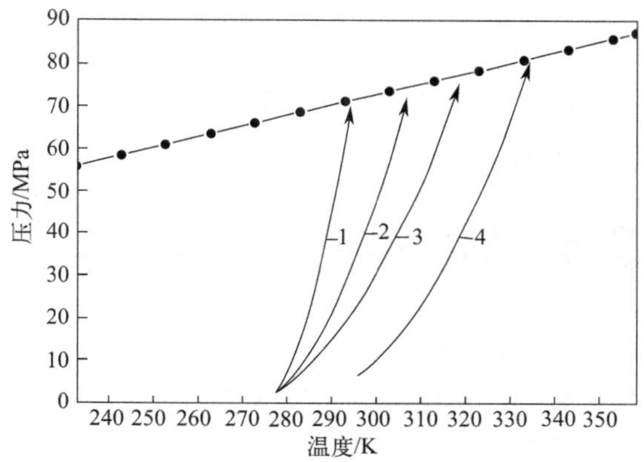


图 2-17　70MPa 加氢机加注性能示意图

四条温度-压力曲线分别表示在不同的加注初始状态和不同的环境温度以及不同的加注算法下的加注性能。曲线 1、2 和 3 表示在同一初始参数下不同的加氢机的加注性能曲线，从图中可看出加注过程 1 引入的热效应较小，加注过程 3 引入了较大的热效应，同时也暗含着加注过程 1 的加注时间可能较长，而加注过程 3 加注时间较短。加氢机除了满足不超温、不超压和不过充的限制条件外，还应实现快速加注，增加用户体验。在评价加氢机性能时须考虑这三方面的因素，综合全面做出评价[43]。

### 2.3.3.4　加氢站推荐设备配置

此外，加氢机的加注速率还与加氢站内压缩机配置和储氢罐容积有关，设计时应综合考虑。以下较典型的加注能力为 1000kg/12h，加注压力 35MPa 的加氢站，其推荐设备配置见表 2-11。

表2-11　1000kg/12h，35MPa 加氢站推荐设备配置

| 设备名称 | 数量 | 工作压力/MPa | 说明 |
|---|---|---|---|
| 氢气压缩机 | 2 台 | 45 | 单台 500kg/12h，含冷却系统 |
| 储氢罐 | 2～4 个（组） | 45 | |
| 加氢机 | 2 台 | 43.8（最高）<br>35（额定） | 双枪双计量 |

续表

| 设备名称 | 数量 | 工作压力/MPa | 说明 |
|---|---|---|---|
| 卸气柱 | 2~3组 | 20 | |
| 顺序控制阀组 | 1套 | 20/45 | |
| 氢气管道系统 | 1套 | 20/45 | |
| 放散系统 | 1套 | | |
| 置换吹扫系统 | 1套 | 0.6~0.8 | |
| 仪表风系统 | 1套 | 0.6~0.8 | |
| 氮气集装格 | 1~2套 | 0.8~1.0 | 租用 |
| 长管拖车 | 2~3辆 | 20MPa | 租用 |

加氢系统由高压管路和加氢机组成。加氢机内配备温度和压力传感器、软管防拉裂保护装置、控制系统以及过压保护装置等。加氢机目前使用质量流量计，其通过氢气的加注质量来测定记录数据。质量流量计的优势是它可以无温度压力修正误差，损失的压力较小，计量的重复度不超过0.2%，相对误差不超过0.35%。加氢机配备的加氢枪的工作压力为35MPa，可同时满足氢能源物流车和大巴车的加氢需求，物流车加注时间约为6min，大巴车单车加注时间约为20min。

## 2.4 加氢站关键设备小结

加氢站作为氢能基础设施的重要组成部分，其运行安全性、加注效率与经济性在很大程度上依赖于压缩机、储氢系统、换热/预冷装置、加氢机以及控制与监测系统等关键设备的综合性能[44,45]。氢气压缩机长期在高压、高频启停和临氢环境下运行，研究表明，其存在能耗高、密封失效及关键部件寿命受限等问题，是制约加氢站稳定运行的核心设备之一[46]；通过采用高效隔膜压缩或液驱活塞压缩技术、优化压缩级数及引入变频控制，可有效降低单位氢气压缩能耗并提升系统可靠性[46,47]。储氢系统作为加氢站的关键安全单元，其性能直接关系到整站的安全等级和连续加注能力。现有研究指出，高压储氢瓶组和储氢罐在反复充放循环中易出现疲劳损伤和潜在泄漏风险，通过采用复合材料储氢容器、优化容器结构布局及加强压力与温度在线监测，可显著提升储氢系统的安全性与使用寿命[48,49]。此外，随着加氢站规模化和智能化发展，基于PLC的站控系统、多源传感器网络以及监测预警平台在设备运行管理中的作用日益突出。研究表明，通过构建集成化控制系统和结构的健康监测平台，可实现对压缩机、储氢装置和加氢机等关键设备的实时状态感知、故障预警与预测性维护，有效降低运行风险并提升整站运行效率[50,51]。

总体来看，加氢站关键设备的性能优化正呈现出“高效化、集成化、智能化与能效协同”的发展趋势，通过设备本体性能提升、系统级协同设计以及数字化运维手段的综合应用，可在保障安全运行的前提下显著提升加氢站的经济性与可持续发展能力，为氢能产业规模化应用提供坚实的技术支撑。

# 第3章 加氢站氢气输送

## 3.1 氢气的综合输送方式

根据文献调研可知，已有的加氢站的供氢方式主要有以下3种：①氢气长管拖车，从氢气生产工厂将氢气运输至加氢站；②从氢气生产工厂（或车间）以氢气管道将氢气输送至加氢站；③加氢站内自备制氢装置获得氢气后，以氢气管道将氢气输送至加氢系统。加氢站供氢方式可以采用上述单一方式，也可以采用两种或三种共同方式[56]。

通常情况下，自备制氢系统既作为该加氢站的气源，又可给氢气长管拖车充装，作为其他加氢站的气源。

## 3.2 加氢站布局

### 3.2.1 总平面布置

图3-1为典型的站内制氢加氢站的总平面布局图。考虑到制氢部分生产的氢气既用于外部供应，也用于内部使用，设计时将制氢部分与加氢部分视为两个独立的功能站。两个站之间的防火间距按照站外标准进行考虑。

制氢部分不仅为加氢部分供氢，还为氢气长管拖车充装。制氢部分总平面布置按功能划分为制氢部分工艺装置区、充装区、消防泵房、消防水池、辅助用房。制氢部分工艺装置区将电解水制氢装置、氢气罐、制氢系统氢气压缩机、放空管集中布置。充装区是给氢气长管拖车充装的区域，可设置多个充装口，氢气长管拖车固定停车位可以同时停放多辆氢气长管拖车，远离辅助用房，避免闲杂人员进入，辅助用房为单层建筑物。

加氢部分的服务对象是面向社会的公交车、乘用车、商用车等氢燃料电池汽车。加氢部分总平面布置按功能划分为卸车区、加氢部分工艺装置区、加氢罩棚、站房。卸车区是氢气长管拖车卸车的区域，可设置多个氢气长管拖车固定停车位。加氢部分工艺装置区属易燃易爆危险场所，尽量避免人员进入，同时考虑管道布置顺畅，将工艺设备集中布置。加氢机置于加氢罩棚下。站房为单层建筑，将站房和加氢罩棚面向站外道路布置，方便车辆出入。

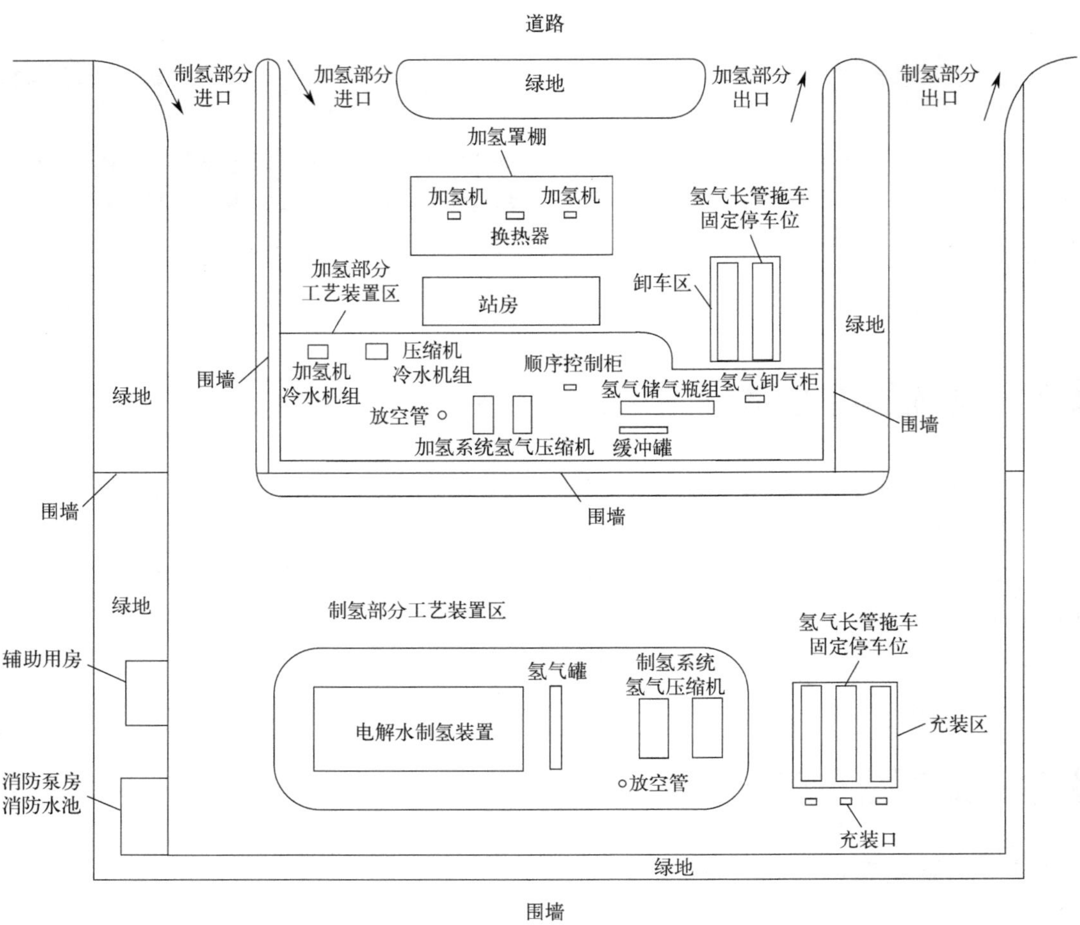


图 3-1　站内制氢加氢站总平面布局

## 3.2.2　主要设备

制氢部分主要设备一览表见表 3-1，加氢部分主要设备一览表见表 3-2。其中，标准状态是指 0℃、101.325kPa 时的状态。

表3-1　制氢部分主要设备一览表

| 名称 | 型号规格 | 数量 |
|---|---|---|
| 电解水制氢装置 | 制氢能力（折算成标准状态）：500$m^3$/h；氢气出口压力：1.0MPa | 1套 |
| 氢气罐 | 容积：5$m^3$；最高工作压力：1.0MPa | 1台 |
| 制氢系统氢气压缩机 | 额定流量（折算成标准状态）：500$m^3$/h；进口压力：1.0MPa；出口压力：20.0MPa | 2台 |
| 氢气长管拖车氢气储气瓶组 | 每辆氢气长管拖车自带一组氢气储气瓶，每组有 8 个氢气储气瓶，单瓶容积为 18$m^3$，最高工作压力为 20.0MPa | 3组 |

加氢部分的压缩机冷水机组和加氢机冷水机组的冷却水均为闭式循环水。压缩机冷水机组是给加氢系统氢气压缩机提供冷却水，加氢机冷水机组是给加氢机前的换热器提供冷却

水，氢气和冷却水通过换热器进行换热。

表3-2 加氢部分主要设备一览表

| 名称 | 型号规格 | 数量 |
| --- | --- | --- |
| 氢气卸气柜 | 额定流量（折算成标准状态）：4000m³/h；最高工作压力：20.0MPa | 1台 |
| 加氢系统氢气压缩机 | 额定流量（折算成标准状态）：500m³/h；进口压力：5.0～20.0MPa；出口压力：45.0MPa | 2台 |
| 氢气储气瓶组 | 地上固定式，每组有 12 个氢气储气瓶，单瓶容积为 1.25m³，总容积为 15m³，最高工作压力为 45.0MPa | 1组 |
| 缓冲罐 | 容积：3m³；最高工作压力：20.0MPa | 1台 |
| 顺序控制柜 | 额定流量（折算成标准状态）：1200m³/h；最高工作压力：45.0MPa | 1台 |
| 压缩机冷水机组 | 冷却水流量：6m³/h；冷却水出口压力：0.5MPa；冷却水供水温度：10℃；冷却水回水温度：15℃ | 1台 |
| 加氢机冷水机组 | 冷却水流量：4.6m³/h；冷却水出口压力：0.5MPa；冷却水供水温度：−15℃；冷却水回水温度：−10℃ | 1台 |
| 加氢机 | 额定质量流量：1.8kg/min；最高工作压力：35.0MPa | 2台 |
| 换热器 | 冷却水流量：4.6m³/h；冷却水出口压力：0.5MPa；氢气质量流量：3.6kg/min；氢气最高压力：45.0MPa | 1台 |
| 氢气长管拖车氢气储气瓶组 | 每辆氢气长管拖车自带 1 组氢气储气瓶组，每组有 8 个氢气储气瓶，单瓶容积为 2.25m³；总容积为 18m³；最高工作压力为 20.0MPa | 2组 |

## 3.2.3 工艺流程

站内制氢加氢站工艺流程可以分为制氢流程、卸车流程、增压流程、加氢流程 4 部分。氢气运输的工艺流程如图 3-2 所示。

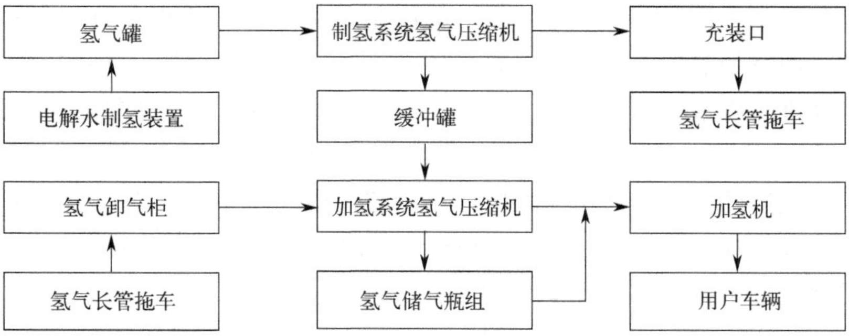


图 3-2 站内制氢加氢站工艺流程

（1）制氢流程

制氢采用电解水制氢，电解水流程后的氢气压力为 1MPa，经制氢系统氢气压缩机增压至 20MPa，一路通过充装口给氢气长管拖车充装，一路去加氢部分的缓冲罐。值得注意的是，制氢系统氢气压缩机的出口压力应和加氢系统氢气压缩机进口压力一致，最高工作压力为 20MPa。

（2）卸车流程

氢气长管拖车进入站区加氢部分氢气长管拖车固定停车位，固定车辆并连接卸车软管，通过氢气卸气柜将氢气从长管拖车氢气储气瓶组内卸载，并输送至加氢系统氢气压缩机。当氢气长管拖车氢气储气瓶组内氢气压力低于设定值时。停止卸车，脱离卸车软管，移走车辆限位卡，氢气长管拖车驶离本站。

(3) 增压流程

来自氢气卸气柜或制氢系统的氢气经过加氢系统氢气压缩机增压，去往氢气储气瓶组或加氢机。在加氢系统氢气压缩机前总管道上设置紧急切断阀，用于紧急情况下对气源的切断，且加氢系统氢气压缩机设置必要的连锁控制系统。

(4) 加氢流程

加氢系统主要包括高压氢气管道和加氢机。氢气储气瓶组的氢气由管道输送至加氢机，经加氢机加注到氢燃料电池汽车内。当氢气储气瓶组压力较低时，氢气需经加氢系统氢气压缩机进行压缩后直接由管道输送至加氢机，经加氢机加注到氢燃料电池汽车内。加氢机上安装压力传感器、过压保护装置、软管防拉裂保护装置等。

# 3.3 氢气生产

我国氢气资源非常丰富，氢气的来源非常多样，可以因地制宜选择合适的来源，氢气的制备方法有很多，根据应用场合、制备量和制备方法，它主要分为电解水制氢、以甲醇、天然气等为代表的化石能源重整制氢、以焦炉煤气、氯碱尾气为代表的工业副产气制氢[57]。2016 年，中国氢气产量 1850 万吨，煤制氢占到 60%，副产氢占到近 20%，这些副产氢可以满足 40 万辆燃料电池公交的需要。

## 3.3.1 电解水制氢

电解水制氢的工艺主要有碱性电解水制氢、质子交换膜电解水制氢、高温固体氧化物电解水制氢、氯碱工业电解 NaCl 制氢、重水电解制氢、煤水制氢以及高温热水制氢 7 种工艺。电解水站内制氢加氢站的工艺流程如图 3-3 所示。水在电解装置的阴阳两极分别产生氢气和氧气。氢气进入气水分离器进行干燥，干燥后在氢气纯化器中纯化。本流程中，纯化的目的是除去氧气及杂质，以达到燃料电池汽车对氢气质量的要求（氢气体积分数＞99.9999%）。纯化后的氢气通过缓冲罐后进入压缩机内被压缩，并先后输送至高压、中压、低压储氢罐中分级储存。需要对汽车进行加注服务时，加氢机可以先后从低压储氢罐、中压储氢罐、高压储氢罐中按顺序取气进行加注。

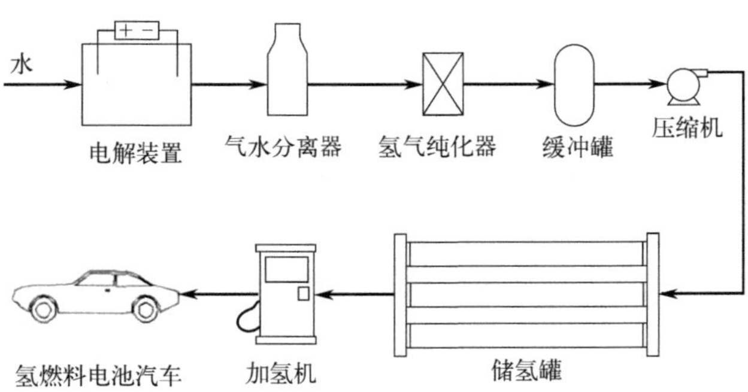


图 3-3 电解水站内供氢

### 3.3.2 化石能源重整制氢

化石能源重整制氢又分为气体原料制氢和液体燃料制氢。前者是指使用天然气制氢，根据制氢工艺的不同分为三类[58]，如表 3-3 所示。后者指利用甲醇、轻质油等，该重整制氢的主要工艺如表 3-4 所示。

表3-3 气体原料制氢分类

| 制氢工艺类型 | 涉及的化学反应式 | 优缺点 |
| --- | --- | --- |
| 天然气水蒸气重整制氢 | $CH_4+H_2O=CO+3H_2$，放热 206kJ<br>$CO+H_2O=CO_2+H_2$，吸热 41kJ | 需要吸收大量的热，反应温度为 650～850℃，反应管出口温度为 820℃，需要两段转化才能完全转化，规模大，投资高 |
| 天然气部分氧化制氢 | $CH_4+1/2O_2=CO+2H_2$，放热 35. 5kJ | 反应放出少量的热，能耗低，但反应条件较苛刻 |
| 天然气催化热裂解制氢 | $CH_4=C+2H_2$<br>$6CH_4=C_6H_6$（苯）$+9H_2$ | 对催化剂要求苛刻 |

表3-4 液体化石原料制氢工艺

| 制氢方法 | 反应条件 | 催化剂 |
| --- | --- | --- |
| 醇水蒸气重整 | ≪300℃，常、中压 | Cu 系，Cr-Zn 系 |
| 醇分解 | 约 300℃，常、中压 | Cu 系 |
| 甲烷重整 | ＞800℃，常、中压 | Ni 系 |
| 烃部分氧化重整 | ＞500℃，常、中压 | Cu 系，Ni 系 |
| 柴油自热重整 | ＜800℃，常、中压 | 新型催化剂 |
| 汽油自热重整 | ＜800℃，常、中压 | 新型催化剂 |

其中，天然气重整制氢加氢站基本工艺流程如图 3-4 所示。脱硫后的天然气和水蒸气在高温、催化剂的条件下在重整装置中反应生成氢气、一氧化碳以及二氧化碳等。随后通过变压吸附装置（PSA）将氢气分离出来[59]。分离出来的氢气进一步在氢气纯化器中纯化。

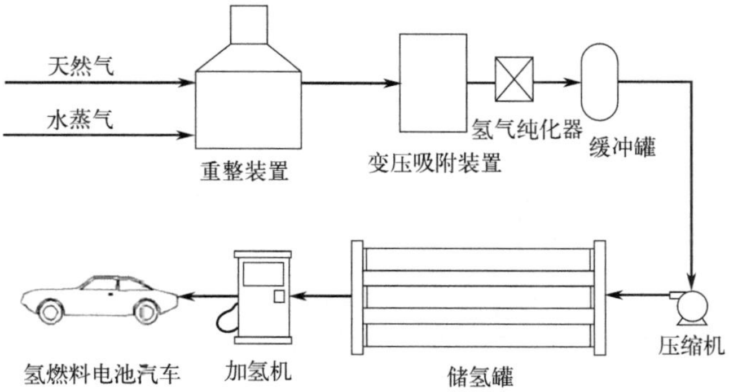


图 3-4 天然气重整站内供氢

### 3.3.3 工业副产气制氢

工业副产气制氢工艺普遍采用了变压吸附（pressure swing adsorption，PSA）气体分离技术，该技术是通过固体吸附剂对一定压力下的混合气体中某些组分进行选择性吸附，气体组分在吸附床层中高压下吸附、低压下解吸，从而实现目标组分的净化与富集。吸附剂是一种比表面积较大的微孔材料，其吸附气体量与气固之间的相互作用力密切相关，随着压力和温度等因素显著变化[60]。

① 焦炉煤气制氢

焦炉煤气制氢主要有焦炉煤气直接净化串联 PSA 工艺分离提纯氢气和焦炉煤气蒸汽转化+PSA 工艺分离提氢两种工艺。目前主流工艺是焦炉煤气压缩净化后采用变压吸附法直接分离提纯氢气，流程如图 3-5 所示。提氢后的焦炉煤气解吸气返回燃料气管网，也可以用作制液化天然气（LNG）或其他富甲烷气转化原料进一步利用。焦炉气蒸汽转化提氢流程是在上述流程基础上增加蒸汽转化炉，将焦炉煤气中的甲烷转化为 CO 和 $H_2$，可最大限度地产 $H_2$。

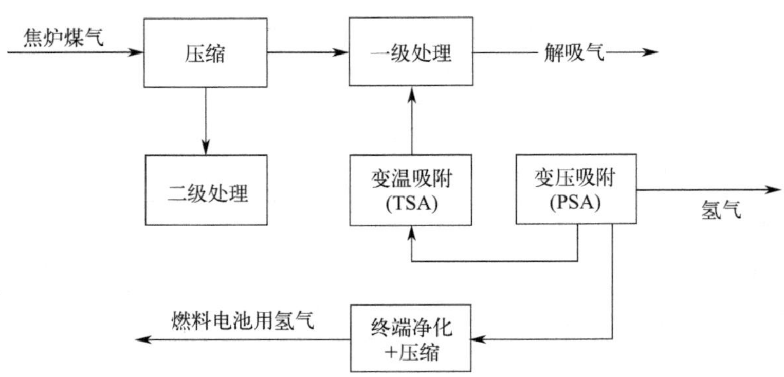


图 3-5 焦炉煤气制氢流程简图

焦炉煤气制氢的关键技术在于焦炉煤气的净化和变压吸附氢气分离提纯。焦炉煤气含有粉尘、焦油、萘、苯、氨、氰化物、硫化物等多种杂质组分，净化工艺及净化剂的选择至关重要。目前主流工艺为变温变压吸附（TPSA）分离-化学催化耦合净化技术，在工业上已有较好的应用效果，采用的焦炉煤气净化工艺流程如图 3-6 所示。

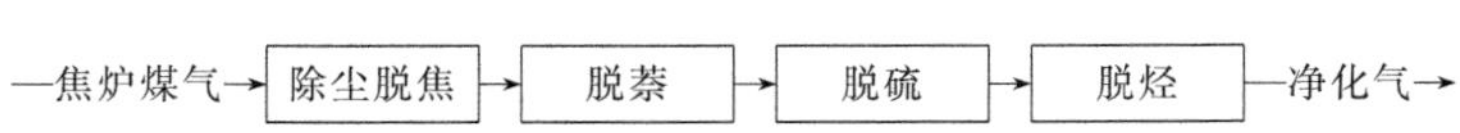


图 3-6 焦炉煤气干法净化工艺路线

② 氯碱尾气制氢

富含氢气的氯碱尾气主要有氯酸钠尾气及氯乙烯尾气，两种尾气组成相差较大，氯酸钠尾气和氯乙烯尾气主要组分如表 3-5 所示。

表3-5 氯碱尾气组成成分

| 尾气 | 组成/% | | | | | | |
|---|---|---|---|---|---|---|---|
| | $H_2$ | $N_2$ | $O_2$ | $C_2H_3Cl$ | $C_2H_2$ | $H_2O$ | $Cl_2$ |
| 氯酸钠尾气 | 约 92 | — | 5 | — | — | ≤1 | 10~30mg/m³ |
| 氯乙烯尾气 | 30~70 | 8~15 | — | 8~25 | 5~10 | 饱和 | — |

氯酸钠尾气氢气含量高，原料气处理的关键在于脱氧脱氯和 PSA 分离纯化，流程简单，工艺流程图如图 3-7 所示。

图 3-7　氯酸钠副产气制氢流程简图

由于氯乙烯尾气含有氯乙烯（VCM）和乙炔等高附加值组分，直接排放将造成严重的资源浪费和环境污染，故采用净化＋两段 PSA 法，实现氯乙烯、乙炔、氢气的回收利用和尾气的达标排放，该工艺具有净化精度高、消耗低，整体运行成本低等特点，工艺流程如图 3-8 所示。

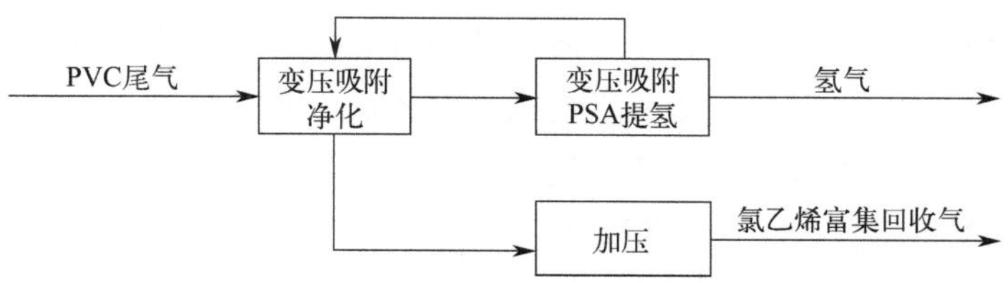


图 3-8　氯乙烯尾气制氢流程简图

# 3.4　氢气输送

## 3.4.1　加氢站氢气输送简介

气态氢气长管拖车的容量大约为 380kg，而液氢槽车由于氢气存储密度较高，能够容纳约 3.0t 氢气。尽管氢气管道在未来具有重要潜力，但初期投资巨大，目前仅在部分示范项目中得到应用，尤其是在欧洲的某些地区。作为替代方案，一些地区已经开始尝试利用现有的天然气管道网络进行氢气掺输，以降低氢气管道建设的成本并逐步推进氢气的商业化运输。

氢气管道主要作为特定大型工业设施的配套基础设施存在。截止 2022 年，中国没有投入实际运营的、专门用于供应加氢站的公共氢气长距离输送管道系统。目前，氢气管道的建设也在逐步推进。长输氢气管网被视为氢能产业规模化发展的关键基础设施，中国相关企业（如中石油、中石化、国家管网）和国家层面（国家能源局等）已开始积极进行规划和布局，并投入资源进行技术研发、标准制定和区域性示范项目推进，但大规模建设和应用预计将在 2025—2035 年甚至之后逐步展开。

## 3.4.2　氢气输送模式

氢气可以气体或液体形式输送到加氢站。对于商业用途来说，通过长管拖车和管道输送氢气在未来最有前景。氢气长管拖车的压力水平在 200bar、300bar 和 500bar。其中，500bar 氢气输送装置正在研制中。重量和体积之间的比率根据用于储罐的材料而有很大差异。Ⅲ型储氢瓶比Ⅰ型储氢瓶更轻，更耐用。未来将有可能生产出更轻的储氢瓶，更具成本效益。这些容器可通过配置更高压力水平从而运输更多氢气。如在 15℃下压缩至 200bar 氢气的储存密度为 14.9kg/m$^3$；而在 500bar 的压力下，储存密度翻了一番多，达到 31.6kg/m$^3$。

压缩气态氢长管拖车由车头和拖车组成。长管拖车到达加氢站后，车头和管束拖车可分离，所以管束也可用作辅助储氢容器。目前常用的管束一般由 9 个直径约为 0.5m，长约 10m 的钢瓶组成，其设计工作压力为 20MPa 约可充装氢气 3500m$^3$（标况）。管束内氢气利用率与压缩机的吸入压力有关，大约为 75%～85%。压缩气态氢长管拖车运输技术成熟，规范完善。因此，国内较多加氢站都采用该种方式运输氢气，如上海较大规模商品氢运输采用压缩气态氢长管拖车运输[52]。

使用压缩气态氢长管拖车运输氢气时，由车头将长管拖车中的氢气运往加氢站，可以在 500bar 下运输超过 1000kg 的氢气。通过站内的压缩系统、冷却系统、加注系统等实现对车辆的加注。该运输方式较为经济、方便，通过使用最简单的基础设施就能满足。长管拖车的另一个优点是氢气损失较少，加氢站的压缩成本也较低，并且随着压力的增加，氢气气体加注的效率增加。然而，为了实现更高的氢气长管拖车压力，氢气生产车间灌装线需更长的加氢时间和更高的压缩机排量。市面上常见的氢气长管拖车外形如图 3-9 所示。

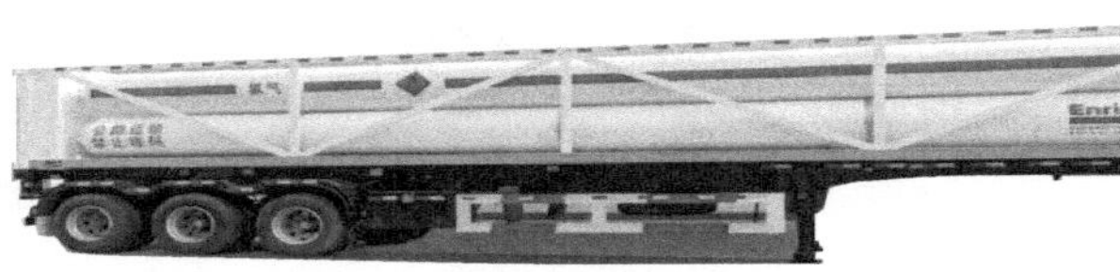

图 3-9 气态氢长管拖车

氢气也可以液体的形式在带有真空绝缘低温机的液氢槽车中运输。由于 71.4kg/m$^3$（−253℃和 3bar）的存储密度特别高，与 500bar 的压缩气态氢长管拖车相比，液氢槽车可输送的氢气明显更多。就安全性而言，低温容器附加有保护层（真空套），以防发生事故和低温下氢气发生绝热膨胀。因此，除非发生泄漏或罐车破裂，否则不会发生严重爆炸，但泄漏的低温氢气会导致未经严格评估的阀门或减压装置出现故障和发生损坏。液氢这种存储方法最常用于大规模的氢气存储和应用[53]。典型的液氢载体如图 3-10 所示。

(a) 低温罐车 (b) 川崎重工设计的概念液氢载体

图 3-10 液氢槽车

为了降低加氢站的物流成本，液氢槽车的交付优势很明显，其交付周期更短。然而，确保液氢的可用性仍然是一个重大挑战，特别是在氢气需求不断增长的情况下。氢气加氢站也可通过管道以气态形式供应氢气。目前，正在研究使用现有的天然气管道基础设施掺氢，特别是管道网络和加氢站网络的连接，实现氢气运输。为保证使用氢气燃料所需的纯度，可能需要在采样点（在加氢站）进行氢气处理。

### 3.4.3 氢气长管拖车输送

氢气长管拖车供应加氢站，长管拖车压力分别为 200bar 和 300bar，预计氢气长管拖车充装时间为 6h 和 10h，卸车分别为 1h 和 0.5h。压力 200bar 的压缩气态氢长管拖车容量仅为 380kg 氢气。为避免加氢站场地拥堵，将每天的送货次数限制在两次以内，此递送方式的加氢站最大规模约为 500kg/d。目前正在进行研究，试图增加氢气拖车的容量高达 1000kg。

在高速公路上，氢气长管拖车的平均速度是 80km/h。在市区，以平均 50km/h 的速度行驶。氢气长管拖车每天运行 18h，与加氢站的运营时间一致。预计每年的氢气长管拖车利用率为 98%。平均往返距离和时间可根据与氢气生产厂之间的距离、高速公路和城市边界内的平均拖车速度以及加氢站连接、卸载和断开所需的时间计算。根据加氢站每天运行小时数和平均往返时间，计算每天氢气长管拖车可能的往返次数。了解氢气长管拖车满载能力和加氢站每日需求高峰，可计算需要氢气长管拖车的数量。

氢气长管拖车供氢加氢站的工艺流程如图 3-11 所示：16～25MPa 压缩氢气从站外制氢厂通过长管拖车运输到加氢站中，氢气通过加氢站的压缩机卸至高压储氢瓶组，并以不大于 45MPa 的压力储存；车辆加氢时，加氢机从低压储氢瓶组取气，充装到氢燃料电池汽车的车载储氢瓶中[54]。

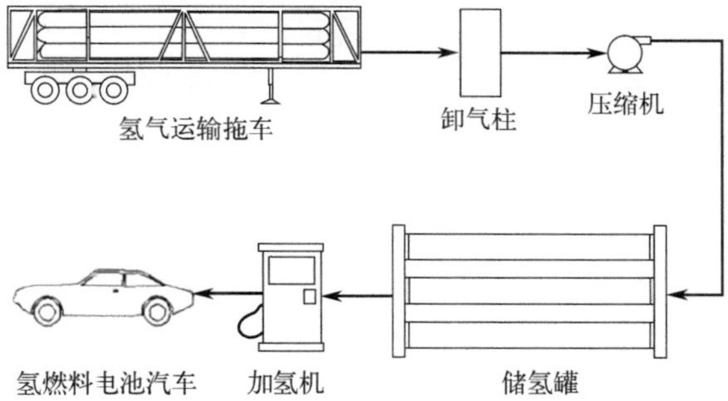


图 3-11 氢气长管拖车供氢加氢站工艺流程

液氢槽车供氢加氢站，一辆液氢卡车一次可向加氢站运送约 3000kg 氢气。液氢加氢站可以为加氢站输氢 5000kg/d。加氢站的液氢从液氢槽车泵送至现场液氢储罐。即液氢槽车的输送包括液化、存储和用低温储罐输送至最终用户三个阶段。加氢站液氢储罐的容量取决于液氢槽车输送到加氢站的频率，以及每次输送过程中输送氢气的重量。若加氢站每天至少需要一次交货，则加氢站液氢储罐的容量是液氢槽车输送卡车容量的 2 倍。较大的液氢储罐可以帮助加氢站应对不规则的加氢效率。如果每天的交货频率小于一次，加氢站的液氢储罐容量通常是液氢槽车容量的 1.5 倍。液氢槽车的重量通常占总重量的约 10%。许多因素会影响液氢槽车运送到加氢站的氢气有效质量，具体有如下几个因素。

① 在液氢槽车加液氢时必须保持液氢蒸发空间，以确保槽车不会随着饱和压力的增加而变得“液体满”；

② 影响槽车储罐压力额定值和减压设置；

③ 液氢槽车罐内热泄漏，影响蒸发率和排气；

④ 液态氢转移到加氢站液氢储罐中时蒸发损失；

⑤ 需要在液氢槽车中保持少量液氢，以便在回程期间保持冷度；

⑥ 氢蒸气在液氢槽车、液氢罐中缺乏液氢时仍留在罐中。

运输距离超过约 200km，液氢罐车的能耗比并不高。使用液氢储存容器和液氢泵可取消加氢站昂贵的高压力容器级联系统，较为经济。为适应峰值燃料要求，仅使用一个小缓冲容器，便可取代更大的级联储氢系统。对于 70MPa 液氢加氢站，经济效益尤为显著。对于许多吞吐量要求高的气态加氢站，由于热压缩效果，预冷却需要实现充分填充，加氢时间比汽车加油时间长，需要昂贵的制冷系统。然而，对于具有液氢输送和储存的加氢站，相对便宜的换热器或蒸发器控制器可满足要求。

液氢槽车输送能力为 3000kg，液氢槽车的加注时间假定为 2h，氢气生产厂的连接、断开和停车时增加 1h。液氢从氢气生产厂输送到市区的加氢站（加氢站在城市内统一分布）。液氢槽车在城市边界到达加氢站的距离假定是城市线性距离的 1.5 倍。根据氢气生产厂与城市之间的距离、高速公路和城市边界内的平均槽车速度以及加氢站连接、卸载和断开所需的时间，计算平均往返距离和时间。根据加氢站每天的运行小时数和平均往返时间计算每天可能的液氢槽车往返次数。根据液氢槽车满载能力和城市加氢站每日需求高峰，计算槽车需求数量。氢气从氢气生产厂使用液体输送槽车运送到加氢站，这些液氢槽车在行驶过程中最多向 3 个加氢站输氢，并向每个加氢站卸下相同质量的氢气。例如，如果槽车在行驶过程中停三站，它将向每个站输送大约 1/3 的氢气质量。一旦到达加氢站，槽车就会将液氢卸入液氢储罐，卸车传输过程将氢气导致损失约为氢总容量的 6%。

液氢槽车供氢加氢站工艺流程如图 3-12 所示：液氢槽车将液氢运输至加氢站，与加氢站连接后进入站内的液氢储罐。液氢储罐中的氢通过气化器进行气化，气化后的氢气进入缓冲罐。随后进入压缩机内被压缩，并先后输送至高压、中压、低压储氢罐中分级储存。

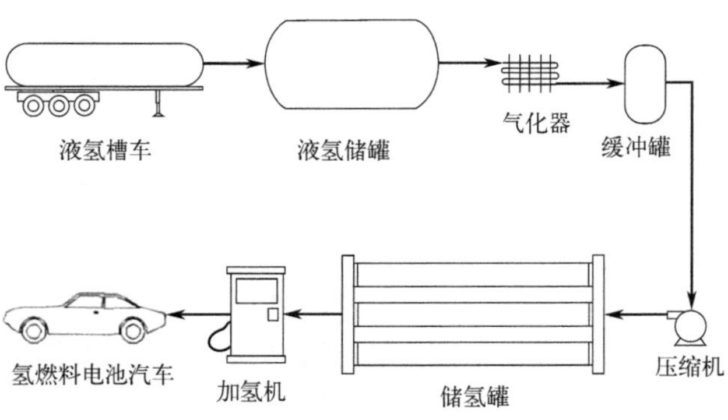


图 3-12 液氢槽车供氢加氢站工艺流程

## 3.4.4 管道输氢

在许多情况下，为减少低沸点储液在储存时的蒸发损耗，或因为紧急排空的需要，常常需要提高储罐的储存压力，设计压力（表压）处于 0.006～0.1MPa 之间的储罐的称作低压储罐。低压储罐顶部装有活塞盘，随着储气量的渐增，活塞盘与金属罐壁作上下移动，两者之间装有专用的密封环，以保证内罐气体与外界空气隔绝[55]。

管道供应的加氢站在布局上与氢气长管拖车供应站相似，但用低压储氢罐代替氢气长管拖车。鉴于管道供应氢气的能力基本上是无限的，但仍不能在需求高峰期即时供应所有加氢站。管道系统只能工作在稳定状态的运行条件，会减少上游生产和分销系统其他地方对瞬态响应的需求。为确保这种稳定状态的运行，加氢站需配置氢气低压储罐，氢气以稳定的速度供应给低压储罐。只有当级联储存系统氢气能维持峰值压力时，才不使用低压储罐。

管道供应加氢站氢气需求在4000～5000kg/d之间，加氢站将需要6个以上的加氢机来满足这一容量加注需求。假设在100公里的氢气生产厂，氢气被输送到一条在70bar压力下运行的输气管道。管道方案假设夏季的峰值需求比预期值高出10%，而冬季的峰值需求低于10%。为存储到满足夏季高峰需求并覆盖制氢厂的常规停机用氢，需两台压缩机并联工作，用于将散装储存压力容器填充至200bar和875bar的级联容器系列。

在美国，大约有2600km的氢气管道可供使用，主要位于炼油厂和氨厂附近。在美国各地使用管道输送氢气，需要数十万千米的专用氢气管道，因此，研究人员开始探索利用目前的天然气管道基础设施在全国范围内尝试氢气的输送。表3-6为全球输氢管道的企业、国家及分布；图3-13为某玻璃钢管道安装现场。

表3-6 全球输氢管道的企业、国家及分布

| 企业及国家 | 输氢管道长度/km | 企业及国家 | 输氢管道长度/km |
|---|---|---|---|
| 液化空气公司 | 1936 | 普莱克斯公司 | 739 |
| 空气产品公司 | 1140 | 美国 | 2608 |
| 林德公司 | 244 | 其他 | 483 |

图3-13 玻璃钢管道安装现场

氢气从生产厂通过大型高压输送主线，再通过减小压力，气体经管道输送到配送支线系统。在配送支线管道中再次降低压力，氢气被分配到加氢站。其中，输氢管道系统的流程见图3-14。

管道输送供氢加氢站工艺流程见图3-14。目前采用管道输送方式的加氢站较少。该流程是氢气先从氢气管道中进入缓冲罐，随后进入压缩机内被压缩。然后，先后输送至高压、中压、低压储氢罐中分级储存。

假定氢气生产厂在300psi（1psi＝6894.76Pa）的压力下产生氢气。在进入氢气输送管道前，通过压缩机将压力增加到1000psi，传输系统入口压力为1000psi。氢气输送管线压力

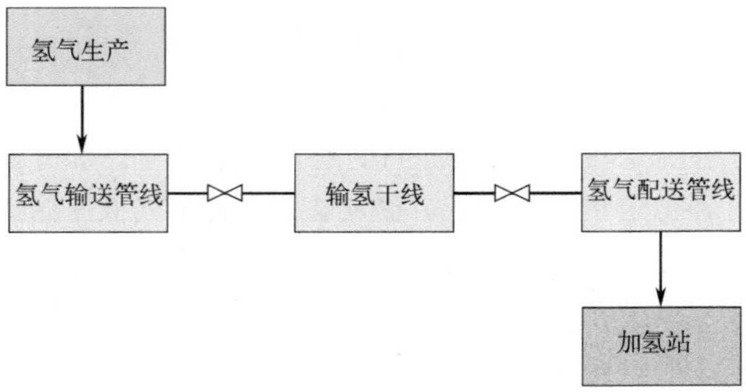


图 3-14　输氢管道系统流程

调整到 700psi，进入输氢干线，入口压力 600psi，输氢干线压力调到 450psi 进入配送系统；氢气配送系统入口压力 400psi，到加氢站为 300psi。目前，非常有限的氢气输送管道在这个范围内运行。

高压氢气输送线路将氢气从集中生产设施输送到城市周边，输氢干线将氢气输送到整个大都市区。氢气配送管线将加氢站与氢气干线配送系统连接起来。氢气流量和管道配送系统的安装应因地制宜，与加氢站的日常需求及市区内加氢站的数量和分布有关。为了估计特定市场渗透率的假想大都市区的成本，假设一个简单的区域几何形状，以经验指定人口密度和车辆拥有量，并以反映区域需求的加氢站为单位，其在特定区域内均匀分布。此模型可用于估计特定人口和氢气汽车市场渗透的城市区域分销管道的成本，该方法的步骤描述如下。

① 人口密度概况和总人口用于估计城市地区次要区域的土地面积，这些区域从城市核心辐射延伸，其特点是人口密度下降。

② 对于每个密度区域，服务的轻型车辆总数根据人口密度和经验车辆拥有率计算。

③ 根据假定的氢燃料汽车份额估计服务人口。

④ 根据所服务车辆平均值估算每个密度区域为车辆人口提供服务所需的加氢站数量。

⑤ 最大限度地减少分发和服务管道需求。

⑥ 管道要求根据单位成本估算。管道模式包括在给定大都市区内多达四条干线，服务线从干线延伸到加氢站。

目前，采用管道输送方式的加氢站较少，管道输送供氢加氢站工艺流程见图 3-15。该流程是氢气首先从氢气管道中进入缓冲罐，随后进入压缩机内被压缩。

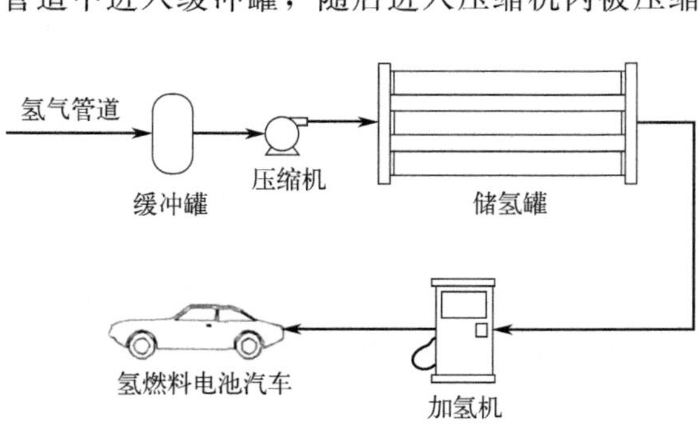


图 3-15　管道输送供氢加氢站工艺流程

## 3.5 氢气损失

在氢气交付的基础设施中，每个组件都可能发生氢气损失。例如，储存在绝热性能良好的储存容器中的液氢，由于热量渗入可能产生蒸发气（boil-off gas，BOG），并通过减压阀排放损失。在计算各组件所需的氢气量及其设计流量时，这些损失是关键变量。气态氢系统的主要损失来源与压缩机有关。当氢气通过压缩机时，可能通过密封部位泄漏，或被压缩机润滑油吸收。管道基础设施的氢气损失与天然气管网类似，主要来自阀门、法兰连接和取样口的微量泄漏。对于液氢，主要存在两种类型的损失：一是液化过程中的制冷剂能耗与冷却过程损失；二是储存期间由于沸腾产生的蒸发损失。因此，在液化装置及液氢终端站中，只要存在液氢储罐，就不可避免地会发生沸腾损失。液氢装卸过程约造成3%～6%的氢气损失，这种损失主要由于在装卸及传输过程中难以保持足够低的温度与系统密封性。在液氢加氢站中，液氢槽车的装卸过程通常不单独计入氢气损失，因为装载端被假定与液化系统共享，蒸发的氢气被回收至储罐或重新液化处理。

## 3.6 氢供需变化和对基础设施的影响

向市场输送氢气可通过三种主要模式进行：氢气长管拖车、液氢槽车或管道输送。因此，氢气生产工厂向城市沿线分布的加氢站提供氢气。在这种情况下，氢气的储存能力通常按照每个加氢站的平均加氢能力来计算。对于100kg/d的小型加氢站，与液氢槽车和管道输送方式的成本相比，氢气长管拖车交付是最经济的方式。但应当指出，这种交付模式仅适用于市场渗透率较低的阶段，在市场渗透率较高时将难以维持，特别是在需要大量加氢站支撑的大型市场中。当市场渗透率低于10%时，液氢槽车交付氢气的单位成本最低；而当市场渗透率超过10%时，管道输送成为首选模式。对于燃料电池汽车渗透率较高的市场，氢气长管拖车的交付成本高于液氢槽车或管道输送。此外，每天需要两辆长管拖车为一座加氢站供氢，这在物流调度上也存在潜在问题。

氢气输送成本的下降与加氢站容量的增加密切相关。大型加氢站的氢气输送成本下降，主要原因之一是所需长管拖车数量的减少。以20%的市场渗透率和400kg/(d·站)的加氢能力为例，在距离生产工厂100km处进行现场供氢时，降低单位能耗对长管拖车或管道输送压缩气体具有重要意义。这两种输送模式的能耗差异明显。氢气长管拖车采用高压气体运输，需要压缩和高压储存，因此能耗较高。相比之下，氢气管道通过固定网络以较低压力输送，在某些情况下甚至可避免额外压缩。尽管长距离输送仍可能需要中途压缩以维持压力，但整体能耗较低，尤其是在优化管道设计、减少压力损失的情况下。总体而言，管道输氢在大规模、持续供应条件下具有更高的运输效率和经济性。如果氢气生产厂距离加氢站约100km，开发可运输约1000kg氢气的长管拖车，其运输成本接近管道输送。这种方式可避免在城市地区建设管道系统所需的成本、时间、中断与潜在安全风险。液氢槽车输送的能耗明显高于压缩气体输送，主要原因是氢气液化过程的高能耗。三种输送方式的能耗约占氢气能量的30%（管道输送）、35%（长管拖车输送）和80%（液氢槽车输送）。

在温室气体排放方面，管道输送排放最低，长管拖车输送相对较高，而液氢槽车输送的排放约为前两者的两倍。氢气输送成本是市场需求的函数。当氢燃料汽车渗透率超过25%时，建设每日生产50～350t氢气的区域性工厂是合理的。大城市地区通常需要多个大型氢气生产厂来满足需求。由于运输成本较高，生产工厂一般布局在距离城市约100km的周边区域。对于管道输送，加氢站需设置1.5MPa低压储氢系统以适应昼夜加氢需求差异；而压缩储氢采用45MPa级联储氢系统，可为车载35MPa储氢瓶加注。若采用长管拖车交付，储氢容量由拖车自身提供；采用液氢槽车交付则由液氢罐、液氢泵和蒸发器构成储供系统。加氢站容量对所有输送模式的氢气运输成本都有显著影响。将单站容量提高至1000kg/d，可明显降低输氢成本，但交付成本下降幅度有限。

然而，随着加氢站容量的提升，小型加氢站数量将相应减少，以在给定地区维持相同市场覆盖，避免影响燃料电池汽车渗透率。为适应氢气生产工厂停工或季节性需求波动，液态储氢是较为经济的缓冲方案。

# 第4章 加氢站的设计

加氢站应结合供氢方式进行设计。从具体的加氢站建设工程设计部分来说，通常按照专业划分，加氢站涉及的主要专业包括：工艺、总图、电气、水工和暖通等，其中设计内容最多的是工艺，其次是总图。

## 4.1 加氢站工艺专业设计

### 4.1.1 设计范围和内容

加氢工艺系统的设计范围涵盖从卸气柱高压软管密封面至加氢枪密封面。此范围包含卸气柱、氢气压缩机、氢气储罐、顺序控制阀组、氢气预冷换热器、加氢机、放散系统和氢气管道。此外，还包括加氢机上安装的玉力传感器、温度传感器、过压保护装置、软管拉断保护装置等。

为给氢燃料电池汽车加氢，通过加氢工艺系统将氢气长管拖车中氢气进行加压存储，然后加氢机将氢气加注到车载储气瓶中。具体流程为压缩机从长管拖车取气，增压储存至储氢容器，车辆需要加氢时，再由压缩机从储氢容器取气，通过加氢机计量后为车辆加注。加氢系统主要性能指标包括氢气加注压力等级、日氢气加注量、车辆平均加注时间、车辆平均等待时间等。加氢系统设计输入条件包括氢燃料电池汽车加氢时间分布、加氢车型、加氢量、加氢压力、工艺设备部件厂家资料等。

加氢系统氢气源为20MPa长管拖车高压气态氢气，如采用其他氢气源，需要针对氢气源形态和压力进行相应调整。加氢系统宜设置氢气预冷系统，若不设置预冷系统，需对加氢速率进行限制。加氢机数量大于3台套时，加氢机供氢管道宜采用单元制。加氢系统控制阀门应采用气动阀门，驱动气选用氮气。加氢系统宜采用分级加注形式，长管拖车储气瓶组可作为其中一级，直接给氢燃料电池汽车加注。

### 4.1.2 系统方案设计

现有加氢站有两种建设方式：一是站外供氢加氢建站模式；二是站内制氢供氢加氢建站模式。站外供氢加氢站模式：即从外面工厂（相当于母站提供气源）经加氢站（子站）二次加压完成对外加气。站内制氢供氢加氢建站表示加氢站内有制氢设备提供氢气[61]。外供氢模式，外供氢系统主要由氢气长管拖车、卸氢柱、增压装置（压缩机）、储氢瓶组、加氢机、冷却系统组成。

氢气通过长管拖车输送至站内，气源压力为20MPa，氢纯度不低于99.97%。压缩机从长管拖车取气，增压储存到储罐或气瓶，车辆需要加氢时，再由压缩机从储氢容器取气，通过加氢机计量后为车辆加注。图4-1为上海化工区驿蓝加氢站。

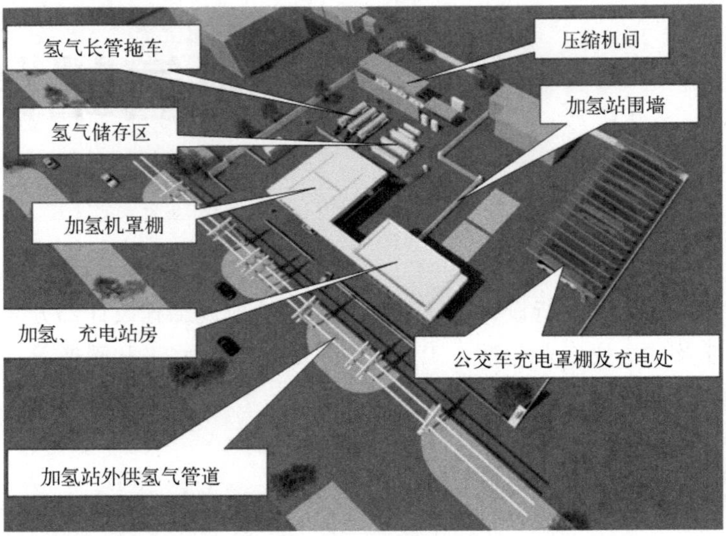


图4-1 上海化工区驿蓝加氢站布置图

#### 4.1.2.1 卸气系统

氢气通过压缩机提升压力后，将通过各泊位内的卸气柱将氢气从管束内卸载，并运送到氢气增压系统和加注机，卸气柱需设置有氮气吹扫管线和过滤精度≤10μm的过滤器，每次卸氢前需要对管线进行吹扫置换，确保卸氢质量。卸车软管端设置有拉断阀以防止长管拖车溜车或错误操作引起卸车软管断裂，造成氢气泄漏。当上游发生超压时，通过打开设置在卸气柱上的安全泄压阀，将压力降至设计压力以下。设置紧急切断阀，当出现紧急情况时可以自动切断氢源，降低事故影响程度。另外，卸气柱还设有氢气取样口，通过取样分析即可掌握进站氢气品质情况[62]。

#### 4.1.2.2 顺序控制系统

顺序控制系统由氢气管道和阀组组成，用以控制压缩机向氢气存储容器充装氢气，同时可以控制加氢机加注气源的选取，是加氢系统的主要控制系统。

#### 4.1.2.3 压缩系统

加氢站的氢气压缩工艺系统应根据进站氢气输送方式确定，并应符合下列规定。

① 氢气长管拖车、氢气管束式集装箱供应氢气时，加氢站内应设增压用氢气压缩机，并应按氢气储存或加注参数选用氢气压缩机和储氢容器。

② 氢气管道输送供氢时，应按进站氢气压力、氢气储存或加注参数选用氢气压缩机和储氢容器。

③ 用于氢燃料电池汽车或氢气天然气混合燃料汽车时，应根据所需氢气参数和储存或加注参数选用氢气压缩机和储氢容器。

为提高加氢站液氢增压系统的安全性、可靠性和运行效率，确保供氢过程的顺畅和稳定，加氢站的液氢增压系统的设置应符合下列规定。

① 液氢增压泵的选型和台数应根据供氢压力、流量确定；宜采用活塞泵等形式，并宜设置备用液氢增压泵。

② 汽化器汽化能力应由液氢流量和增压压力确定，换热形式宜为空温式。

③ 液氢储存压力容器与液氢增压泵之间应采用柔性连接，管道内径不应小于增压泵进液口直径，必要时应按工艺要求设有一定坡度。

此外，自产氢气采用压缩机增压后进行高压储存时，氢气进入氢气压缩机前应设缓冲罐。

#### 4.1.2.4 储氢系统

氢气储存方式，应根据氢气站规模、用氢设备耗氢量和使用特性、储氢系统输入压力、供氢压力和现场工作条件，经技术经济比较后确定。加氢站内储氢宜采用高压氢气储存或液氢储存方式，氢气储存设施宜选用专用固定式储氢压力容器。国内加氢站常用储氢罐和储氢瓶组两种储氢装置。推荐加氢站选用同一规格的固定式储氢罐或储气瓶组，并应符合国家现行标准《钢制压力容器分析设计标准》的有关规定。要求储氢系统设置安全泄压装置、氢气放空管及切断阀和取样口、压力测量仪表、压力传感器、泄漏报警装置、氮气吹扫置换接口、安全防护栏或其他防撞措施等[63]。此外，储气瓶组卧式存放，其距离不小于 1.5m。

加氢站内氢气储存系统的工作压力应根据车载储氢瓶的充氢压力确定。当充氢压力为 35MPa 时，加氢站氢气储存系统的工作压力不宜大于 45MPa；当充氢压力为 70MPa 时，加氢站氢气储存系统的工作压力不宜大于 90MPa。加氢站内储氢容器容量应根据氢气来源、氢燃料电池汽车及氢气天然气混合燃料汽车数量、每辆汽车的氢气充装容量和充装时间以及储氢容器压力等级等因素确定。氢气长管拖车、氢气管束式集装箱、液氢罐车、液氢罐式集装箱等运输氢气的车辆作为加氢站内储氢设施固定使用时应设置固定措施，容量计入总容量中。加氢站采用移动式加氢设施时，除应符合本规范规定外，还应符合现行国家标准《移动式加氢设施安全技术规范》（GB/T 31139—2014）等的有关规定。

#### 4.1.2.5 加氢系统

加氢系统的功能主要是实现氢的加注，这是该工艺的核心。在加氢系统工艺方面，主要考虑如何又快又安全地完成氢的加注，同时实现自动计量计价。

根据其功能，工艺设备主要包括双枪加氢机（一对氢气入口、双电磁阀单元、流量计）、芯片控制器、显示器（显示流量、压力、温度、金额、气量）、压力感受器、温度感受器、手动截止阀等，还要有快速使用的加注口。加氢口压力为 35MPa，采用双枪加氢机形式，对应不同种类的车型。加氢机采用气源优先控制技术，利用多级储气设施，采用编程优先控制器设定气源优先级，所加注的氢气来自压缩机和 2 个压力等级的固定式储气瓶组，优先级综合考虑储气设施的数量和能力、压缩机的能力等因素。加氢系统是工艺的核心，除了完成功能外，还要考虑紧急停机的功能，在特殊情况下能够自动切断加氢这一工艺过程，而且不对系统造成大的影响或者损失[64]。

### 4.1.3 主要设备配置与选择

高压压缩氢气加氢站作为目前加氢站的主要类型，虽然氢气供应方式的差异会导致其内部的系统存在着一定的不同。但总体看来，卸气柱、压缩机、固定储氢设施、加氢机、管道系统、顺序控制盘、控制系统等都是其中必备的基础设施，而压缩机、固定储氢设施和加氢机是整个加氢站内的核心基础设备。在建站规模确定的情况下，通过设备参数和设备数量的匹配，以达到加氢站最优和最经济的设备配置[25]。

#### 4.1.3.1　压缩机配置与选择

压缩机作为加氢站内的核心设备，承担了氢气增压的重要作用。在加氢站规模确定的情况下，加氢站对压缩机的选型要从技术性、适用性、安全性、可靠性、经济性五个维度出发进行深度考量，来确定最佳配套的压缩机。压缩机的设计、制造、检验需达到《汽车加油加气加氢站技术标准》（GB 50156—2021）和压缩机设计相关标准的规定[31]。

目前国内加氢站常用的氢气压缩机主要有隔膜压缩机、液驱压缩机和离子液压缩机等，并主要依据氢气气源稳定性和加注车辆稳定性来确定压缩机。其中，隔膜压缩机和液驱压缩机主要应用于储氢压力≤45MPa 的加氢站，多个国内生产厂家的相关技术也已日趋成熟；离子液压缩机主要应用于储氢压力 90MPa 的加氢站，国内该压力等级的压缩机尚在研制过程中，目前主要还是依赖于进口。氢气压缩机的选型和台数应根据氢气供应方式、进气压力、排气压力、氢气加注要求、氢气纯度和用户最大小时氢气耗量或用户使用特性等确定，以及储氢容器工作参数等因素确定，同时加氢站宜设置备用氢气压缩机。氢气压缩机台数不宜少于 2 台。连续运行的往复式氢气压缩机应设备用机；氢气灌装用压缩机的型号、排气量，应根据充灌台或充装容器的规格、数量，充装时间和进气压力、排气压力等确定。灌装用氢气压缩机，可不设备用机。当纯化后的氢气灌瓶时，应采用隔膜压缩机，并宜设置空钢瓶处理系统，包括钢瓶抽真空设备和钢瓶加热装置。

（1）选型建议

① 根据气源压力：固定站气源充足且气源压力主要为 5～20MPa，可选择隔膜压缩机。

② 根据加氢站的服务半径以及服务车辆的类型及数量来确定加注量是否稳定。若加注量较为稳定建议采用隔膜压缩机，在一定程度上能够节约运行能耗和建设成本。

③ 如遇特殊工况：频繁启停、不同压力等级加注等情况，可优先考虑液驱压缩机。

（2）选型关键点

① 压缩机的排量，不论哪种形式首先要满足供气量要求，主要包括进气最低压力、排气最高压力等。

② 从整个压缩机撬的设计上，主要包括 3 个方面：结构形式（包括液驱和隔膜）；整个压缩机撬是整体成撬的方式，还是开放式或集装箱式的方式；需考虑周边环境，若是存在噪声问题则需考虑隔声情况。同时，在设计封装时会设置相应安全措施，例如氢气探头、氧气探头等，保证整个压缩机撬的安全。

③ 从选型注意事项方面考虑，压缩机压缩比及级数作为选型过程中比较重要的一个关注点。

在两种不同模式（管束车供氢和制氢供氢）下，压缩机级数存在差异：以 1.6MPa 为例，采用两级压缩的方式才能将氢气压力提高到 45MPa 的出口压力；冷态启动和频繁启动，这是在设计工况时需重点考虑的因素；由于压缩机需要提供外部冷源，因此需要对压缩机设备的冷却状态和模式做重点考量。

#### 4.1.3.2　固定储氢设施配置与选择

储氢容器的选择参见本书 2.2.6。氢气罐的形式，应根据所需储存的氢气容量、压力状况确定。当氢气压力<6kPa时，应选用湿式储气罐；当氢气压力为中、低压，单罐容量≥5000$m^3$（标）时，宜采用球形储罐；当氢气压力为中、低压，单罐容量<5000$m^3$（标）时，宜采用筒形储罐；氢气压力为高压时，宜采用长管钢瓶式储罐等。

#### 4.1.3.3 加氢机的配置与选择

可以参见 2.3.3。

## 4.2 加氢站总图专业设计

### 4.2.1 站址选择

加氢站和合建加氢站的站址选择应符合国家和地方法律、法规，符合综合供能服务站的布点规划、当地区域总体规划、城镇规划、能源行业发展规划、环境保护和节约能源的要求。

#### 4.2.1.1 基本原则

加氢站站址选择的基本原则如下。

① 在城市中心区不应建设一级加氢站；

② 城市中心区的加氢站，宜靠近城市道路，但不应设在城市主干道的交叉路口附近。

③ 宜避开地下构筑物、各类地下管线、地下电（光）缆、塌陷区以及有洪水、滑坡危险等地质不良地段；

④ 应避开地震活动断层，宜避开地震地质灾害危险区，无法避开时应采取必要的工程处理措施；

⑤ 宜避开多尘或有腐蚀性气体的场所，当无法远离时，不应设置在污染源盛行风的下风侧；

⑥ 宜避免设置在有剧烈振动的场所；

⑦ 宜有方便的电源、水源、热源及通信线路；

⑧ 宜选择在与公路高差小的区域；

⑨ 岸基综合供能服务站站点应选择在船舶流量较大且陆路交通便利的岸边；

⑩ 应远离居民区、学校等人口密集场所和公共设施；

⑪ 位置交通方便，一旦发生事故，消防、医疗等应急救援单位能及时赶到处理；

⑫ 无高压线、通信线跨越，与邻近的高压线、通信线的距离也能符合规范要求。

#### 4.2.1.2 其他原则

加氢站选址应在保证城市可持续发展的基础上，符合社会经济、文化、政治等要求，与自然生态环境协调发展，满足居民出行活动的需求。

（1）符合国土空间规划

建设加氢站应当积极协调自然资源等有关部门，确定重大基础设施廊道和枢纽，符合长期规划性和未来发展的需求。通过“一张图”定布局，并且确定合理的建设用地规模，通过存量挖掘等方式，改扩建加氢合建站。

（2）符合市场需求及可达性

城市交通对城市空间结构的影响主要表现在可达性和便携性上，首先是氢源成本影响企业对站点的选择，其次是沿着一定交通线路选址则可以带来交通运输成本的节约，同时交通线路的汇聚点又因为交通便捷性吸引更多的消费人群，成为重要的加氢节点。

（3）符合交通网络规划布局合理性

交通网络是城市或区域的骨架，是保证用地功能发挥和保持拉动经济、保障可持续发展的基础设施。加氢网络的合理布局能够推动氢能产业协同发展，助力我国“双碳”目标实现。交通网络主要通过“线、面”两个层面实现，“线”即城市区域间交通呈廊道式敷设，“面”即呈区域网络化覆盖，站点分布密度和覆盖率体现加氢的区域服务水平[65]。

## 4.2.2 总平面布置

从加氢站内部的区域功能划分来看，具体可以分为卸车区、压缩区、氢气储存区、加注区、营业办公区和辅助区等，合建站通常可以使用功能分区和相对隔离的方法。总平面图布置严格执行规范要求，按照《加氢站技术规范》（GB 50516—2010）（2021 年版）、《氢气站设计规范》（GB 50177—2005）、《汽车加油加气加氢站技术标准》（GB 50156—2021）、《综合供能服务站建设规范》（DB33/T 2136—2018）和《建筑设计防火规范》（GB 50016—2014）（2018 年版）进行设计。

加氢站的氢气工艺设施与站外建筑物、构筑物的防火距离，不应小于《加氢站技术规范》（GB 50516—2010）（2021 年版）表 4.0.4A 的规定，如图 4-2 所示。

冷水机组、预冷机组系统与站外建筑物、构筑物的防火距离宜按工艺要求确定；加氢站站内设施之间的防火距离不应小于《加氢站技术规范》（GB 50516—2010）（2021 年版）表 5.0.1A 的规定；氢气站、供氢站、氢气罐与建筑物、构筑物的防火间距，不应小于《氢气站设计规范》（GB 50177—2005）表 3.0.2 的规定。氢气站、供氢站、氢气罐与铁路、道路的防火间距，不应小于《氢气站设计规范》（GB 50177—2005）表 3.0.3 的规定。

（1）加氢站的围墙设置应符合的规定

加氢站的工艺设施与站外建筑物、构筑物之间的距离小于或等于本规范表 4.0.4A 的防火间距的 1.5 倍，且小于或等于 25m 时，相邻一侧应设置高度不低于 2.5m 的不燃烧实体围墙；加氢站的工艺设施与站外建筑物、构筑物之间的距离大于本规范表 4.0.4A 中的防火间距的 1.5 倍，且大于 25m 时，相邻一侧可设置非实体围墙；面向进、出口道路的一侧宜开放或部分设置非实体围墙。

（2）加氢站站区内的道路设置应符合的规定

单车道宽度不应小于 3.5m，双车道宽度不应小于 6m；站内的道路转弯半径应按行驶车型确定，且不宜小于 9m，道路坡度不应大于 6%。汽车停车位处可不设坡度；站内各个区域之间应有完整、贯通的人员通道，通道宽度不宜小于 1.5m。

（3）加氢站内的氢气长管拖车、氢气管束式集装箱的布置应符合的规定

氢气长管拖车、氢气管束式集装箱停放车位的设置，其数量应根据加氢站规模、站内制氢装置生产氢气能力和氢气长管拖车、氢气管束式集装箱的规格以及周转时间等因素确定；氢气长管拖车、氢气管束式集装箱当作储氢容器使用时，固定停放车位与站内设施之间的防

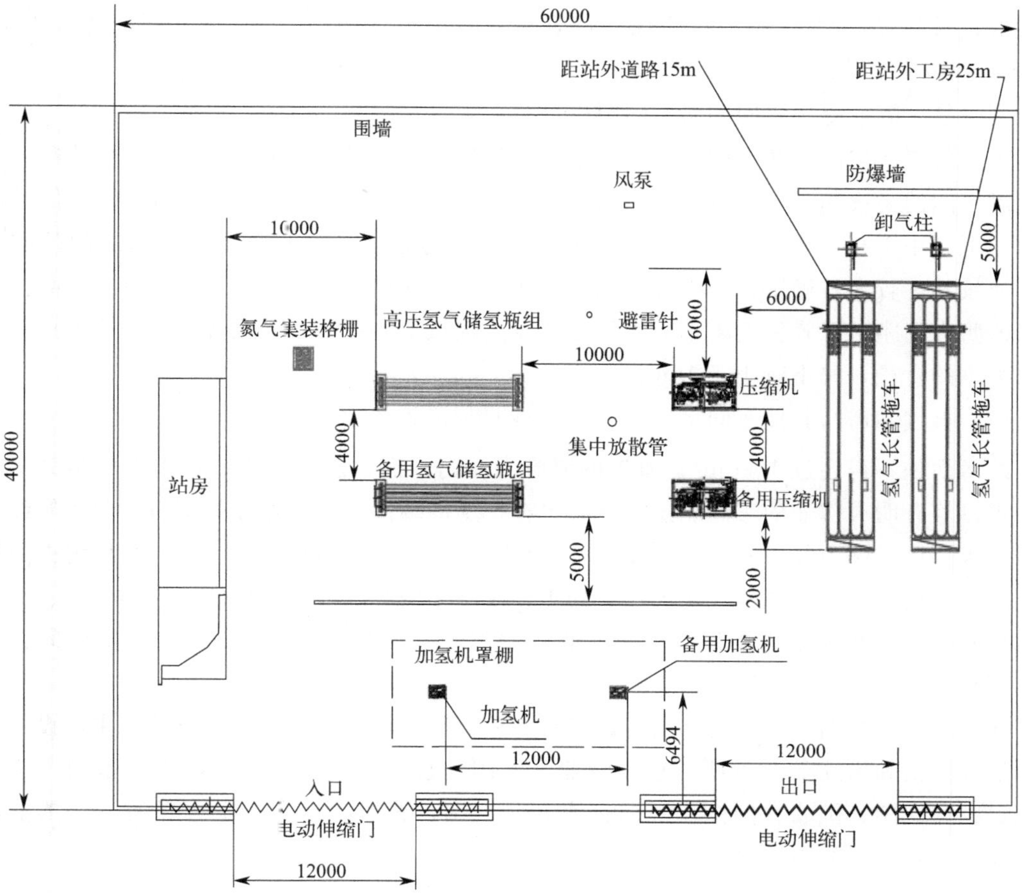


图 4-2 符合 GB 50516 加氢站布局示例图（单位：mm）

火间距应按《加氢站技术规范》（GB 50516—2010）（2021 年版）表 5.0.1A 中储氢容器的防火间距确定；氢气长管拖车、氢气管束式集装箱的卸气端应设耐火极限不低于 4.00h 的防火墙，防火墙高度不得低于氢气长管拖车、氢气管束式集装箱的高度，长度不应小于 0.5 与 1.5 倍氢气长管拖车、氢气管束式集装箱车位数之和与单个长管拖车、氢气管束式集装箱车位宽度的乘积；氢气长管拖车、氢气管束式集装箱卸气端的防火墙可作为站区围墙的一部分。

（4）液氢罐车、液氢罐式集装箱作为固定式储氢压力容器使用时，液氢罐车、液氢罐式集装箱车位的布置应符合的规定

液氢罐车、液氢罐式集装箱应露天布置；液氢罐车、液氢罐式集装箱固定停放车位与站内设施之间的防火间距应按《加氢站技术规范》（GB 50516—2010）（2021 年版）表 5.0.1A 中储氢容器的防火间距确定。液氢增压泵与液氢储存压力容器之间布局宜按工艺要求确定；氢气长管拖车，氢气管束式集装箱车位与压缩机之间不应设置道路。氢气长管拖车、氢气管束式集装箱车位与相邻道路之间应设有安全防火措施。

（5）氢气站、供氢站、氢气罐的布置应按要求经综合比较确定

氢气站、供氢站、氢气罐宜布置在工厂常年最小频率风向的下风侧，并应远离有明火或

散发火花的地点；宜布置为独立建筑物、构筑物；不得布置在人员密集地段和主要交通要道邻近处；氢气站、供氢站、氢气罐区，宜设置不燃烧体的实体围墙，其高度不应小于2.5m；宜留有扩建的余地。

（6）氢气罐或罐区之间的防火间距应符合的规定

湿式氢气罐之间的防火间距，不应小于相邻较大罐（罐径较大者，下同）的半径；卧式氢气罐之间的防火间距，不应小于相邻较大罐直径的2/3；立式罐之间、球形罐之间的防火间距，不应小于相邻较大罐的直径；卧式、立式、球形氢气罐与湿式氢气罐之间的防火间距，应按其中较大者确定；一组卧式或立式或球形氢气罐的总容积，不应超过30000$m^3$。组与组的防火间距，卧式氢气罐不应小于相邻较大罐长度的一半；立式罐、球形罐不应小于相邻较大罐的直径，并不应小于10m。

（7）氢气站需与其他车间呈L形、Π形或Ⅲ形毗连布置时应符合的规定

站房面积不得超过1000$m^2$；毗连的墙应为无门、窗、洞的防火墙；不得同热处理、锻压、焊接等有明火作业的车间相连；宜布置在厂房的端部，与之相连的建筑物耐火等级不应低于二级。供氢站内氢气实瓶数不超过60瓶或占地面积不超过500$m^2$时，可与耐火等级不低于二级的用氢车间或其他非明火作业的丁、戊类车间毗连，其毗连的墙应为无门、窗、洞的防爆防护墙，并宜布置在靠厂房的外墙或端部。氢气站内的氢气灌瓶间、实瓶间、空瓶间，宜布置在厂房的边缘部分。

除此之外，总图设计的文字内容，需对工程概况、设计依据、设计范围和主要设计内容进行系统概括和描述的总说明。总图专业施工图应包含区域位置图、四邻关系图、总平面图、道路交通图、围墙大门图、竖向排水和防洪图、管线综合图、土方平衡图、挡土墙图（必要时）、场区照明图等设计文件[66]。

### 4.2.3 竖向布置

站区竖向布置应结合站区总平面布置统筹规划，并与站外相邻场地及道路的标高相适应。

站区宜采用平坡式布置，采用阶梯布置时，应充分考虑交通运输的顺畅性。

加氢岛、加油岛的设计应符合下列规定：

① 加氢岛应高出停车位的地坪0.15～0.20m；

② 加氢岛两端的宽度不应小于1.20m；

③ 加氢岛上的罩棚立柱边缘距岛端部，不应小于0.60m；

④ 靠近岛端部的加氢机等岛上的工艺设备应有防止车辆误碰撞的措施和警示标识。采用钢管防撞柱（栏）时，其钢管的直径不应小于100mm，高度不应小于0.5m，并应设置牢固。

### 4.2.4 交通运输

站区的进出站道路应与站外道路顺畅衔接。

站区内的道路设计应充分考虑各类车辆的转弯半径、长度、宽度等参数，合理设计行驶路线。

站区内的道路设置应符合下列规定：

① 站内车道或停车位宽度应按车辆类型确定。车道或停车位，单车道或单车停车位宽度不应小于 4m，双车道或双车停车位不能小于 6m；

② 站内的道路转弯半径应按行驶车型确定，且不宜小于 9m；

③ 站内停车位应为平坡，道路坡度不应大于 6%，且宜坡向站外；

④ 作业区内的停车位和道路路面不应采用沥青路面；

⑤ 站内各个区域之间应有完整、贯穿的人员通道，通道宽度不宜小于 1.5m。

# 4.3 加氢站电气专业设计

## 4.3.1 供配电

加氢站内主要用电设备为压缩机、加氢机、计量设备、安全检测设备等。由于加氢站内主要用电设备均安装在爆炸危险场所[67]，氢气站、供氢站的供电，按现行国家标准《供配电系统设计规范》（GB 50052）规定的负荷分级，除中断供氢将造成较大损失者外，宜为三级负荷，并遵守以下规定：

① 有爆炸危险的房间或区域，应按照按《加氢站技术规范》（GB 50516—2010）（2021 年版）附录 A 的要求确定设防等级：有爆炸危险的房间或区域内的电气设施应符合现行国家标准《爆炸危险环境电力装置设计规范》（GB 50058）的有关规定；

② 在氢气爆炸危险环境内的电气设施选型，不应低于氢气爆炸混合物的级别、组别；

③ 加氢站的电力线路，宜采用电缆直埋敷设。电缆穿越行车道等场所，应穿钢管保护。

在有爆炸危险环境区域内敷设的电缆，应在下列位置做隔离密封：

① 电缆引向电气设备接头部件前；

② 相邻的不同环境之间。

## 4.3.2 照明

照明灯具的效率、统一眩光值、一般显色指数等指标满足《建筑照明设计标准》（GB 50034—2024）的相关要求。根据《加氢站技术规范》（GB 50516—2010）第 10.1.5 条，一、二级加氢站，加氢加油合建站和加氢加气合建站的压缩机间、加氢岛、加气岛营业厅等场所，还应设置事故照明，防止意外发生时，人员能够及时撤离。

配电室、控制室等发生火灾时仍需要工作、值守的区域应同时设置备用照明、疏散照明和疏散指示标志。办公室等人员密集场所需设置应急照明，且系统应急启动后，蓄电池电源供电持续工作时间不小于 0.5h[68]。

有爆炸危险房间的照明应采用防爆灯具，其光源宜采用荧光灯等高效光源。灯具宜装在较低处，并不得装在氢气释放源的正上方，同时加氢站的压缩机间、加氢岛、营业室等场所，均应设应急照明装置。

### 4.3.3 防雷

氢气站、供氢站的防雷，应按现行国家标准《建筑物防雷设计规范》（GB 50057—2010）、《爆炸危险环境电力装置设计规范》（GB 50058—2014）的要求设置防雷、接地设施。

当储氢容器壁厚大于 4mm 时可不装设接闪器，防雷接地的接地点不应少于 2 处。

氢气站、供氢站的防雷分类不应低于第二类防雷建筑。其防雷设施应防直击雷、防雷电感应和防雷电波侵入。防直击雷的防雷接闪器，应使被保护的氢气站建筑物、构筑物、通风风帽、氢气放空管等突出屋面的物体均处于保护范围内。通风风管、氢气放空管等凸出屋面的物体防雷设施设置均应符合现行国家标准《建筑物防雷设计规范》（GB 50057—2010）的有关规定。

氢气站的信息系统应采用铠装电缆或导线穿钢管配线。配线电缆金属外皮两端、保护钢管两端均应接地。加氢站设有电子信息系统时，所需防护措施应按现行国家标准《建筑物电子信息系统防雷技术规范》（GB 50343）的有关规定设置。

进入加氢站的电线电缆、通信线缆应设置相应的浪涌保护措施。

加氢站内设备金属外壳、金属管道、金属线槽、建筑物金属结构、金属构件等应进行等电位联结并接地。氢气站、供氢站内的设备、管道、构架、电缆金属外皮、钢屋架和突出屋面的放空管、风管等应接到防雷电感应接地装置上。管道法兰、阀门等连接处，应采用金属线跨接。

各种接地系统，每个连接部位之间的电阻值不应大于 0.1Ω。

有爆炸危险环境内可能产生静电危险的物体应采取防静电措施。在进出氢气站和供氢站处、不同爆炸危险环境边界、管道分岔处及长距离无分支管道每隔 50～80m 处均应设防静电接地，其接地电阻不应大于 10Ω。

室外架空敷设氢气管道应与防雷电感应的接地装置相连。距建筑 100m 内管道，每隔 25m 左右接地一次，其冲击接地电阻不应大于 20Ω。埋地氢气管道，在进出建筑物处亦应与防雷电感应的接地装置相连。

### 4.3.4 防静电

有爆炸危险环境内可能产生静电危险的物体应采取防静电措施。在进出氢气站和供氢站处、不同爆炸危险环境边界、管道分岔处及长距离无分支管道每隔 50～80m 处均应设防静电接地，其接地电阻不应大于 10Ω。

加氢站氢系统中可能产生和积聚静电而造成静电危险的设备、管道、作业工具，均应采取防静电措施。

氢气压缩机间、氢气压力调节阀组间、液氢泵等房间，氢气长管拖车、氢气管束式集装箱、液氢罐车、液氢罐式集装箱停泊区，管道区域，均应设置防静电金属接地板，接地板材质应与设备管道的金属外壳相近。接地板截面宽不宜小于 50mm，高不宜小于 10mm，接地板最小有效长度宜为 60mm。

加氢机、液氢汽化器、固定式储氢压力容器气柜等设备应设防静电接地；管道、阀门及装卸运输车辆或移动式储氢容器等设施应设防静电接地。

氢气、液氢等可燃物管道、其他金属管道在不同爆炸危险区域边界、分叉处，长距离无分支管道，氢气每隔 50m 处，液氢每隔 20m 处，管道始端、末端，均应设防静电接地。当平行管道净距小于 100mm 时，每隔 20m 应加跨接线。当管道交叉且净距小于 100mm 时，应加跨接线。

静电接地宜与其他接地共用接地体。当采用专用静电接地体时，氢气接地电阻不得大于 10Ω，液氢接地电阻不得大于 1Ω，与其他接地体间距不得小于 20m。

氢气、液氢等可燃物管道上的法兰连接处应采用金属线跨接。跨接电阻应小于 0.03Ω。

静电接地干线可与其他接地共用，必要时可设置专用接地干线。

## 4.4 加氢站水工专业设计

加氢站内的储氢容器发生火灾事故时，高温火焰的烘烤会导致设备的承压能力下降，需要及时对其进行冷却降温，防止储氢容器因承压能力下降而发生爆炸事故，为此《加氢站技术规范》（GB 50516—2010）（2021 年版）规定加氢站应设置消火栓消防给水系统，消火栓消防给水系统应符合现行国家标准《建筑设计防火规范》（GB 50016—2014）（2018 版）和《消防给水及消火栓系统技术规范》（GB 50974）有关规定。加氢站灭火器材的配置，应符合现行国家标准《建筑灭火器配置设计规范》（GB 50140）的有关规定，氢气站、供氢站的室内外消防设计，应符合现行国家标准《建筑设计防火规范》（GB 50016）的规定。

氢气站、供氢站内的生产用水，除中断供氢将造成较大损失者外，可采用一路供水。氢气站、供氢站内的冷却水系统，应符合下列规定。

冷却水系统，宜采用闭式循环水；冷却水供水压力宜为 0.15～0.35MPa。水质及排水温度，应符合现行国家标准《压缩空气站设计规范》（GB 50029）的要求；应装设断水保护装置；氢气站的冷却水排水，应设水流观察装置或排水漏斗。氢气站排出的废液，应符合现行国家标准《污水综合排放标准》GB 8978 的规定；有爆炸危险房间、电器设备间，可根据建筑物大小和具体情况配备二氧化碳、“干粉”等灭火器材。加氢站的生产、生活给水管道，宜与消防给水管道合并设置。

## 4.5 加氢站暖通专业设计

### 4.5.1 采暖

氢气站、供氢站严禁使用明火取暖。当设集中采暖时，应采用易于消除灰尘的散热器。集中采暖时，室内计算温度应符合下列规定。

生产房间不应低于 15℃；空瓶、实瓶间不应低于 10℃；氢气罐阀门室不应低于 5℃；值班室、生活间等应按现行国家标准《工业企业设计卫生标准》（GBZ 1—2010）的规定执行；在计算采暖、通风热量时，应计入制氢装置散发的热量；氢气灌瓶间、氢气汇流排间和空瓶、实瓶间内的散热器，应采取隔热措施；站区内的采暖管道，宜采用直埋敷设。当采用地沟敷设时，地沟与可燃气体管道、油品管道之间的距离，应符合现行国家标准《锅炉房设计标准》（GB 50041—2020）的有关规定，其地沟应充沙填实，进、出建筑物处应采取隔断措施。

### 4.5.2 通风

有爆炸危险房间，事故排风风机的选型，应符合现行国家标准《爆炸危险环境电力装置设计规范》（GB 50058—2014）的有关规定。有爆炸危险房间的自然通风换气次数，每小时不得少于 3 次；事故排风装置换气次数每小时不得少于 12 次，并与氢气检漏装置联锁。自然通风帽应设有风量调节装置和防止凝结水滴落的措施。

有爆炸危险房间的事故排风机选型，应符合现行国家标准《爆炸危险环境电力装置设计规范》（GB 50058—2014）的规定，并不应低于氢气爆炸混合物的级别、组别（IIC T1）。

### 4.5.3 冷水机组

冷水机组、预冷机组系统与站外建筑物、构筑物的防火距离宜按 GB 50058—2014 工艺要求确定。

## 4.6 加氢站土建建筑专业设计

### 4.6.1 站房

站房由办公室、值班室、营业室、控制室、监控室、变配电间、卫生间和便利店等组成，站房内可设非明火餐厨设备；监控室宜单独设置。当组成综合建筑物时，监控室宜设置在地上一层；监控室地面宜采取防静电措施。如图 4-3 所示，电解设计包括综合站房，站房的一部分位于作业区内时，该站房的建筑面积不宜超过 300m$^2$，且该站房内不得有明火设备。

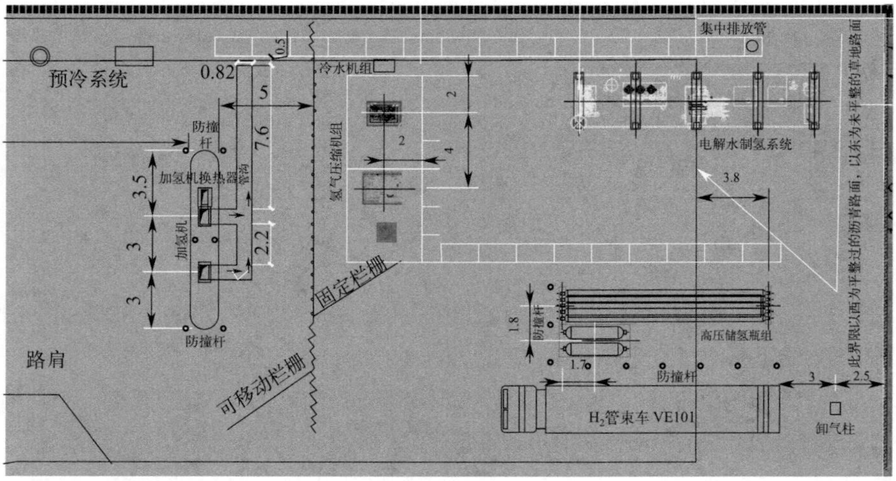

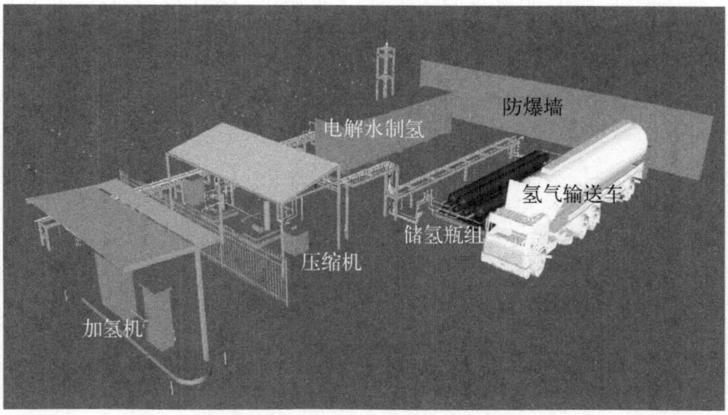


图 4-3　站内制氢加氢站布局（单位： m）

### 4.6.2　罩棚

罩棚顶棚的承重构件为钢结构时，其耐火极限可为 0.25h，罩棚应采用不燃烧材料建造；加氢设备、储存设备等有危险气体聚集的位置，应采用避免氢气积聚的结构形式，安装场所的上部罩棚的内表面应平整；进站口无限高措施时，罩棚的净空高度不应小于 4.5m；进站口有限高措施时，罩棚的净空高度不应小于限高高度；罩棚遮盖的平面投影距离不宜小于 2m；罩棚的安全等级和可靠性设计应按现行国家标准《建筑结构可靠性设计统一标准》（GB 50068—2018）的有关规定执行；罩棚设计应计算活荷载、雪荷载、风荷载，其设计标准值应符合现行国家标准《建筑结构荷载规范》（GB 50009—2012）的有关规定；罩棚的抗震设计应按现行国家标准《建筑抗震设计标准》（GB 50011—2010）（2024 年版）的有关规定执行；设置于氢气设备上方的罩棚应采用避免氢气积聚的结构形式；罩棚柱应有防止车辆碰撞的技术措施。

## 4.7　加氢站设计的数字化转型

随着数字化技术的飞速发展，传统的加氢站设计逐步向智能化、数字化方向转型，涵盖了从前期规划、设计、施工到运营管理的各个环节。数字化设计不仅提高了加氢站的建设效率，还在优化资源配置、提高安全性、降低成本等方面发挥了重要作用。本节将重点探讨数字化工具在加氢站设计中的应用，包括建筑信息模型（BIM）技术、智能模拟设计和数字孪生技术的实际应用和未来发展趋势。

（1）建筑信息模型（BIM）技术

建筑信息模型（BIM）技术是近年来在建筑设计行业中广泛应用的创新技术，尤其在加氢站设计中起到了重要作用。BIM 技术通过创建三维数字化模型，集成了加氢站的各类建筑、结构、电气、机械等数据，确保了各专业设计的协调性和准确性。通过 BIM 模型，设计师可以在虚拟环境中进行多方位的模拟和优化，提前发现设计中的潜在问题，从而大幅减少施工阶段的错误和返工，提高了建设效率。此外，BIM 技术还可以用于施工过程中的进度管理、成本控制和质量检查。例如，在加氢站建设过程中，通过 BIM 模型，项目经理可以实时跟踪工程进度，确保各个施工环节按计划进行，同时可以在虚拟模型中对设备的安装位置和工艺流程进行优化，从而避免后期出现空间冲突和设备安装困难等问题。参见图 4-4。

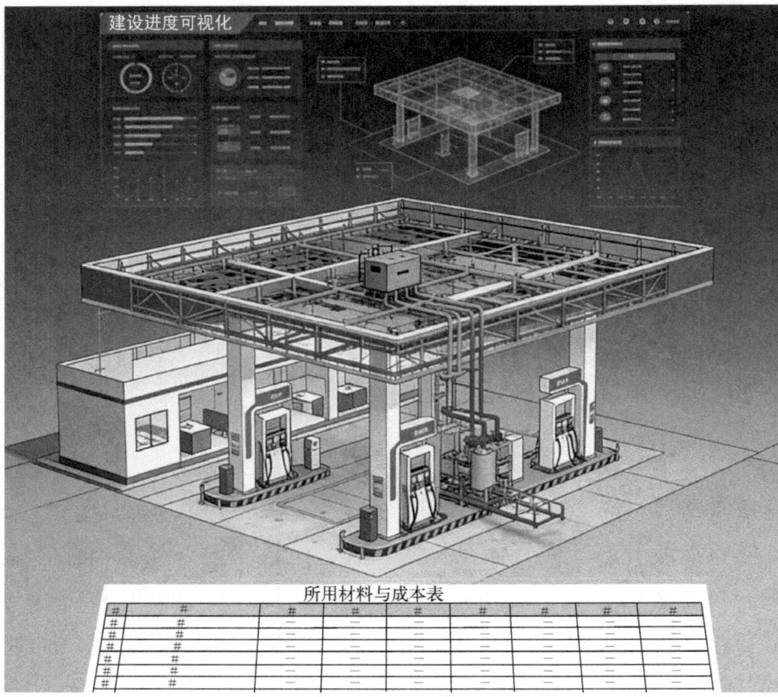


图 4-4　加氢站 BIM 图

（2）智能模拟设计

智能模拟设计是数字化转型的重要组成部分，它通过高效的算法和计算机模型对加氢站的设计方案进行模拟和分析。在加氢站设计中，智能模拟设计可以用来模拟氢气的流动、加氢机的工作过程、氢气储存容器的压力变化等关键环节，从而帮助设计师发现潜在的安全隐患和运行瓶颈。例如，通过智能模拟设计，设计团队可以评估加氢站在不同气候条件、不同负荷下的运营表现，预测氢气供应的稳定性和安全性，确保加氢站在各种极端情况下仍能高效运行。智能模拟设计还能够实现自动优化。设计人员输入初步的设计参数后，系统可以根据给定目标（如最小化能耗、最大化空间利用）自动调整设计方案，提供多个可行的方案供选择。这不仅提高了设计质量，还缩短了设计周期，提升了加氢站建设的整体效率。

（3）数字孪生技术

数字孪生技术是指通过实时数据与虚拟模型的结合，在数字空间中创建一个与物理设施完全同步的虚拟副本。在加氢站的设计和运营过程中，数字孪生技术提供了一种动态、实时的监控方式，使得加氢站在建设前、建设中以及运行阶段都能享受到数字化管理的优势。通过数字孪生技术，运营人员可以在虚拟环境中实时监控加氢站的设备状态、氢气流量和储存压力等关键指标，及时发现异常并采取应急措施。同时，数字孪生还可以进行预测性维护，即通过实时数据和历史数据的分析，提前预测设备的故障风险，并通过远程调控或提前维修避免故障发生，延长加氢站设备的使用寿命。此外，数字孪生技术还可以帮助管理者进行能源优化和排放监控。通过实时模拟和优化，加氢站可以在不同的运行环境和负荷情况下调整能源使用策略，实现绿色低碳的运营目标。参见图 4-5。

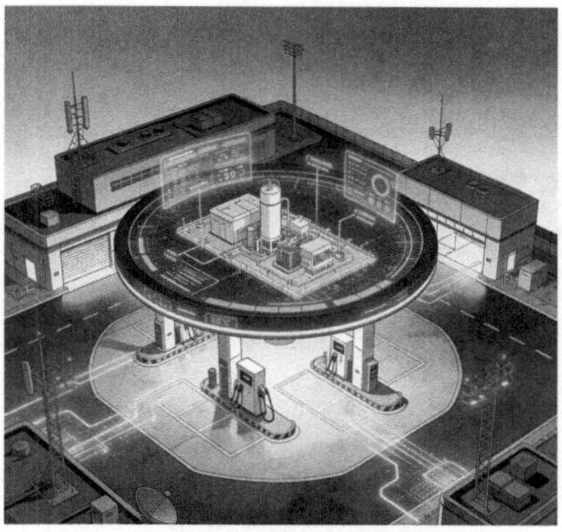

图 4-5 加氢站数字孪生图

随着科技的不断进步，数字化工具将在加氢站设计中发挥更加重要的作用。未来，除了 BIM、智能模拟设计和数字孪生技术外，人工智能（AI）、大数据分析和区块链等新兴技术也将逐步进入加氢站设计和运营的各个环节。例如，AI 可以通过机器学习和深度学习优化加氢站的调度和运营，提高氢气供应的稳定性和响应速度；大数据分析可以为加氢站的运营提供更加精确的预测，帮助决策者制定更高效的能源策略；区块链技术则有望在加氢站的交易、监控和供应链管理中发挥重要作用，确保数据的透明性和安全性。

总的来说，数字化转型将在加氢站设计中带来更加高效、安全、绿色的解决方案，不仅提高了设计和建设的效率，还推动了加氢站从传统能源向清洁能源转型的进程，助力氢能产业的可持续发展。

# 第5章 加氢站加氢协议

加氢协议是基于各种条件下加氢过程的模拟和加氢试验的结果，充分考虑了车载储氢气瓶的最高加氢压力、车载储氢气瓶的容许温度及充满状态相对应的密度，以确保安全性，实现高效压缩氢气、加氢为目的协议。加氢协议中的具体技术参数包括运行状态下的边界压力、温度、加氢速度和加氢结束压力。这些参数的标准化和规范化对加氢过程的安全性和高效性至关重要。美国汽车工程学会 SAE J2601 的性能目标是围绕快速、安全和高效地为燃料电池汽车加氢，其加氢时间为 3min；含通信加氢时，氢气压力为 70MPa，氢气输送温度为－40℃，外部温度为 20℃，车载储氢用容器初始压力为 10MPa 的条件下加氢率至 95%。但氢气加注输送温度或环境温度较高，则加氢的时间会更长。加氢协议的目的是加氢站操作员按加氢协议为燃料电池汽车加氢，减少对燃料电池汽车安全控制系统的依赖，从而简化操作并降低安全风险。当不按照加氢协议操作时，为避免车载储氢瓶温度超过温升极限，可能会需要增加加氢时间；而增加的时间是加氢协议加氢时间的几倍。这对于示范加氢站来说，加氢车辆少，加氢效率问题不突出；但对于商业运营的加氢站来说，缩短每次燃料电池汽车加氢时间是加氢站加氢效率的主要问题。在加氢过程中，如果加氢站不按照加氢协议操作而采用氢气预冷工艺，并且加氢速率超过限值，会带来氢气过充风险；当过充氢气在车载储氢气瓶内温度回升到室温时，加氢过充的氢气压力就会升高，使得车载储氢气瓶具有超压风险。

## 5.1 国外加氢站加氢协议

### 5.1.1 美国

美国汽车工程学会（Society of Automotive Engineers，SAE）在加氢协议方面发布了一系列标准，以适应不同类型的车辆和应用需求。以下是这些协议的发布时间和应用范围。

2010 年，SAE TIR J2601（2010）发布了轻型气态氢燃料汽车加氢协议，制定了针对轻型燃料电池车辆的加氢标准。

2013 年，SAE J2601-3（2013）发布了工业用车辆气态氢加氢协议，主要针对工业领域的氢气加注标准。

2014 年 SAE J2601（2014）更新了轻型气态氢燃料汽车加氢协议，进一步完善了对轻型车辆的加氢要求。

2014 年，SAE J2601-2（2014）发布了重型汽车气态氢加氢协议，适用于重型燃料电池车辆的加氢标准。

2016 年，SAE J2601（2016）再次更新了轻型气态氢燃料汽车加氢协议，进一步提升了加氢效率和安全性。

2020 年，SAE J2601（2020）更新了轻型气态氢燃料汽车加氢协议，并增加了 250L（10kg H70）以上的大型车载储氢系统的加氢要求。

2020 年，TIR J2601-4（2020）发布了轻型气态氢燃料汽车环境温度加氢协议，考虑了不同环境温度下的加氢要求。

SAE 一系列 J2601 加氢协议标准，可满足轻型、H35 重型和叉车的需求。此外，SAE 的加氢协议标准与 ISO 高流量加氢协议实现了统一，以促进全球范围内的兼容性和互操作性。

这些标准的制定和更新反映了氢能技术的不断进步和对不同应用场景的适应需求。通过这些协议，确保了加氢过程的安全、高效和一致性。

#### 5.1.1.1 SAE J2601 轻型气态氢燃料汽车加氢协议[29]

（1）范围

加氢协议规定了在加氢过程中和加氢截止时所需要达到的相关技术要求，其决定了加氢时间、温升、压力、加氢率等，进而对加氢站整体的加氢能力、能耗有重要的影响。SAE J2601 加氢协议涉及的参数见表 5-1。SAE J2601 规定了总容量大于或等于 49.7L 的车辆加氢协议和过程控制（包括燃料输送温度、最大氢气流量、平均压力上升率和结束压力）。这些过程控制受环境温度、氢气输送温度和车载储氢气瓶初始压力等因素的影响。

表5-1 加氢协议参数表

| 协议项目 | 小型汽车加氢协议<br>SAE J772（参考） | 小型燃料电池汽车加氢协议<br>SAE J2601(储气压力 70MPa) |
|---|---|---|
| 以 kWh 计等效加氢量（C 级车） | 30kW · h | 5kg 氢 |
| 目前小型车最大加氢量（E 级车） | 85kW · h | 10kg 氢 |
| 加氢时间 0～100%加氢率状态 | 3～8h/8～20h 取决于<br>加氢率状态、压力 | 3～15min/4～7kg<br>采用 T40/T30 加氢枪 |
| 加氢时间 0～100%<br>加氢率状态（快充） | 20～60min（充至 80%）<br>60～200kW 快充功率 | 3～5min（T40 加氢枪） |
| 单次加氢平均里程（C 级车） | 160km/130km 常规充/快充 | ＞500km |

在 SAE J2601 加氢协议中，平均压力上升率使用查找预定义的表格来获得压力上升率数据，简单易用。MC（Mass Capacity）方法是由本田公司为改进 SAE J2601 中的查表法而开发的一种自适应氢气加注协议。该方法在 2016 年获得 SAE 标准化认证，旨在提高氢气加注过程中的准确性和效率。MC 参数的计算公式主要用于估算加注过程中储氢系统的热容量，连续计算加氢结束压力和目标压力值，并影响最终的氢气温度和目标压力。基于表格的加氢协议提供了加氢结束压力和目标压力值。这两种协议都允许通信或非通信加氢。对于通信加氢，该标准将与 SAE J2799 结合使用。

影响加氢工艺性能的一个重要因素是加氢站的氢气预冷设备冷却能力和由此产生的氢气

输送温度。氢气输送温度有 3 个类别，用“T”等级表示：T40、T30 和 T20。其中，T40 是最冷的。SAE J2601 的性能目标是加氢时间为 3min，加氢率为 95%～100%（含通信），这可以通过 T40 级加氢实现。表 5-1 描述了 SAE J2601 的范围。SAE J2601 包括适用于加氢站两种压力等级（35MPa 和 70MPa）、三种氢气输送温度等级（−40℃、−30℃、−20℃）和车载储氢气瓶容量范围 49.7～248.6L（35MPa→H35，70MPa→H70）以及 248.6L 以上（仅限 H70）的加氢协议。

（2）加氢协议的总体描述

SAE J2601 为车载储氢气瓶容量在 49.7L～248.6L（H35 和 H70）及 248.6L 以上（仅 H70）的氢燃料汽车制定了气态氢加氢协议。该标准假设加氢站在成功连接车辆并完成初始检查后，将其从高压存储装置到车辆上车载储氢气瓶进行加氢。影响加氢过程的变量包括但不限于环境温度、加氢机压力等级和氢气输送温度、车载储氢气瓶的容量、材料特性、启动温度和压力、加氢机对车辆的压降和传热。

一个典型的加氢曲线如图 5-1 所示。该过程包括一个启动阶段（初始加氢时间），从加注枪连接到车辆时开始，并包括一个连接压力脉冲。在启动阶段，加注站测量车载储氢容量的初始压力和车载储氢容量类别，并可能检查是否有泄漏。主加氢阶段从气体开始流入车辆时开始。当在此期间，车载储氢气瓶内的压力和温度升高。加注协议应设计的使车载储氢气瓶在加注过程中任何时候都不会超过最大工作温度。最后阶段是关闭阶段，即氢气停止流动后，直到加注枪可以断开，结束加氢。

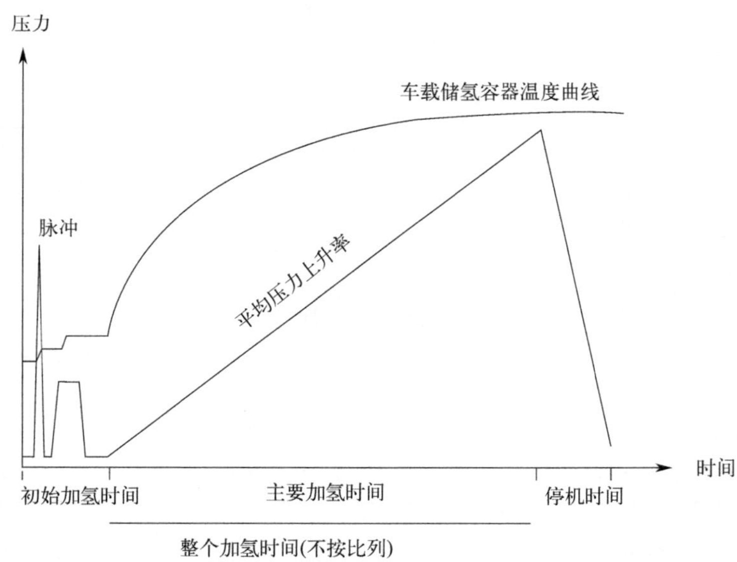


图 5-1　加氢压力曲线示意

1）性能目标

SAE J2601 的目标是在不超过工艺限制的情况下，以尽可能快的速度加氢。在所有操作条件下，通信加氢时的加氢率为 95%～100%。加氢时间根据环境温度、车载储氢气瓶的初始压力、容量、最终的加氢率和其他条件有很大差异。为了建立加氢时间目标，定义“参考”加氢的参数如下。a. 通信加氢表；b. 加氢机类别为 H70-T40；c. 环境温度为 20℃；

d. 车载储氢气瓶初始压力为 10MPa；e. 最终加氢率为 95%。

在这些“参考”条件下，SAE J2601 中加氢协议的目标是主加氢时间为 3min 或更短。

2）操作边界

加氢协议在确保车载储氢气瓶中的氢气不会在正常操作边界之外运行。这些限制包括车载储氢气瓶最高温度和最大操作压力。

对于 H70 这些车载储氢气瓶温度和压力限制分别为 −40～85℃ 和 0.5～87.5MPa。图 5-2 显示了 H70 加氢的边界。车载储氢气瓶气体最高温度和最大操作压力在图的右侧和顶部部分的限制区域，最大密度（100%充电状态）提供了额外的边界。

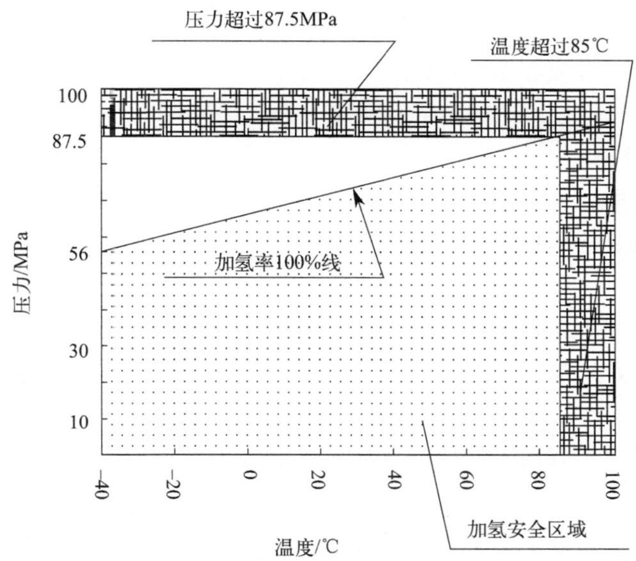


图 5-2 70MPa 加氢限制区域

为了使车载储氢气瓶保持在其运行边界内，加氢站必须根据所有初始条件调整气体的流量。例如，在炎热的天气中给车辆加氢，车载储氢气瓶的初始温度可能会更高。因此，加氢站必须减缓加氢速度，以确保车载储氢气瓶不超过最大工作温度。

（3）氢气加注的一般过程要求

这一部分旨在涵盖氢气加注的一般过程要求，并不包含有关加注设备和加注站的所有详细要求。

1）车载储氢气瓶容量

该标准适用于氢气储存系统容量从 49.7L 到 248.6L（1.2～6.0kg）的 H35（35MPa）加注，以及容量从 49.7L 到 248.6L（2～10kg）和大于 248.6L（>10kg）的 H70（70MPa）加注。

2）过程温度要求

① 氢气输送温度

瞬时氢气输送温度应始终高于或等于 −40℃。如果瞬时氢气温度低于 −40℃，加氢站应尽快在 5s 内终止车辆加氢。

虽然工艺要求中没有规定瞬时氢气输送温度的上限，但此加氢协议是基于加氢站各组件温度在环境温度下设计的。加氢站应采取措施确保加氢站的温度不超过环境温度（例如，通过防止因暴露在阳光下而引起的辐射加热）。

② 车载储氢气瓶温度

对于通信加氢，如果氢气温度信号高于 85℃，加氢站不应加氢或应尽快终止加氢，且应在 5s 内停止。

3）压力

① 初始压力。在应用基于表格的协议时，初始压力应作为 $P_0$；在应用基于公式的协议时应作为 $P$。如果初始压力小于 0.5MPa 或大于公称工作压力（35MPa 或 70MPa），则加氢站应在 5s 内尽快终止加氢程序。

② 工作压力。对于通信加氢，如果压力大于或等于 125%公称工作压力，加氢站不应加氢或应尽快终止加氢，且应在 5s 内终止。

4）其他

① 平均压力上升率

在通信加氢过程中，如果平均压力上升率大于或等于 100%，加氢站应尽快且在 5s 内终止加氢。加氢站加氢使用更保守的值。

② 流量

加氢流量的流速应不超过协议的最大流量限值。在初始连接顺序之后，如果测量到的氢气最大流量超过限值，则加氢站应尽快且在 5s 内终止加氢。

③ 启动时间

启动过程中传递到车载储氢气瓶的氢气总质量应小于 200g。

④ 容许偏差

加氢站加氢机应在其方案实施方法中考虑适当的容许偏差，以确保安全、准确地加氢；与加氢站通信的车辆应考虑其信号的容许偏差。

（4）基于表格的加氢协议

基于表格的加氢协议根据加氢站氢气输送温度、环境温度、车载储氢气瓶容量类别和车载储氢气瓶初始压力来选择合适的加氢参数。加氢站根据氢气输送温度、车载储氢气瓶容量类别以及是否存在来自车辆的通信信号来选择正确的查找表。一旦选择了合适的加氢协议表，加氢站将根据环境温度和车载储氢气瓶初始压力确定平均压力上升率和目标压力的具体加氢参数。

对于没有通信的车辆，将选定无通信加氢表的平均压力上升率及目标压力值进行加氢。对于有通信能力的车辆，将选定有通信加氢表的平均压力上升率及目标压力值进行加氢。表 5-2 是 SAE J2601 表 D10-H35-T40 容器类别为 B 的有通信的加氢表，表中深灰色部分不能加氢。

表 5-3 是 SAE J2601 表 D28- H70-T40 容器类别 B 的通信加氢表。表 5-3 中显示了不能加氢的区域在环境温度高于 50℃和氢气预冷低于−40℃及加氢压力大于 70MPa 并且在车载储氢气瓶压力等于 70MPa 时氢气预冷温度低于−10℃及以下（含 0℃）的范围。

通过 H35 和 H70 在同样的氢气输送温度（T40）以及同车的车载储氢气瓶容器类别 B 比较，可以看出除车载储氢气瓶的目标压力不同以外，加氢平均压力上升率是一样的。

表5-2 H35-T40 车载储氢气瓶容量类别 B 通信加氢

| H35-T40 CHSS 容器类别 B | | APRR /(MPa/min) | 目标压力 $P_{目标}$/MPa 初始压力 $P_0$/MPa | | | | | | | | |
|---|---|---|---|---|---|---|---|---|---|---|---|
| | | | 0.5 | 2 | 5 | 10 | 15 | 20 | 30 | 35 | > 35 |
| 环境温度 $T_{amb}$/℃ | > 50 | 不能加氢 | 不能加氢 | 不能加氢 | 不能加氢 | 不能加氢 | 不能加氢 | 不能加氢 | 不能加氢 | 不能加氢 | 不能加氢 |
| | 50 | 5.1 | 42.6 | 42.6 | 42.5 | 42.4 | 42.2 | 42.0 | 41.2 | 40.5 | 不能加氢 |
| | 45 | 8.1 | 42.6 | 42.6 | 42.5 | 42.3 | 42.0 | 41.6 | 40.6 | 39.9 | 不能加氢 |
| | 40 | 11.5 | 42.7 | 42.6 | 42.4 | 42.1 | 41.7 | 41.2 | 40.0 | 39.2 | 不能加氢 |
| | 35 | 12.4 | 42.7 | 42.6 | 42.4 | 42.1 | 41.6 | 41.2 | 40.0 | 39.1 | 不能加氢 |
| | 30 | 15.3 | 42.7 | 42.6 | 42.4 | 41.9 | 41.4 | 40.9 | 39.6 | 38.6 | 不能加氢 |
| | 25 | 18.5 | 42.8 | 42.6 | 42.4 | 41.8 | 41.2 | 40.6 | 39.2 | 不能加氢 | 不能加氢 |
| | 20 | 21.8 | 42.8 | 42.7 | 42.3 | 41.7 | 41.0 | 40.3 | 38.7 | 不能加氢 | 不能加氢 |
| | 10 | 28.0 | 42.9 | 42.7 | 42.2 | 41.5 | 40.6 | 39.8 | 38.0 | 不能加氢 | 不能加氢 |
| | 0 | 28.5 | 42.5 | 42.2 | 41.7 | 40.7 | 39.7 | 38.7 | 36.5 | 不能加氢 | 不能加氢 |
| | −10 | 28.5 | 42.3 | 42.0 | 41.5 | 40.6 | 39.6 | 38.5 | 36.4 | 不能加氢 | 不能加氢 |
| | −20 | 28.5 | 42.0 | 41.8 | 41.3 | 40.4 | 39.4 | 38.4 | 不能加氢 | 不能加氢 | 不能加氢 |
| | − 30 | 28.5 | 41.8 | 41.6 | 41.0 | 40.1 | 39.1 | 38.2 | 不能加氢 | 不能加氢 | 不能加氢 |
| | −40 | 28.5 | 41.6 | 41.4 | 40.8 | 39.9 | 38.9 | 38.0 | 不能加氢 | 不能加氢 | 不能加氢 |
| | <−40 | 不能加氢 | 不能加氢 | 不能加氢 | 不能加氢 | 不能加氢 | 不能加氢 | 不能加氢 | 不能加氢 | 不能加氢 | 不能加氢 |

注：CHSS—压缩存储系统；APRR—平均压力、上升率。

表5-3 H70-T40 容器类别 B 通信加氢

| H70-T40 容量类别 B | | 平均压力上升率/（MPa/min） | 目标压力/MPa | 目标压力上限/MPa | 平均压力上升率限值/（MPa/min） | 目标压力/MPa | | | | | | | | | | | |
|---|---|---|---|---|---|---|---|---|---|---|---|---|---|---|---|---|---|
| | | | 车载储氢气瓶初始压力 $P_0$/MPa | | | | | | | | | | | | | | |
| | | | 0.5~5 | | | 0.5 | 2 | 5 | 10 | 15 | 20 | 30 | 40 | 50 | 60 | 70 | > 70 |
| 环境温度 $T_{amb}$/℃ | > 50 | 不能加氢 | 不能加氢 | 不能加氢 | 不能加氢 | 不能加氢 | 不能加氢 | 不能加氢 | 不能加氢 | 不能加氢 | 不能加氢 | 不能加氢 | 不能加氢 | 不能加氢 | 不能加氢 | 不能加氢 | 不能加氢 |
| | 50 | 5.1 | 78.2 | 87.5 | 2.6 | — | — | 80.8 | 85.7 | 86.8 | 86.5 | 85.8 | 85.0 | 84.0 | 82.7 | 81.1 | 不能加氢 |
| | 45 | 8.1 | 76.3 | 87.5 | 4.0 | — | — | 81.1 | 86.9 | 86.6 | 86.2 | 85.3 | 84.3 | 83.0 | 81.6 | 79.7 | 不能加氢 |
| | 40 | 11.5 | 73.2 | 87.5 | 5.4 | — | — | 81.1 | 86.9 | 86.4 | 85.9 | 84.7 | 83.5 | 82.0 | 80.3 | 78.3 | 不能加氢 |
| | 35 | 12.4 | 72.9 | 87.5 | 5.6 | — | — | 81.2 | 86.9 | 86.4 | 85.9 | 84.7 | 83.4 | 81.9 | 80.2 | 78.2 | 不能加氢 |
| | 30 | 15.3 | 70.6 | 87.5 | 6.6 | — | — | 81.0 | 86.8 | 86.3 | 85.6 | 84.3 | 82.8 | 81.2 | 79.4 | 77.2 | 不能加氢 |
| | 25 | 18.5 | 69.0 | 87.4 | 7.2 | — | — | 81.0 | 86.8 | 86.1 | 85.4 | 83.8 | 82.2 | 80.4 | 78.5 | 76.1 | 不能加氢 |
| | 20 | 21.8 | 67.9 | 87.4 | 7.6 | — | — | 81.2 | 86.8 | 85.9 | 85.1 | 83.3 | 81.5 | 79.6 | 77.5 | 75.1 | 不能加氢 |
| | 10 | 28 | 66.3 | 87.4 | 9.0 | — | — | 81.2 | 86.8 | 85.7 | 84.7 | 82.6 | 80.5 | 78.9 | 76.1 | 73.4 | 不能加氢 |
| | 0 | 28.5 | — | — | — | 78.4 | 84.6 | 86.8 | 85.6 | 84.4 | 83.1 | 80.6 | 78.1 | 75.6 | 73.1 | 不能加氢 | 不能加氢 |
| | −10 | 28.5 | — | — | — | 82.2 | 87.1 | 86.4 | 85.2 | 84.0 | 82.8 | 80.4 | 77.9 | 75.4 | 72.9 | 不能加氢 | 不能加氢 |
| | −20 | 28.5 | — | — | — | 86.0 | 86.8 | 86.1 | 84.9 | 83.7 | 82.4 | 80.0 | 77.6 | 75.1 | 72.7 | 不能加氢 | 不能加氢 |
| | −30 | 28.5 | — | — | — | 86.8 | 86.5 | 85.7 | 84.5 | 83.3 | 82.1 | 79.6 | 77.2 | 74.9 | 72.5 | 不能加氢 | 不能加氢 |
| | − 40 | 28.5 | — | — | — | 86.5 | 86.2 | 85.4 | 84.2 | 83.0 | 81.8 | 79.3 | 77.0 | 74.6 | 72.3 | 不能加氢 | 不能加氢 |
| | < 40 | 不能加氢 | 不能加氢 | 不能加氢 | 不能加氢 | 不能加氢 | 不能加氢 | 不能加氢 | 不能加氢 | 不能加氢 | 不能加氢 | 不能加氢 | 不能加氢 | 不能加氢 | 不能加氢 | 不能加氢 | 不能加氢 |

1）加氢站站点标识

表 5-4 显示了基于表格加氢协议的不同压力等级对应的燃料输送温度类别。加氢站由其输送的氢气压力等级和氢气输送温度能力确定。例如，−40℃～−33℃范围内的氢气输送温度类别被指定为 T40。氢气输送温度类别，分别指定为 T40、T30 或 T20 三种。对于车载储氢气瓶容量类别 D，其氢气输送温度类别被进一步细化为 T40D、T30D 和 T20D。D 类储氢气瓶通常容量较大，能够承受更高的压力和更大的温度波动，从而支持在更广泛的温度条件下进行氢气输送。这意味着容量类别 D 的储氢气瓶在氢气输送时具有更宽的温度工作范围。

尽管一个加氢站可能通过多个加氢机提供多个压力等级和氢气输送温度类别的组合，但建议所有加氢机使用通用的氢气输送温度类别。加氢机不得为低于其压力等级的车辆加注。

表5-4 加氢站不同压力等级的氢气输送温度类别

| 氢气输送温度类别 | | -40℃≤T≤-33℃ | -33℃<T≤-26℃ | -26℃<T≤-17.5℃ | -40℃≤T≤-26℃ | -40℃≤T≤-17.5℃ |
|---|---|---|---|---|---|---|
| 加氢站站点标识 | 35MPa | H35-T40 | H35-T30 | H35-T20 | — | — |
| | 70MPa | H70-T40/H70-T40D | H70-T30 | H70-T20 | H70-T30D | H70-T20D |

2）车载储氢气瓶容量

表 5-5 呈现了基于表格的加氢协议所允许的车载储氢气瓶容量类别。

表5-5 车载储氢气瓶容量类别

| 压力等级 | 在 100%加氢率的氢总量/kg | 水容量/L | 容量类别标识符 |
|---|---|---|---|
| H35 | 1.19～2.39 | 49.7～99.4 | A |
| H35 | 2.39～4.18 | 99.4～174.0 | B |
| H35 | 4.18～5.97 | 174.0～248.6 | C |
| H70 | 2.00～4.00 | 49.7～99.4 | A |
| H70 | 4.00～7.00 | 99.4～174.0 | B |
| H70 | 7.00～10.00 | 174.0～248.6 | C |
| H70 | >10.00 | >248.6 | D |

加氢站可以选择为所有或者部分车载储氢气瓶容量类别（H35 A 到 C，H70 A 到 D）加氢。如果站点能够使用一种方法确定车载储氢气瓶容量，并且该方法的精确度在±15%以内，则可以使用容量类别来选择适当的加氢表。如果加氢站不能保证这一精确度，或者车载储氢气瓶容量类别不明确（例如，如果测得的车载储氢气瓶容量为 4.01kg，但精确度为±15%，则车载储氢气瓶容量类别不明确），则加氢站应使用更保守的值。

3）压力要求

① 初始压力。初始压力应使用为 $P_0$，如果初始压力小于 0.5MPa 或大于工作压力（35MPa 或 70MPa），则加氢机应尽快在 5s 内终止加氢程序。

② APRR 的压力公差。根据主加氢周期，所施加的压力应在以下规定的上、下公差范围内。由此产生的容许公差如图 5-3 所示。主加氢时间内，除前 15s 外，站内压力应保持在上、下公差范围内。如果加氢站压力超过上压力公差并在 5MPa 范围内，应在初始偏移后 5s 内回到公差范围内，或在初始偏移后 5s 内停止加氢。如果偏移幅度大于 5MPa，加氢站

应在初始偏移后5s内停止加氢。如果加氢站压力低于较低压力容限，则应在初始行程的15s内（不计算预期的不加氢时间）回到容限范围内，如果没有，加氢站应在初始行程的15s内停止加氢。

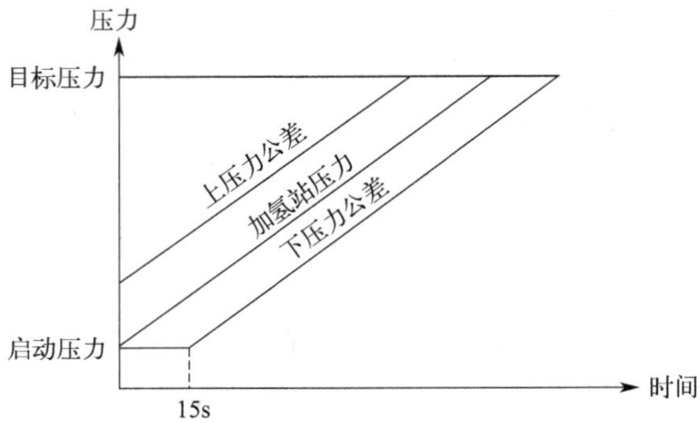


图 5-3 平均压力上升率边界（容量类别 A、 B、 C）

车载储氢气瓶容量类别A、B、C、D，其上容压力为7.0MPa；下容压力为2.5MPa。不加氢时间不包括在主加氢周期运行时间内，即在预期不加氢时间内不加氢。站点压力必须保持在下限公差以上，仅在质量流动时有效，这排除了预期的非加注事件。

图5-4描述了车载储氢气瓶容量类别A、B和C的实际加氢过程，该过程包含了预期非加注时间。当从图5-4中除去这些不加氢时间后，它恢复到图5-3，因此满足了压力上升率的要求。图5-5描述了车载储氢气瓶的容量类别D下加氢时的压力容限，下限压力公差基于APRR为1 MPa/min。

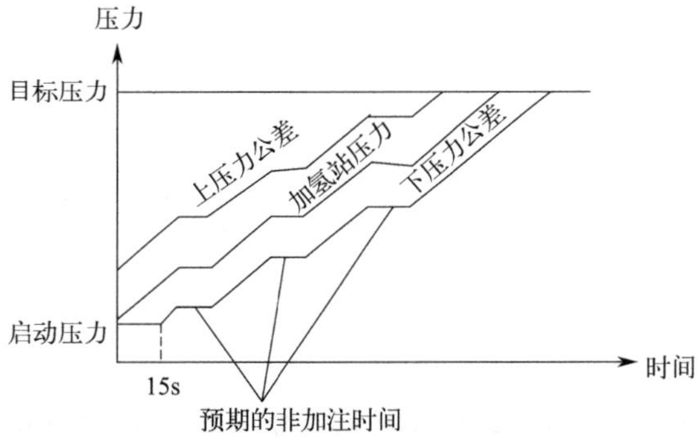


图 5-4 具有非加氢时间的平均压力上升率边界（容量类别 A、 B、 C）

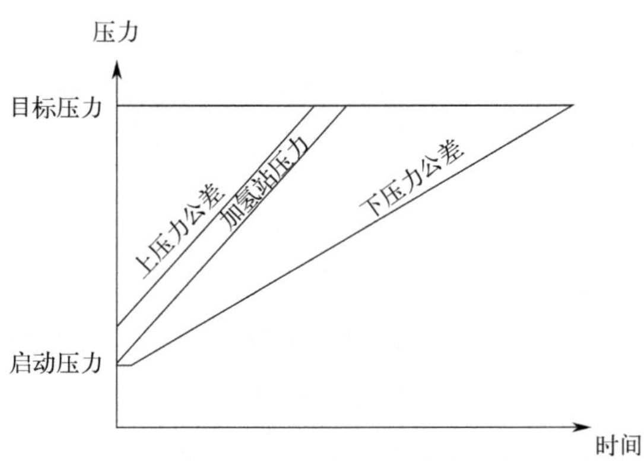


图 5-5 平均压力上升率边界（容量类别 D）

4）循环控制

加氢机不应通过重复启动和停止加氢来循环控制氢气流量。在主加氢期间，加氢站不得将气体流量降低到最大流量的 1%以下超过 10 次。该要求包括主加氢期间的非加氢。

5）来自车辆的中止信号

如果加氢机使用通信，无论加氢程序是否使用通信，加氢站应继续监控通信接口，并应在检测到来自车辆的“中止”信号后 5s 内尽快终止加氢。车辆可以出于任何原因使用中止信号停止加氢。此操作允许车辆监控加氢过程，并通过第二层控制补充加氢站操作。

6）公差

加氢站应考虑其在应用加氢协议时的公差。应采用公差数据，以确保平均压力上升率和结束压力保持在其规定的边界或限制范围内。

7）基于表格的加氢流程图

图 5-6 说明了基于表格的通信和非通信加氢的一般流程图。

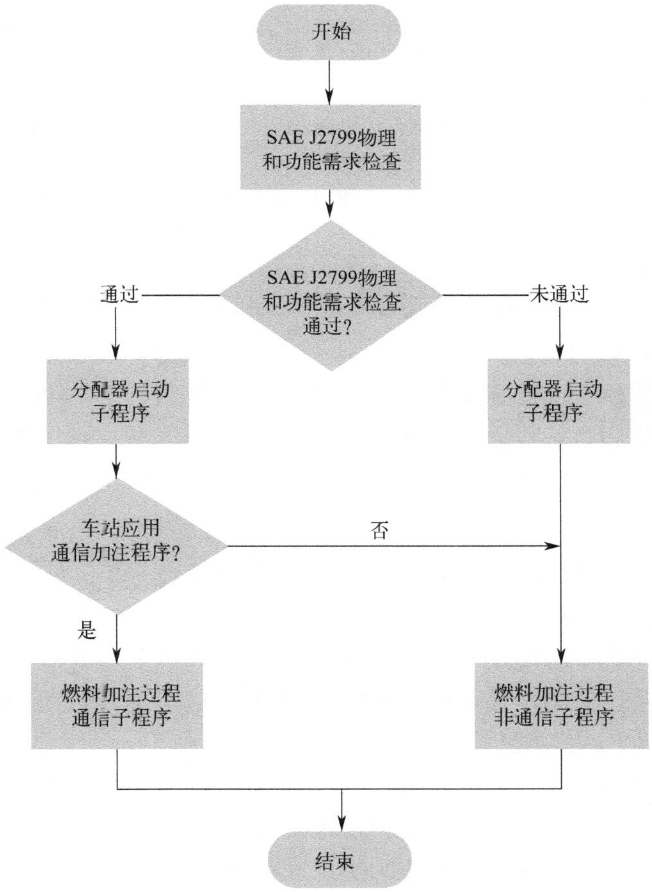


图 5-6 通信和非通信加氢的一般流程图

8）非通信

使用基于表格的加氢协议的所有加氢站，应能够根据非通信加氢协议加氢。基于非通信的表格加氢协议，假设没有数据从车辆传递到加氢站。对于给定的车载储氢气瓶的容量类别和环境温度，平均压力上升率与通信加氢程序相同。主要区别在于加氢结束仅由目标压力确定。

9）通信

加氢站使用 SAE J2799 规定的车辆信号来确定在高于非通信加氢的平均压力上升率下加氢结束。在通信情况下目标压力为上限。

10）氢气输送温度

图 5-7 显示了应急程序的一个示例，其中加氢站在 T40 氢气输送温度类别下开始加氢，然后当氢气输送温度超过－33℃时，转为 T30 氢气输送温度类别。

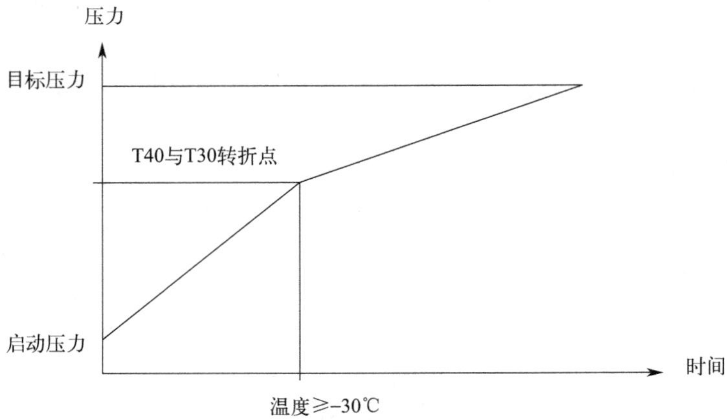


图 5-7 T30、 T40 条件下加氢压力曲线

（5）MC 公式的加氢协议

MC 公式的加氢协议根据加氢站氢气输送温度和压力、环境温度、车载储氢气瓶的容量类别和初始压力，在加氢期间实时计算适当的加氢参数。加氢站根据压力等级、氢气输送温度类别、初始压力、容量类别和环境温度选择适当的参数和系数。这些数据用于计算平均压力上升率和目标压力，上述两个数据在整个填充过程中都会定期更新。对于结束压力控制（即目标压力的确定），提供了两种选项：MC 方法或结束压力表，可以使用任意一个选项。

对于没有通信连接的车辆，当达到计算的非通信目标压力时，加氢站将停止加氢。对于有通信连接的车辆，加氢站将在对应于加氢率 95%～100%的压力下停止加氢。加氢站可以使用车辆数据（包括通信的温度）来计算与目标加氢率相对应的通信目标压力。然而，MC 公式的协议还计算了一个优先于通信目标压力的极限压力，以确保保持在其运行边界内。SAE J2799 定义了用于通信加氢的加氢信息。

与基于表格的加氢协议一样，对于任何给定的加氢站氢气输送温度、环境温度和容量类别，MC 公式的协议对 H35 和 H70 燃料使用相同的平均压力上升率，只有最终目标压力不同。这样做是为了解决如果 H70 车辆首先在 H35 加氢机加氢，然后立即进行 H70 加氢时过热的问题。

1）氢气输送温度类别

表 5-6 说明了 MC 公式加氢协议的每个压力等级的氢气输送温度类别。加氢站由其输送的氢气压力等级和氢气输送温度能力确定。例如，温度在－40～－33℃范围内的氢气输送温度类别被指定为 T40。共有 3 种氢气输送温度类别，分别为 T40、T30 或 T20。尽管一个加氢站可以为多个加氢机提供不止一种压力等级和氢气输送温度类别的组合，但建议加氢站为

所有加氢机使用通用的氢气输送温度等级。加氢机不得为压力等级低于其设计等级的车辆加氢。

表5-6 加氢站不同压力等级氢气输送温度类别

| 氢气输送温度类别 | | −40℃≤*T*≤T40 | −33℃<*T*≤−26℃ | −26℃<*T*≤−17.5℃ |
|---|---|---|---|---|
| 加氢站压力等级 | 35MPa（NWP） | H35-T40 | H35-T30 | H35-T20 |
| | 70MPa（NWP） | H70-T40 | H70-T30 | H70-T20 |

注： NWP—标准工作压力。

2）车载储氢气瓶的容量

表 5-5 定义了基于 MC 公式的加氢协议的允许容量类别。容量类别将用于选择适当的最终时间值，如果使用终止压力表格，还将用于确定压力目标。加氢站应使用精度在±15%以内的计量方法确定车载储氢气瓶的容量。然后，加氢站使用以下两种方法之一确定最终时间值：

① 确定容量类别的上限和下限的两个计算最终值中的较高值；

② 根据测得的容量，在限定容量类别的上下两个计算最终值之间进行插值。

如果加氢站不能保证±15%的计量精度，或车载储氢气瓶的容量类别不确定，则加氢站应使用最保守（最高）的类别 A、B 和 C 的最终值，并且在使用终止压力表时，应使用最低计算压力目标。例如，如果测得的容量为 4.01kg，但精度为±15%，则容量类别不确定。加氢站可选择实施所有容量类别（H35 A～C，H70 A～D），或可选择实施容量类型的子集（例如 A、B 和 C，但不包括 D）加氢。

3）压力要求

① 初始压力。初始压力应作为 $P_{\text{initial}}$，如果初始压力小于 0.5MPa 或大于压力等级标称工作压力（35MPa 或 70MPa），则加氢站应在 5 秒内尽快终止加氢程序。

② 加氢站压力公差。在主加氢期间，基于 MC 公式的加氢协议以每秒一次的频率计算平均压力上升率和压力。车载储氢气瓶容量类别 A、B、C，压力被用来计算形成压力公差边界的上限和下限压力。对于车载储氢气瓶容量 D 类，确定压力上限为 7MPa，压力下限为 2.5MPa。

如图 5-8 展示了没有计划的非加氢时间情况下，加氢车载储氢气瓶的容量类别 A、B 和 C 的压力公差带示意图；图 5-9 为在有计划的非加氢时间情况下，加氢车载储氢气瓶的容量类别 A、B 和 C 的压力公差带示意图。图 5-10 显示了车载储氢气瓶容量 D 在没有计划的非加氢时间情况下的压力公差带。注意，虽然在图 5-8、图 5-9 和图 5-10 中平均压力上升率上、下压力公差带用直线表示，但由于基于 MC 公式加氢方案的平均压力上升率是可变的，在实际操作中平均压力上升率的上、下压力公差带值会随着压力速率的变化而连续变化。然而，压力公差带的宽度始终保持不变。

在 MC 公式的加氢协议中，预期的不加氢时间包含在主加氢周期运行时间 $t$ 中。在预定的非加氢时间内，平均压力上升率保持不变，但继续计算平均压力上升率。一旦预定的不加氢时间结束，加氢将以最近计算的平均压力上升率恢复。

4）循环控制

加氢机不能通过反复启动和停止加氢来循环控制氢气流量。主加氢期间氢气流量低于最

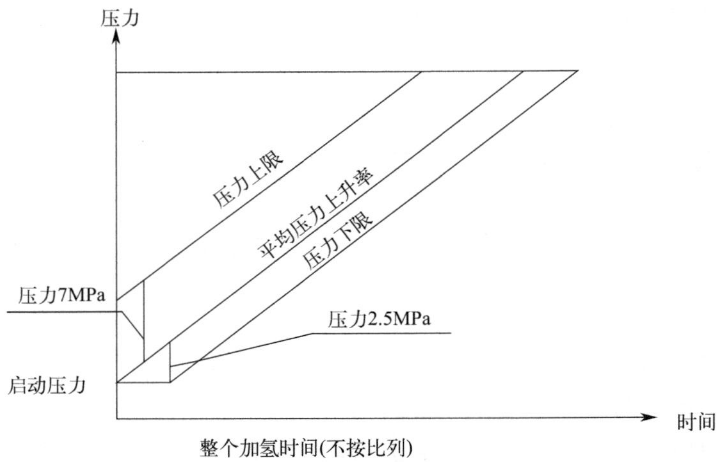


图 5-8 车载储氢气瓶容量 A、 B、 C 类平均压力上升率公差带

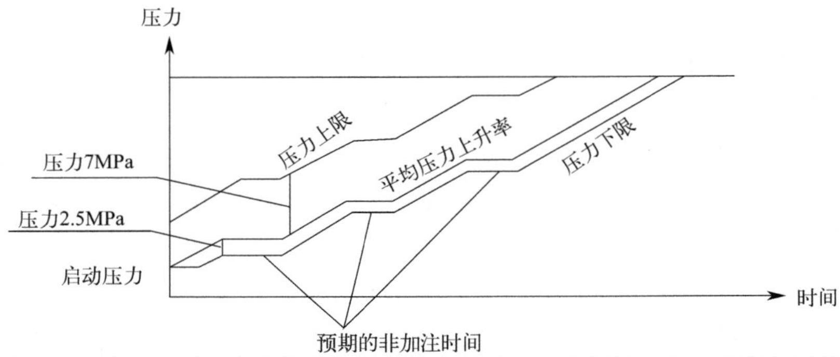


图 5-9 非加氢时间车载储氢气瓶容量 A、 B、 C 类平均压力上升率公差带

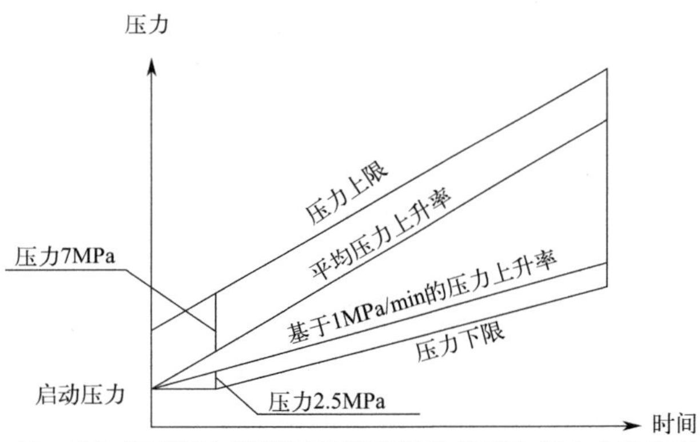


图 5-10 非加氢时间车载储氢气瓶容量 D 类平均压力上升率公差带

大流量 1%的次数不得高于 10 次以上。

5）车辆的中止信号

如果加氢机能够通信，无论加氢过程是否使用通信，加氢站应继续监控通信接口，并在检测到来自车辆的“中止”信号后尽快但不超过 5s 内终止加氢。车辆可能出于任何原因使用中止信号停止加氢。这使得车辆可以监控加氢过程，补充加氢站的操作。

6）公差

加氢站在应用本加氢规程时应说明其公差。应使用公差数据以确保加氢站压力和氢气输送温度保持在其规定的边界或极限内。

7）MC 公式的加氢流程图

图 5-11 展示了基于 MC 公式的通信和非通信加氢的一般流程图。

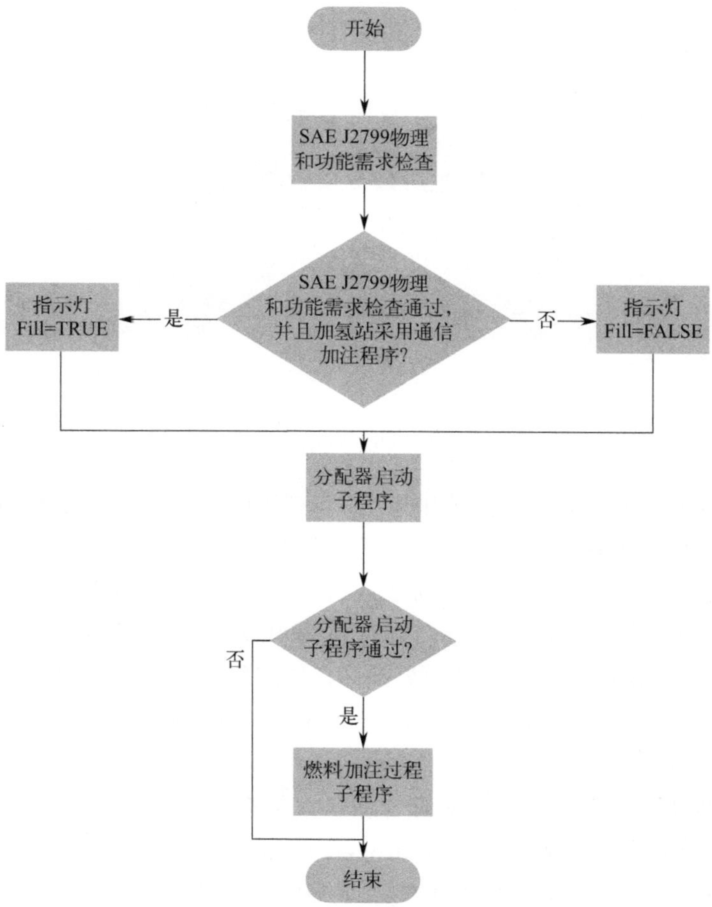


图 5-11 MC 公式的加氢流程图

8）非通信

MC 公式加氢协议非通信连接的加氢站可以不与车辆通信的情况下加注氢气。MC 公式的非通信加氢协议假设没有数据从车辆传递到加氢站。对于给定的体积类别和环境温度，最终平均压力上升率与通信加氢过程相同。主要的区别是加氢的结束是由一个单独的目标压力定义的。

9）通信

基于通信的 MC 公式加氢协议应使用 SAE J2799 中定义的 IRDA（红外通信）信号，将车辆信息传递给加氢站。对于通信加氢过程，在给定的车载储氢气瓶的容量和环境温度下，最终加氢时间和由此产生的平均压力上升率与非通信加氢程序相同。

#### 5.1.1.2 SAE J2601-2 重型汽车气态氢加氢协议[29]

SAE J2601-2 加氢协议的压力等级为 35MPa 重型卡车、公交车加注氢气。为重型卡车、公交车提供气态氢气加氢的安全性能要求，为气态重型运输公交车制造商和车辆运营商提供指导。SAE J2601-2 加氢协议适用于车载储氢容量大于 10kg 的重型车辆，旨在支持公交车的所有实际容量。它在如何实现车辆储气系统的完全加注或100%充电状态（SOC）方面不具有规范性。

（1）燃料系统和接口的一般要求

1）车辆燃料系统的操作条件

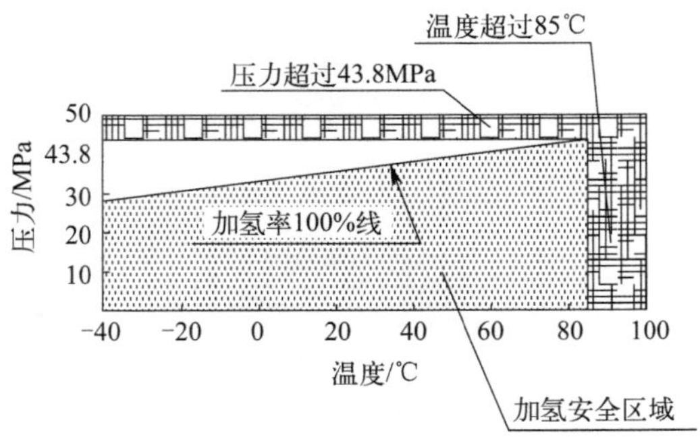


图5-12 35MPa加氢限制区

加氢站的加氢机在其协议实施方法中应考虑适当的公差，以确保加注过程的安全性和准确性。与加注站通信的车辆应考虑其信号的适当公差。这份技术信息报告包括35MPa工作压力的边界参数。每次加注的目标是达到完全加注，对应100%的加满度（state of charge，SOC）。对于H35压缩氢气储存系统，其温度和压力限制分别为−40～85℃和0.5～43.8MPa。图5-12显示了H35加氢的边界条件，压缩氢气储存系统的最大氢气温度和最大操作压力在图的右侧（过热）和顶部（超压）部分的限制区域。

2）车载储氢气瓶

车载储氢气瓶和存储系统的设计应符合加拿大标准协会（Canadian Standards Association，CSA）氢气燃料电池车辆2号（Hydrogen Vehicle No. 2，HGV-2）、汽车工程师学会（Society of Automotive Engineers，SAE）J2579号、全球技术法规13号（Global Technical Regulation No. 13，GTR 13）或任何其他适用的地方或国家规定进行设计。储氢系统的过压释放装置应按照美国国家标准学会（American National Standards Institute，ANSI）和加拿大标准协会（CSA）的过压释放装置（High Pressure Relief Device，HPRD）1号或任何其他适用的地方或国家规定进行设计。

3）加氢过程限制

加氢机算法的设计应确保加氢过程符合此加注协议中描述的指南，需在下列规定范围内适用加氢的行业通用要求：

① 加氢站的环境温度范围应在−40～+50℃；

② 加氢机传感器的压力应不超过车辆燃料系统名义工作压力的125%；

③ 加氢站负责控制加氢过程，并应根据适用的规范提供过压保护，如国际消防工程师协会（National Fire Protection Association，NFPA）和国际消防规范（International Fire Code，IFC）等，以防止在加注器过程故障的情况下对压缩储氢系统造成过高压力；

④ 车载储氢气瓶内的最大压力应小于或等于额定工作压力的125%；

⑤ 车载储氢气瓶内氢气温度小于或等于85℃；

⑥ 加氢结束时的加氢率应为100%；

⑦ 加氢站应将流量限制为（表 5-7）三种选项之一；

表5-7 加氢选项表

| 类别 | 类别描述 | 加氢速率 |
| --- | --- | --- |
| 快速加氢（选项 A） | 此选项是为重型公共汽车或车辆快速加氢。所涵盖的加氢通常以可变速度进行，并使用 ISO 17268：2020 中定义的“高流量”重型氢燃料汽车连接 | ≤120g/s（7.2kg/min） |
| 正常加氢（选项 B） | 此选项是为重型公共汽车或车辆正常加氢。所涵盖的加氢通常以可变速度进行，并使用 SAE J2600 或 ISO 17268：2020 中定义的连接 | ≤60g/s（3.6kg/min） |
| 慢速加氢（选项 C） | 此选项适用于重型巴士或车辆的慢速加氢，也称为“定时加氢”。所涵盖的加氢通常是以可变速度进行。 | ≤30g/s（1.8kg/min） |

⑧ 加氢枪枪嘴处的氢气温度应≥−40℃。

4）重型氢气地面车辆加氢的特殊要求

不同的环境温度条件，例如在高温或低温条件下为车辆加氢，可能会导致超温和超密度的情况。加氢站必须考虑这些情况，并相应地调整加氢方案。

（2）加氢机选项

1）通信

重型车辆与其加氢站之间的主动通信可用于提高加氢质量。一些公共汽车制造商已指定在加氢之前要进行通信连接。通信连接不仅可以作为接地连接，也可以传输车辆车载储氢气瓶的容量、氢气泄漏传感器、温度和/或压力信号的组合（假设有适当公差）。通信协议和信号应由车辆和加氢站制造商商定。为避免不同通信协议的数据信号被误解释为合法信号，加氢站需要采用严格的数据验证、加密和错误检测机制，确保每一条数据都能被准确、可靠地解读和执行。这不仅能保障加氢过程的高效性，还能有效避免由通信错误引起的安全隐患。至少主动通信应包括：

① 车辆发出终止加氢的信号；

② 独特的协议标识和版本；

③ 错误检查方法，确保信号的可靠性；

④ 实效安全故障控制，以确保信号中的错误结束加氢或以保守的方式继续加氢；

⑤ 所有通信协议都使用 SAE J2799 中列出的温度数据定义。

2）目标压力

加氢机应具有氢气目标压力算法，该算法为每个加氢事件计算一个目标压力。加氢过程一直持续到加氢机压力传感器达到目标压力为止。

加氢机控制系统应使用合适的加氢算法，以确保车载储氢气瓶容量不超过加氢工艺限制。

（3）加氢过程的确认和验证

加氢机的性能应通过预认证以确认所安装加氢机的加氢协议满足加氢限制要求。加氢机性能测试的设计和执行应证明在最坏的情况下满足温度、压力和加氢率限制要求，根据预期的加氢协议结束填充标准进行终止。

1）加氢机性能验证

图 5-13 为公交车加氢验证的一个示例。这个例子显示了在典型的加氢过程中车辆压力传感器的值；这些值可以与加氢站数据结合使用，以确定加氢事件是否成功。

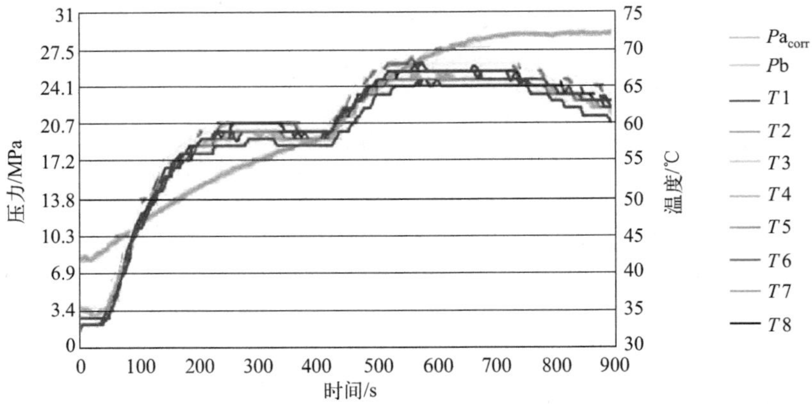


图 5-13 公交车加氢曲线（另见文后彩图）

2）加氢机性能的现场验证

应进行一系列（现场）的测试加氢，以验证加氢机性能或使用预先认证的性能参数。

3）加氢条件

公交车的运营商通常会遇到一系列的运营状况，运营商或加氢机供应商在调试时必须测试和验证加氢系统。加氢机验证可使用运营车队中的代表性车辆；如果加氢机调试是在冬季条件下进行的，那么加氢机必须在后面再次进行验证，以确认加氢机将适应夏季条件。加氢站操作人员必须调整加氢机加氢速度，以适应当地条件和加氢车辆要求，并满足加氢过程限制。

4）车载储氢气瓶

通常情况下，公交车使用完全由碳纤维复合材料与铝衬包裹的储罐（Ⅲ型），但未来的系统也可能使用类似结构的带聚合物衬垫的储罐（Ⅳ型）。

#### 5.1.1.3 SAE J2601-3 工业用车辆气态氢加氢协议[27]

（1）范围

SAE J2601-3 加氢协议对加氢机提出安全限制和性能要求，并描述了几种示例加氢的加氢方法，SAE J2601-3 是基于性能的加氢方法，并为加氢系统制造商、氢动力工业卡车供应商和氢动力车队运营商提供指导。SAE J2601-3 适用于水容积超过 18L 的所有车载储氢系统，可用于为所有类型的氢动力工业卡车加氢。其可支持氢燃料电池混合动力电动汽车，包括叉车、拖拉机、托盘搬运车、公路和越野设施及所有类型的特种车辆。

加氢方法主要包括使用固定限流装置填充至工作压力、使用固定限流装置加氢至目标压力和使用可变限流装置加氢至目标压力。相对于 100％的加氢率有不同的目标加氢压力，但并不旨在限制新加氢机技术或加氢方法的选择，而是满足基于性能的要求即可。

（2）车辆燃料系统的运行条件

加氢系统负责控制加氢过程，当加氢系统最大供氢压力大于加氢机使用压力的 1.38 倍时，应提供机械超压保护系统。加氢机的性能应经过测试，确保其不超过车载储氢系统限制。该 TIR（国际公路运输公约）基于具有以下车载储氢系统的设计限制：

① 车载储氢系统内的最大压力不超过 125%工作压力；

② 车载储氢系统内的氢气温度不超过 85℃；

③ 车载储氢系统内的气体密度不超过 100%状态充电（SOC）；

④ 车载储氢气瓶的压力和温度工作区域如图 5-14 所示。

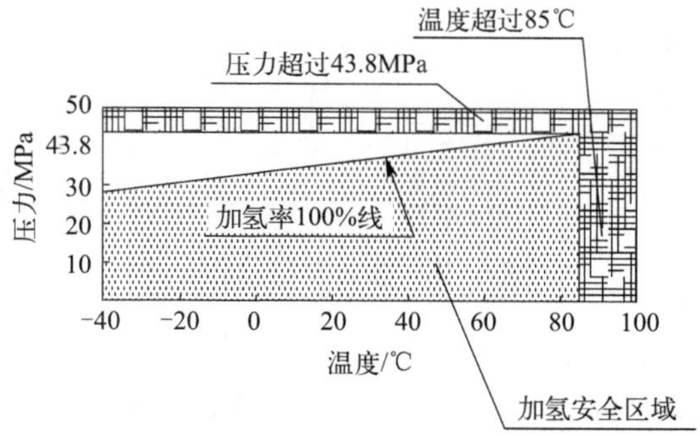


图 5-14 35MPa 加氢限制区

加氢协议的设计应保证在加氢过程中车载储氢系统中的氢气压力和温度保持在如图 5-14 所示加氢安全区域内。

(3) 加氢机控制方法

1) 加氢到工作压力

如图 5-15 所示，“加氢到工作压力”的加氢方法应至少包括以下功能部件。

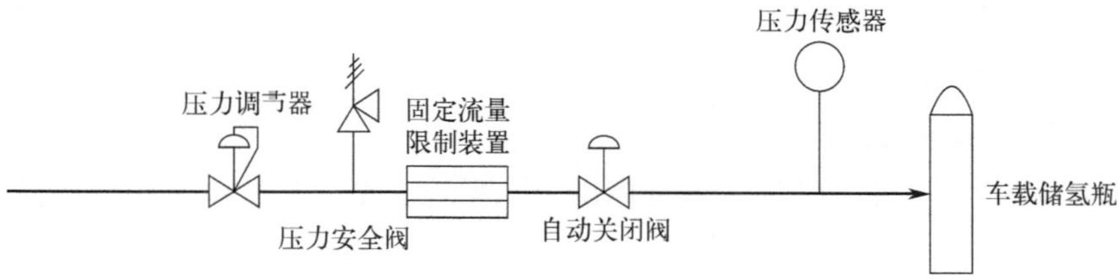


图 5-15 加氢至工作压力

① 压力调节器设置为小于或等于车载储氢气瓶的工作压力。

② 过压保护系统（压力安全阀），如当供应压力可能超过 1.38 倍工作压力时，过压保护系统应设置为不超过 1.38 倍工作压力。

③ 固定流量限制装置应将加氢限制在平均流量不超过 10g/s。

④ 自动关闭阀，用于控制加氢的顺序，并将车载储氢气瓶与氢供应系统隔离。

⑤ 压力传感器用于测量加氢机压力。

⑥ 加氢机控制系统应集成传感器，按照规定进行完整性检查，并在加氢期间控制加氢机的运行顺序。

⑦ 加氢机每个加氢枪都应有一个控制装置，控制每辆车的氢气流量。

⑧如果加氢机和正在加氢的车辆的使用条件导致加氢结束时车载储氢气瓶的温度低于 15℃，则必须将压力调节器设置在工作压力以下，防止过充。

⑨ 加氢到工作压力的方法也适用于压缩机直接加氢到车载储氢气瓶中，在这种情况下，

压缩机的质量流量不会超过加氢协议的氢气流量限制要求。

⑩ 加氢测试。

2）加氢到目标压力

如图 5-16 所示，“加氢到目标压力”的加氢方法至少由以下功能组件组成。

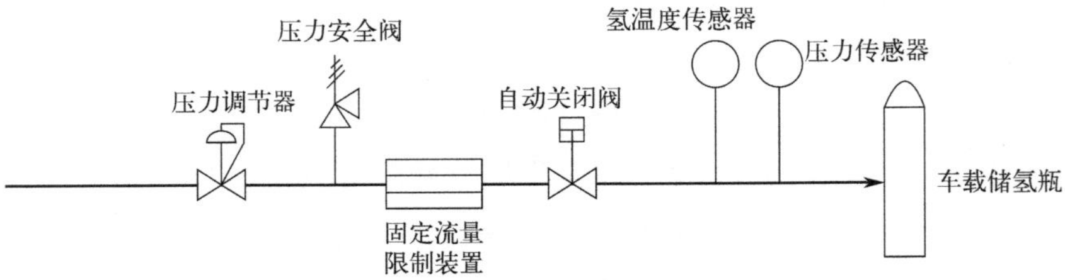


图 5-16　加氢至目标压力

① 压力调节器设置不超过 1.25 倍工作压力。

② 当供应压力可能超过 1.38 倍工作压力时，压力安全阀等超压保护系统设置不超过 1.38 倍工作压力。

③ 固定流量限制装置，将加氢限制在平均流量不超过 10g/s。

④ 自动关闭阀用于控制加氢的顺序，并将车载储氢气瓶与供氢系统隔离。

⑤ 压力传感器用于测量加氢机压力。

⑥ 环境温度传感器用于测量加氢区环境温度。

⑦ 氢温度传感器用于测量氢气加氢温度。

⑧ 加氢机控制系统应集成传感器，按照规定进行完整性检查，并在加氢期间控制加氢机的运行顺序。

⑨ 加氢系统应按照要求进行试验。

3）可变流量加氢到目标压力

如图 5-17 所示，“可变流量加氢到目标压力”系统应至少包括以下功能部件。

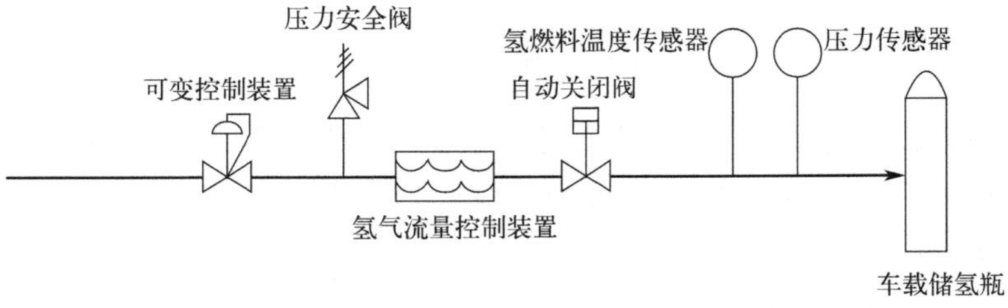


图 5-17　以可变流量快速加氢至目标压力

① 超压保护系统，如当供应压力可能超过 1.38 倍工作压力时，压力安全阀设置为不超过 1.38 倍工作压力。

② 可变控制装置集成了压力调节器和限流器的功能。

③ 自动关闭阀可控制加氢事件的顺序，并将车载储氢气瓶和加氢机及高压供氢系统隔离。

④ 压力传感器用于测量加氢机压力。

⑤ 加氢机控制系统应集成传感器，执行完整性检查系统，控制加氢机在加氢期间的运

行顺序。

⑥ 环境温度传感器用于测量加氢区环境温度。

⑦ 氢燃料温度传感器用于测量氢燃料温度。

⑧ 氢气流量控制应将加氢限制在平均流量不超过 10g/s。使用用户授权系统限制只允许预审合格的车辆进入加氢区的情况下，氢气流量可能超过 10g/s。

⑨ 加氢系统测试。

（4）氢动力工业卡车（HPIT）和电池替换模块加氢过程

所有快速加氢的方法应包括以下内容和程序。

1）自动关闭阀

快速加氢机系统应至少有一个自动加氢机隔离阀，以终止加氢，并将氢气供应与加氢系统隔离。该阀应在加氢机紧急关闭系统启动、火焰和气体检测设备启动以及超压控制激活时开启。

当在室内加氢时，快速加氢机系统应该有一个额外的自动隔离阀。其中一个或两个阀门应位于建筑物外，以终止氢气流动。

2）完整性验证

加氢过程应包括压力完整性验证，当加氢机阀门关闭时加氢机压力传感器对通往车载储氢气瓶的管路进行监测。

通过监测加氢过程中压力的变化，压力传感器可用于监测加氢机或车载储氢系统的泄漏情况，检测隔离阀泄漏情况，检测车载储氢气瓶容量等情况。

3）初始完整性检查

加氢机应对加氢机系统和车载储氢气瓶系统进行完整性检查。该系统应等待压力平衡，然后监测至少 5 秒的时间周期，以初步测试软管-枪嘴-容器-车载储氢系统的完整性。

如果加氢机系统检测到泄漏，导致加氢软管和枪嘴接口的压力损失大于加氢机确定的损失速率，则加氢机应停止加氢并发出警报，向操作人员发出信号并记录已检测到的泄漏点。

如果加氢机没有检测到泄漏，加氢机可以继续加氢过程，直到下一定义的高压完整性测试。

4）加氢过程中的完整性检查

高压完整性测试是在更高的压力下进行的，目的是在加氢机系统、软管和枪嘴出现小泄漏之前发现它们。当加氢机的加氢压力在工作压力的 80%～90%时，进行高压完整性测试。加氢过程中的高压完整性检查按照当地法规的要求进行。

图 5-18 显示了从加氢车辆在 3000psi 下进行的完整性检查。在这个例子中，加氢机压力传感器为 3000psi 时，氢气流动被关闭，车载传感器为 2700psi。在阀门关闭后不久，车载压力传感器显示与罐内压力平衡，读数为 2450psi。从本例中的加氢机角度来看，高压完整性测试的前几秒内有大约 550psi 的压力下降，这表明在加氢机和车载储氢系统之间的压降。不同的车辆系统将显示不同范围的压降。

从加氢站到车载储氢气瓶上的最大预期压降应小于 5MPa，这是加氢机在 15℃，以 20MPa 的压力，以固定流量 10g/s 进行的完整性检查中看到的。在任何完整性测试中，由于车载储氢系统温度的衰减，通常会看到轻微的压力衰减。如果加氢机在完整性测试期间有正压上升，则自动阀可能泄漏，此时必须激活报警条件以检查自动阀可能存在的泄漏情况。

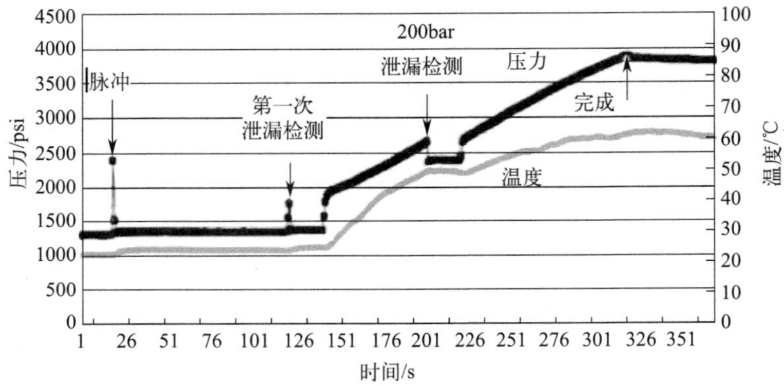


图 5-18 加氢曲线

（5）加氢机选项

1）通信

氢燃料电池汽车加氢实现所需的任何通信。

2）车载储氢气瓶的温度

车载储氢气瓶可以有一个车载储氢气瓶内的温度传感器，可监测到加氢热曲线的一致性。带有温度反馈和可变流量控制的加氢机，可以根据环境温度和氢气温度调整加氢速度。

使用 SAE J2601 IRDA 标准通信：将车载储氢气瓶信息传输到加氢机。编码的 IRDA 信号从车辆发射并且可以由加氢机解码以识别车载储氢气瓶体积和温度。使用 IRDA 通信，来自车载储氢气瓶的温度信号可以由加氢机监控，如果在加氢过程中看到有效数据，车载储氢气瓶温度信号可以用于专有的加氢算法。

3）目标压力计算方法

加氢到目标压力的加氢机应具有氢气目标压力算法，为每次加氢计算一个目标压力。加氢过程一直持续到加氢机压力传感器达到目标压力为止。

加氢机控制系统应采用合适的加氢算法，保证车载储氢气瓶不超过针对每次加氢的加氢过程限制。

一些 BRM（电池更换模块）制造商在车载储氢气瓶中使用行业标准温度传感器和通信连接器，以将车辆的温度和压力数据传输给加氢设备。HPIT（氢动力工业卡车）加氢设备可以利用这些信息来确定车载储氢气瓶中氢气的启动和加氢温度。加氢设备控制系统可以使用车辆的温度和压力数据来计算每次加氢事件的目标压力。

（6）加氢过程量化和验证

加氢机的性能应通过现场或类型测试验证。加氢机性能测试的设计应证明氢气在规定的温度范围内被输送到车载储氢气瓶并且车载储氢气瓶不过充。

1）加氢机性能的验证

图 5-18 展示了一个加氢验证的例子。温度指示来自位于车载储氢气瓶中的传感器，是典型的车载储氢气瓶系统。压力指示来自位于车载储氢气瓶系统入口管道上的传感器。在这个特殊的系统中，在压力传感器和车载储氢气瓶之间有一个孔。

2）加氢机性能的现场验证

在加氢机调试期间，应进行加氢试验，以验证加氢机性能。加氢机验证加氢过程记录的示意图见图 5-17。

加氢机性能的现场验证应包括以下确认步骤。

① 加氢机在加氢开始时进行完整性试验。

② 加氢过程中，加氢机在工作压力的 80%～90%时进行第二次完整性测试。

③ 平均加氢速率不超过 10g/s。

④ 车载储氢气瓶温度保持在 85℃以下。

3）操作条件

加氢系统可以设计为在特定的气候条件的室内区域进行，如可加热的建筑物和冷冻室。车队操作员或加氢设备供应商应在预期的季节性和操作温度极端条件下测试和验证加氢设备的运行。

## 5.1.2 欧洲[28]

欧洲标准化委员会发布了 EN 17127，目前版本已到 2024 版，EN 17127—2024《室外加氢点分配气态氢并纳入加注协议》。

### 5.1.2.1 加氢的特点与性能

（1）一般要求

考虑对氢燃料汽车有潜在危害的因素，加氢站应为氢燃料汽车加氢采取安全措施，以防止发生不安全的加氢操作。加氢站应通过适当额定的组件提供 H35 和/或 H70 等级的氢气。加氢喷嘴应与符合 EN ISO 17268—2020《气态氢陆地车辆加注连接装置》标准的车辆氢气接口兼容。加氢站的使用说明应贴在每个加氢设备上或其附近，燃料（即氢气）和压力等级应明确标识。加氢机的操作说明可以通过标记或电子显示屏显示在加氢机上。

（2）氢气质量

加氢机喷嘴处的氢气质量应符合 EN 17124—2022《氢燃料-分配气态氢的加氢点的产品规格和质量保证-质子交换膜（PEM）燃料电池在车辆上的应用》的要求。为了防止氢气中含有会影响车辆高压氢气系统（特别是车辆 CHSS 阀门）功能的杂质（如颗粒物），加氢设备中应配备氢气过滤器。过滤器应具有以下功能：能够阻挡最大尺寸为 5μm 的颗粒，且在预期的工艺条件下，最低去除效率应为 99%，或者使用 5μm 的过滤器。过滤器应安装在可能产生颗粒的加氢设备组件（如热交换器、流量控制器、阀门等）下游，并尽可能接近喷嘴或软管断裂装置，以过滤氢气中的颗粒浓度，符合 EN 17124 的标准。

（3）加氢过程控制

1）一般要求协议

加氢系统应使用公认的标准开发组织（SDO）制定的经批准的公开加氢协议。加氢协议应能确保在整个加氢过程中，车载储氢气瓶材料的温度不超过 85℃。在对氢燃料电池汽车进行连续加氢时，应采取措施确保不发生安全事故，如在不同燃料温度下使用不同的加氢协议。加氢协议应包括对燃料软管、软管断裂装置、喷嘴及与车辆连接处的泄漏检查；泄漏检查应在车辆连接状态下进行。如果检测到泄漏超出可接受限值，加氢应立即停止。

2）轻型车辆加氢协议

加氢协议应确保以下内容：在加氢过程中加氢系统应满足以下加氢协议的限制，如发生火灾，则在 5s 内终止加氢行为。

① 环境温度不低于－40℃，不高于＋50℃。

② 加氢机燃料压力低于最大工作压力。

③ 加氢机燃料温度高于－40℃。

④ 燃料流速低于 60g/s。

⑤ 在使用通信设备的情况下，通信设备的车载储氢气瓶温度低于 85℃。在加氢过程中，如果氢气流速下降至 0.6g/s 以下，最多可暂停 10 次。

⑥ 在使用通信设备时，可接收到车辆发出的停止或终止加氢的信号。

⑦ 确保不出现任何偏离加氢协议的情况。

在加氢之前可以向车辆输送一定量的氢气以确定启动压力。在这个过程中，允许加氢的最大氢气质量应为 200g。加氢系统不得在压力低于 0.5MPa 或者高于车辆额定压力（35MPa 或 70MPa）的情况下加氢。加氢完成后，车辆的加氢率不应超过或等于 100％。

上述协议应作为加氢站风险评估的一部分加以考虑，还需采取额外的策略来防止加氢行为超过这些限度。

3）中型和重型车辆加氢协议

如果加氢站的设计是为中型或重型车辆加氢时，应满足②的要求。然而，当加氢机配有一个大流量的枪嘴时，且该枪嘴无法与标准的燃料汽车加氢口连接时，即使满足②的要求，该加氢站将无法为该类车辆提供加氢服务。

4）通信

对于轻型燃料电池汽车，H70 加氢站应具有通信硬件和软件，以确保能在加氢协议限制内进行加氢操作。在通信系统出现故障或车辆没有通信系统的情况下，H70 非通信类加氢站仍可根据需要投入使用。轻型燃料电池汽车 H70 加氢系统如果收到来自车辆的中止信号，应停止加氢行为。如果在加氢过程中通信失败，加氢系统应在 5s 内停止加氢或者在协议允许的情况下，在没有通信的情况下继续加氢。

5）过压保护

当加氢系统达到加氢协议目标压力或上述 2)/3）中定义的极限时，加氢控制系统应停止加氢操作。加氢系统最大工作压力可达氢气工作压力的 125％。如正常情况下 70MPa 加氢机的压力不超过 87.5MPa。加氢系统的控制系统应具备检测压力或加氢机压力传感器故障的功能，并在必要时进行紧急关闭。

除了加氢系统控制系统的故障管理外，加氢系统应能通过压力安全阀来实现压力保护，以防止加氢系统中的部件和管道以及车辆储氢系统过压。根据加氢系统压力保护的设定点，加氢机不应高于工作压力 137.5％，如 70MPa 的加氢系统保护设置不得高于 96.25MPa。

6）温度控制

环境温度传感器应能准确测量出环境温度，且不受太阳或其他因素的影响，为确定车辆加压率或加氢目标压力做准备。如果使用预冷氢气，加氢系统应能确保氢气燃料温度的准确性，并能控制符合加氢协议的温度阈值。若加氢协议使用车载储氢气瓶温度通信，如果通信在 5s 内出现故障，协议应在 5s 内执行关闭操作，或者在协议允许的情况下继续执行非通信加氢。

#### 5.1.2.2 检查与验证

（1）加氢站投入使用前的检查和定期检查

在加氢站正式投入运营之前应符合以下标准。

① 加氢系统，包括燃料电池汽车加氢协议，符合一般要求协议的要求。

② 燃料电池汽车加氢协议符合轻型、中型和重型车辆加氢协议的工艺限制要求。

③ 在通用的情况下，燃料电池汽车与加氢站之间的通信协议符合车辆到加氢站的通信设施的要求。

④ 按照表 5-8 进行最低限度的现场验收测试和加氢验证测试。

表5-8 加氢站最低现场验收测试

| 测试名称 | 将要进行的准备工作 | 测试信息 | 可接受的测试 |
|---|---|---|---|
| 环境、加氢压力和温度传感器校准精度表 | — | 验证环境和加氢温度传感器和加氢压力读数，审查校准情况 | 传感器显示的数值与加氢状态相符 |
| 故障：启动压力 | 启动压力大于适当的车辆（即 35MPa 或 70MPa）进行加氢（测试） | 连接并启动加氢 | 不允许加氢 |
| 通信中断 | 模拟通信，然后中断通信信号，例如通过操纵信号回路进行切断 | 确认加氢切换到非通信类加氢方式 | 加氢系统切换到非组合式加氢或停止加氢 |
| 故障：通信中断信号 | 模拟的通信中止信号，例如通过操纵信号回路进行切断 | 在不具备通信的情况下，也要对其进行监测 | 终止信号发出后 5s 内停止加氢 |
| 每个压力等级的非通信加氢验证 [H70（如果适用）H35] | 两种不同的起始条件 | 在适用的情况下，每个加氢级别进行两次测试 | 在不超过加氢协议工艺限制的情况下，按照加氢过程中预期的最终压力 ± 2MPa 进行加氢 |
| 通信加氢的验证 | 两个不同的启动条件，其中一个是低于 2MPa 的启动压力 | 在适用的情况下，每个氢气加氢级别进行两次测试 | 在不超过加氢协议过程限制的情况下，按照加氢过程中预期的加氢率或压力进行加氢，并且没有收到车辆的终止信号 |

注：测试统不会为压力低于 0.5MPa 的燃料电池汽车加氢氢气。

工厂验收测试和现场验收测试的相关文档应在相应测试进行之前提供；应定期进行有关互操作性的检查；对可能影响氢气加注点互操作性的修改或维护后，应进行适当的检查。

（2）最低限度的现场验收测试以确保互操作性

表 5-9 定义了确保氢燃料加注点互操作性所需进行的最低限度现场验收测试。

### 5.1.3 日本[30]

2012 年日本石油能源技术中心（JPEC）发布标准 JPEC—S 0003。2016 年更新了版本。

（1）适用范围

《压缩氢气充填技术基准（与压缩氢气站相关）》JPEC-S 0003（2016）是基于容器保安规程（以下简称“容器规程”）制定的，用于将压缩氢气加注到压缩氢气汽车燃料装置用容器或国际标准压缩氢气汽车燃料装置用容器中的技术基准。

当加氢站具备为容量 2～10kg 的国际标准压缩氢气车载储氢气瓶加注氢气的功能时，应遵循《压缩氢技术标准（与压缩加氢站相关）》JPEC-S 0003（2016）的规定。根据加氢能力，加氢站可分为 70MPa 级和 35MPa 级两种压力等级。如果是 70MPa 级压力，加氢站可为容量 2～10kg 的车载储氢气瓶加氢；如果是 35MPa 级压力，则可为容量 2.4～6.0kg 的车载储氢气瓶加氢。按照加氢协议标准，加氢前需对氢气进行预冷处理。

（2）加氢协议

在满足加氢要求的加氢站对车载储氢气瓶进行压缩氢气加氢时，应按规定的预定目标压力进行，同时应满足加氢协议的各种限制要求，应以预定的平均压力上升率进行加氢。目标压力和目标平均压力上升率是根据是否进行通信加氢、加氢车载储氢气瓶的压力类别、车载储氢气瓶的温度类别和车载储氢气瓶容量类别来确定。此外不得在加氢表中不可加氢的区域内进行加氢。

1）外部空气温度、加氢温度和压力要求

当外部空气温度低于－40℃或超过 50℃时，不得加氢。用于测量的氢气温度和压力传感器应安装在加氢软管和加氢机之间。

2）车载储氢气瓶初始压力测量和约束要求以及车载储氢气瓶容量的确定

应在开始加氢之前测量车载储氢气瓶初始压力，当初始压力低于 0.5MPa 或超过车载储氢气瓶的标称使用压力时，不进行加氢。在测量车载储氢气瓶容量时，应以±15％的精度确定该容量，以便能够选择适当的加氢协议表。在通信加氢的情况下，可以基于从燃料电池汽车传输的用于车载储氢气瓶容量信号来确定用于车载储氢气瓶容量。当车载储氢容量低于 2kg 或超过 10kg 时，在 70MPa 级的加氢压力分类下不应加氢。当压力分类为 35MPa 级时，加氢压力低于 2.4kg 或超过 6.0kg 时不应加氢。

3）目标压力

目标压力是根据外部空气温度和初始压力来确定的，如果外部空气温度与所选择的加氢表中的外部空气温度不匹配，或者初始压力与所选择的加氢表中的初始压力值不匹配，则必须重新选定加氢表。

供应燃料压力允许范围如图 5-19 所示。在排除非加氢时间的情况下，按照目标压力上升率，从加氢开始到连续加氢的任意时刻，供应燃料压力应在一定的范围内，即在供应燃料压力的基础上加上 7.0MPa 的压力允许范围上限值（以下简称“压力上限值”）以及减去 2.5MPa 的压力允许范围下限值（以下简称“压力下限值”）之间的区域。

如果在主加氢时间内，压力超过了容许范围，则必须在 5s 内停止加氢。除非在通信加氢中对压力下限进行纠正，在这种情况下容许范围将被取消。在废除压力下限值的优化措施

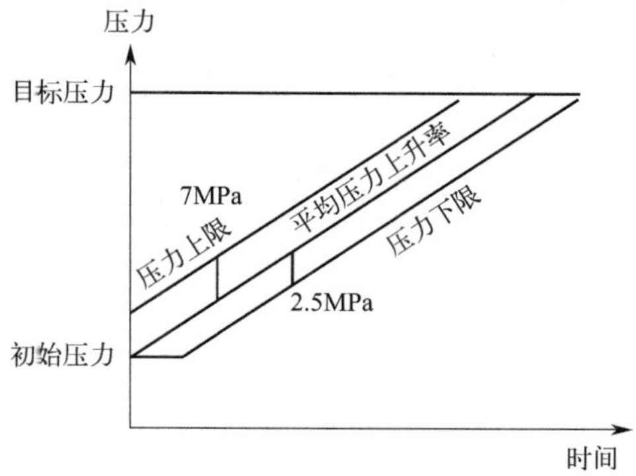


图 5-19 燃料供给压力容许范围的概念图

中，只有当加氢过程中目标压力、目标加氢量或目标加氢率中的任一指标达到至少 50%时，才会设定包括压力下限值在内的供应燃料压力允许范围；当该指标超过 50%后，压力下限值可以被废除，如图 5-20 所示。

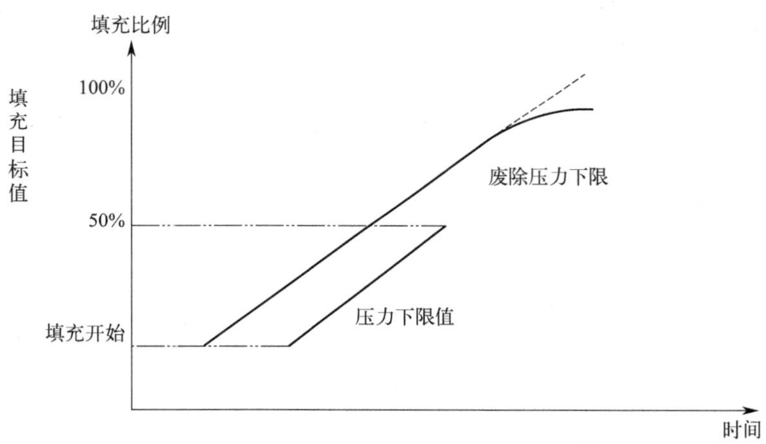


图 5-20 压力下限取消而进行的优化措施（示意图）

4）通信状态的确认与保持，以及非通信充填的转换

对于具有车辆通信功能的加氢站，应采取以下措施。

① 通信状态确认：在加氢枪与加氢口连接后，应迅速评估与车辆的通信状态，并确认车辆的通信功能是否正常。加氢站需要检查通信状态是否符合要求。

② 通信正常的情况下：如果确认车辆的通信功能正常，且通信状态适当，则需按照本标准中规定的适用于通信充填的要求进行充填。在充填结束之前，加氢站必须持续接收车辆的通信信息。

③ 通信异常或功能失效的情况下：如果无法确认车辆的通信功能，或通信状态不正常，则需根据本标准中规定的除通信充填要求外的其他要求进行非通信充填。

④ 非通信加氢能力：遵循本标准的加氢站必须具备进行非通信加氢的能力，以确保在车辆通信功能不可用时能够安全地进行加氢操作。

表 5-9 和表 5-10 是 H70-T40 4-7KG 有通信和无通信的加氢协议表，主要区别是选取车载储氢气瓶加氢目标压力的不同，有通信的目标压力值选取比非通信目标压力值高。

表5-9 H70-T40 4-7KG通信加氢协议表

| 环境温度 | 平均压力上升率 | 顶充 | | | 目标压力/MPa | | | | | | | | | | | |
|---|---|---|---|---|---|---|---|---|---|---|---|---|---|---|---|---|
| | | 移行压力 | 平均压力上限 | 平均压力上升率 | 初期压力/MPa | | | | | | | | | | | |
| /℃ | /（MPa/min） | /MPa | /MPa | /（MPa/min） | 0.5 | 2 | 5 | 10 | 15 | 20 | 30 | 40 | 50 | 60 | 70 | >70 |
| >50 | 不可加氢 | 不可加氢 | 不可加氢 | 不可加氢 | 不可加氢 | 不可加氢 | 不可加氢 | 不可加氢 | 不可加氢 | 不可加氢 | 不可加氢 | 不可加氢 | 不可加氢 | 不可加氢 | 不可加氢 | 不可加氢 |
| 50 | 5.1 | 78.2 | 87.5 | 2.6 | 补满 | 补满 | 80.8 | 85.7 | 86.8 | 86.5 | 85.8 | 85.0 | 84.0 | 82.7 | 81.1 | 不可加氢 |
| 45 | 8.1 | 76.3 | 87.5 | 4.0 | 补满 | 补满 | 81.1 | 86.9 | 86.6 | 86.2 | 85.3 | 84.3 | 83.0 | 81.6 | 79.7 | 不可加氢 |
| 40 | 11.5 | 73.2 | 87.5 | 5.4 | 补满 | 补满 | 81.1 | 86.9 | 86.4 | 85.9 | 84.7 | 83.5 | 82.0 | 80.3 | 78.3 | 不可加氢 |
| 35 | 12.4 | 72.9 | 87.5 | 5.6 | 补满 | 补满 | 81.2 | 86.9 | 86.4 | 85.9 | 84.7 | 83.4 | 81.9 | 80.2 | 78.2 | 不可加氢 |
| 30 | 15.3 | 70.6 | 87.5 | 6.6 | 补满 | 补满 | 81.0 | 86.8 | 86.3 | 85.6 | 84.3 | 82.8 | 81.2 | 79.4 | 77.2 | 不可加氢 |
| 25 | 18.5 | 69.0 | 87.4 | 7.2 | 补满 | 补满 | 81.0 | 86.8 | 86.1 | 85.4 | 83.8 | 82.2 | 80.4 | 78.5 | 76.1 | 不可加氢 |
| 20 | 21.8 | 67.9 | 87.4 | 7.6 | 补满 | 补满 | 81.2 | 86.8 | 85.9 | 85.1 | 83.3 | 81.5 | 79.6 | 77.5 | 75.1 | 不可加氢 |
| 10 | 28.0 | 66.3 | 87.4 | 9.0 | 补满 | 补满 | 81.2 | 86.8 | 85.7 | 84.7 | 82.6 | 80.5 | 78.3 | 76.1 | 73.4 | 不可加氢 |
| 0 | 28.5 | | | | 78.4 | 84.6 | 86.8 | 85.6 | 84.4 | 83.1 | 80.6 | 78.1 | 75.6 | 73.1 | 不可加氢 | 不可加氢 |
| −10 | 28.5 | | | | 82.2 | 87.1 | 86.4 | 85.2 | 84.0 | 82.8 | 80.4 | 77.9 | 75.4 | 72.9 | 不可加氢 | 不可加氢 |
| −20 | 28.5 | | | | 86.0 | 86.8 | 86.1 | 84.9 | 83.7 | 82.4 | 80.0 | 77.6 | 75.1 | 72.7 | 不可加氢 | 不可加氢 |
| −30 | 28.5 | | | | 86.8 | 86.5 | 85.7 | 84.5 | 83.3 | 82.1 | 79.6 | 77.2 | 74.9 | 72.5 | 不可加氢 | 不可加氢 |
| −40 | 28.5 | | | | 86.5 | 86.2 | 85.4 | 84.2 | 83.0 | 81.8 | 79.3 | 77.0 | 74.6 | 72.3 | 不可加氢 | 不可加氢 |
| <−40 | 不可加氢 | 不可加氢 | 不可加氢 | 不可加氢 | 不可加氢 | 不可加氢 | 不可加氢 | 不可加氢 | 不可加氢 | 不可加氢 | 不可加氢 | 不可加氢 | 不可加氢 | 不可加氢 | 不可加氢 | 不可加氢 |

表5-10 H70-T40 4-7KG 非通信加氢协议表

| 环境温度 | 平均压力上升率 | 目标压力/MPa<br>初始压力/MPa | | | | | | | | | | | |
|---|---|---|---|---|---|---|---|---|---|---|---|---|---|
| /℃ | /(MPa/min) | 0.5 | 2 | 5 | 10 | 15 | 20 | 30 | 40 | 50 | 60 | 70 | >70 |
| >50 | 不可加氢 | 不可加氢 | 不可加氢 | 不可加氢 | 不可加氢 | 不可加氢 | 不可加氢 | 不可加氢 | 不可加氢 | 不可加氢 | 不可加氢 | 不可加氢 | 不可加氢 |
| 50 | 5.1 | 77.8 | 77.6 | 77.3 | 76.9 | 76.6 | 76.2 | 75.7 | 75.3 | 74.7 | 73.9 | 72.8 | 不可加氢 |
| 45 | 8.1 | 76.3 | 77.2 | 76.9 | 76.5 | 76.4 | 76.2 | 75.6 | 75.3 | 74.7 | 73.9 | 72.7 | 不可加氢 |
| 40 | 11.5 | 73.2 | 75.5 | 76.8 | 76.3 | 76.4 | 76.2 | 75.6 | 75.3 | 74.6 | 73.9 | 72.7 | 不可加氢 |
| 35 | 12.4 | 72.9 | 75.3 | 76.4 | 76.0 | 76.1 | 75.9 | 75.3 | 75.1 | 74.5 | 73.8 | 72.7 | 不可加氢 |
| 30 | 15.3 | 70.6 | 73.9 | 75.8 | 75.2 | 75.4 | 75.1 | 74.3 | 74.1 | 73.3 | 72.4 | 71.3 | 不可加氢 |
| 25 | 18.5 | 69.0 | 72.8 | 75.1 | 74.5 | 74.7 | 74.3 | 73.3 | 73.0 | 72.0 | 71.1 | 不可加氢 | 不可加氢 |
| 20 | 21.8 | 67.9 | 72.1 | 74.5 | 73.7 | 74.0 | 73.4 | 72.2 | 71.9 | 70.7 | 69.7 | 不可加氢 | 不可加氢 |
| 10 | 28.0 | 66.3 | 71.1 | 74.1 | 73.2 | 72.4 | 71.6 | 70.9 | 69.6 | 68.4 | 66.9 | 不可加氢 | 不可加氢 |
| 0 | 28.5 | 74.0 | 73.4 | 72.4 | 70.6 | 70.7 | 69.6 | 68.6 | 67.1 | 65.7 | 64.0 | 不可加氢 | 不可加氢 |
| −10 | 28.5 | 73.4 | 72.9 | 71.9 | 70.0 | 70.0 | 68.4 | 66.5 | 64.4 | 62.9 | 61.2 | 不可加氢 | 不可加氢 |
| −20 | 28.5 | 72.9 | 72.3 | 71.3 | 71.0 | 69.5 | 68.0 | 65.7 | 62.4 | 60.0 | 不可加氢 | 不可加氢 | 不可加氢 |
| −30 | 28.5 | 72.1 | 71.6 | 70.6 | 70.4 | 69.0 | 67.4 | 65.2 | 61.8 | 58.7 | 不可加氢 | 不可加氢 | 不可加氢 |
| −40 | 28.5 | 71.6 | 71.1 | 70.2 | 70.0 | 68.5 | 66.9 | 64.8 | 61.5 | 58.5 | 不可加氢 | 不可加氢 | 不可加氢 |
| <−40 | 不可加氢 | 不可加氢 | 不可加氢 | 不可加氢 | 不可加氢 | 不可加氢 | 不可加氢 | 不可加氢 | 不可加氢 | 不可加氢 | 不可加氢 | 不可加氢 | 不可加氢 |

若车载储氢气瓶容量类别未知或未确定，即使燃料电池汽车支持通信，加氢时也需先从加氢表系列中选用非通信加氢表，再按加氢压力类别和氢气温度类别，选取最安全的平均压

力上升率与目标压力进行加氢。

5）温度类别

在 70MPa 级和 35MPa 级两种加氢压力种类中，共同要求是：供应燃料温度必须按照表 5-11 所示的三种供应燃料温度进行控制。在加氢开始后的 30s 内，供应燃料温度必须达到规定的允许范围。如果在 30s 内未能达到该供应燃料温度的允许范围，则必须在 5s 内结束加氢。

表5-11 温度类别和允许的温度

| 温度分类/℃ | 加氢温度范围 |
| --- | --- |
| -40 | $-40℃ \leq T \leq -33℃$ |
| -30 | $-33℃ \leq T \leq -26℃$ |
| -20 | $-26℃ \leq T \leq -17.5℃$ |

## 5.2 国内加氢站氢气加注协议[25]

（1）范围

该加氢协议主要是为氢燃料电池汽车制定的，但它的应用范围实际上可以扩展到其他使用氢燃料的设备和车辆，例如氢能船舶、氢能有轨电车、氢能飞行器、氢能工程车辆、氢能发电装置、氢气运输车辆等；协议规定了加氢性能目标、边界条件以及加氢过程和控制要求等。

（2）基本要求

1）加氢协议

加氢协议应包括加氢性能目标、边界条件、加氢方法、过程控制、加氢速率和目标压力等要求。

2）基本原则

① 加氢协议的制定，应结合氢气加氢方法和加氢性能目标，根据加氢机环境温度适应性、氢气温度预冷能力、氢气供应能力（压力和流量）、氢气管路压降和热交换能力，以及车载储氢系统容量、储氢气瓶类别、初始温度、初始压力等参数确定加氢速率和目标压力，并匹配相应的过程控制要求。

② 加氢协议的选用，应根据加氢设施满足的加氢边界条件和加氢性能目标，加氢过程应采用加氢协议规定的加氢方法，根据加氢条件选用合适的加氢速率和目标压力，并进行相应的过程控制。

③ 加氢设施所要求的加氢方法、加氢性能目标、边界条件等参数等发生变化时，应重新制定加氢协议。

3）加氢速率

对于固定的环境温度、压力等级、氢气预冷温度等级、车载储氢系统容量以及储氢气瓶类型，加氢速率应在下列条件下满足车载储氢气瓶不超过最大允许工作温度的要求。

① 氢气温度为氢气预冷温度等级所允许的最大氢气温度值；

② 车载储氢系统仅含一个储氢气瓶，且该储氢气瓶容量为车载储氢系统容量；

③ 车载储氢气瓶初始温度为当前环境温度对应的热工况温度；

④ 管路压降为最大允许值。

4）目标压力

对于环境温度、氢气预冷温度等级、车载储氢气瓶容量以及储氢气瓶类型，目标压力应在下列条件下满足车载储氢系统不超过最大工作压力的要求。

① 氢气温度为氢气预冷温度等级所允许的最小氢气温度值；

② 车载储氢系统由储氢容量为 1kg 的储氢气瓶组成，储氢气瓶数量由车载储氢系统容量确定；

③ 车载储氢气瓶初始温度为当前环境温度对应的预冷温度；

④ 管路压降为最小允许值。

5）加氢等级分类

① 加氢等级

加氢等级由压力等级、氢气预冷温度等级、车载储氢容量以及储氢气瓶类型组成。H35-T40-B-Ⅲ表示的含义为：加氢协议适用的加氢公称工作压力为 35MPa，氢气预冷温度范围为－40～－20℃，车载储氢气瓶容量为 10kg，车载储氢气瓶的储氢气瓶类型为Ⅲ型瓶。

② 压力等级

应根据车载储氢系统和加氢机的公称工作压力取最小值确定加氢协议的压力等级，加氢过程中车载储氢系统和加氢机的压力不应超过相应压力等级下的最大工作压力，见表 5-12。不允许采用高压力等级的加氢协议用于低压力等级的车载储氢系统。

表5-12 加氢站压力等级

| 加氢站压力等级 | 公称工作压力/MPa | 最大工作压力（1.25 倍工作压力）/MPa | 最大允许工作压力（1.375 倍工作压力）/MPa |
|---|---|---|---|
| H35 | 35 | 43.75 | 48.125 |
| H50 | 50 | 62.5 | 68.75 |
| H70 | 70 | 87.5 | 96.25 |

③ 加氢氢气温度等级

根据加氢站氢气温度范围确定预冷温度等级，见表 5-13。加氢站压力等级相同的加氢机宜使用相同的加氢氢气温度等级，加氢时间内氢气温度不应超过预冷温度等级规定的上限值。

表5-13 氢气输送温度等级

| 氢气输送温度等级 | 氢气温度范围 |
|---|---|
| T40 | －40～－20℃ |
| T20 | －20～0℃ |
| T0 | 0～20℃ |

④ 车载储氢气瓶容量类别与储氢气瓶类型

车载储氢气瓶压力等级、车载储氢气瓶容量类别及代号，储氢气瓶类型如表 5-14 所示。

表5-14 车载储氢气瓶容量类别与储氢气瓶类型

| 压力等级 | H35 | | | | | H70 | | | | |
|---|---|---|---|---|---|---|---|---|---|---|
| 车载储氢气瓶容量/kg | < 10 | 10 | 20 | 40 | > 40 | < 10 | 10 | 20 | 40 | > 40 |
| 车载储氢气瓶容量/L | < 420 | 420 | 840 | 1680 | > 1680 | < 248 | 248 | 498 | 945 | > 945 |
| 代号 | A | B | C | D | E | A | B | C | D | E |
| 储氢气瓶类型 | Ⅲ | Ⅲ | Ⅲ | Ⅲ | Ⅲ | Ⅲ | Ⅲ | Ⅲ | Ⅲ | Ⅲ |
| | Ⅳ | Ⅳ | Ⅳ | Ⅳ | Ⅳ | Ⅳ | Ⅳ | Ⅳ | Ⅳ | Ⅳ |

（3）加氢性能目标

加氢性能目标应满足车载储氢系统安全使用条件，并应保证车载储氢系统不超过最大允许工作温度和最大工作压力的条件下加氢率最大。加氢结束时，车载储氢气瓶氢气状态应符合下列要求。

① 车载储氢气瓶内氢气温度不超过 85℃；

② 满足 95%≤加氢率≤100%；

③ 车载储氢气瓶内压力不超过公称工作压力的 1.25 倍。

（4）加氢边界条件

1）基本要求

加氢边界条件应包括加氢压力等级、加氢氢气温度等级、加氢温度等级、车载储氢气瓶容量、储氢气瓶类型以及加氢初始压力、环境温度、最大加氢流量等参数范围，其中加氢初始压力、环境温度、加氢温度应符合《加氢机》（GB/T 31138—2022）规定的要求。

2）初始温度

启动加氢流程前，车载储氢气瓶内氢气及储氢气瓶壁面的温度不允许超过当前环境温度下车载储氢系统所对应的温度范围，见表 5-15。

表5-15 车载储氢气瓶初始温度范围

| 环境温度/℃ | 冷工况温度/℃ | 热工况温度/℃ | 工况条件 1 | 工况条件 2 |
|---|---|---|---|---|
| 50 | 25 | 50 | 燃料电池汽车加氢前停在有空调的场所 | 车辆加氢前因日照升温 |
| 40 | 25 | 40 | | |
| 35 | 25 | 40 | 氢气快速消耗导致车载储氢系统内氢气降温、车辆加氢前停在有空调的场所 | 车辆加氢前停在室内或日照升温 |
| 25 | 15 | 35 | | |
| 20 | 10 | 30 | | |
| 10 | 0 | 25 | | |
| 0 | −10 | 15 | | |
| −20 | −30 | 15 | | |
| −30 | −40 | 15 | | 车辆在加氢前停在有空调或暖气的场所 |
| −40 | −40 | 15 | 无 | |

3）管路压降

加氢机压力与车载储氢气瓶内氢气压力差值应为 3～25MPa。

4）加氢方式

加氢方式分为通信加氢和非通信加氢。通信加氢方式下，应能获取车载储氢系统容量、储氢气瓶类型、管路压降、车载储氢系统内氢气实时温度、车载储氢系统实时压力、最大允许加氢流量以及各储氢气瓶进气截止阀的开关状态等信息。

（5）加氢过程

国内加氢站加氢过程见图 5-21。

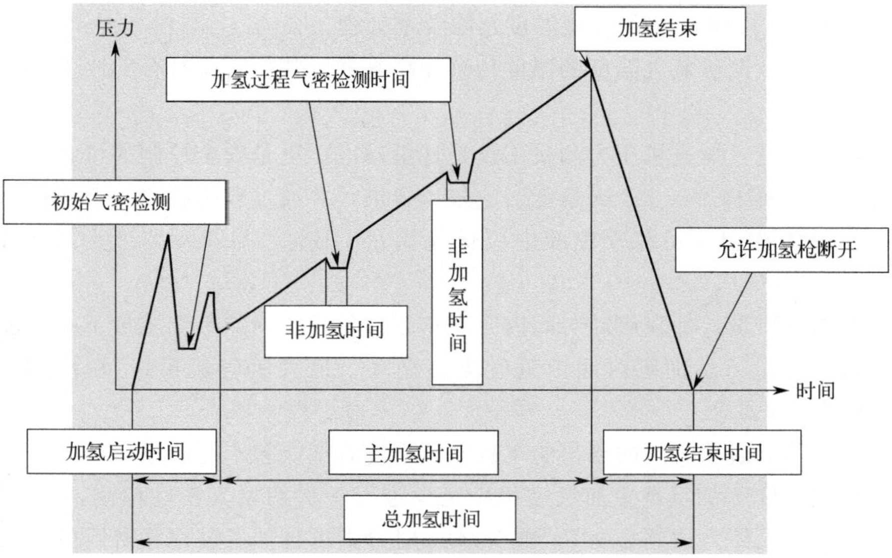


图 5-21 国内加氢站加氢过程示意图

1）无通信

无通信加氢过程包括加氢启动、加氢表选择、主加氢过程以及加氢过程检测等。加氢机压力应不大于目标压力，或根据加氢机与车载储氢系统的压差设置加氢机压力，以保证加氢结束时车载储氢系统压力不大于目标压力。

2）通信

通信加氢过程包括通信建立、加氢启动、加氢表选择、主加氢过程、加氢过程检测、加氢氢气温度等级降低以及通信断开等。加氢机启动加氢前，应确认与车载储氢系统建立了有效的通信，并满足下列条件。

① 车载储氢系统未发送终止信号；

② 通信传输的车载储氢系统容量和加氢机测量的车载储氢系统容量偏差不超过±15%；

③ 通信传输的车载储氢系统初始压力和加氢机测量的车载储氢系统初始压力偏差在测量和计算误差范围内。

加氢机无法获得车载储氢系统的数据信号或不符合规定的要求时，如果满足无通信加氢条件，应按无通信加氢程序继续加氢，并符合下列要求；否则，加氢机应 3s 内停止加氢。

① 无通信加氢程序设置的加氢速率等于切换前通信加氢程序设置的加氢速率；

② 无通信加氢程序设置的目标压力应根据切换无通信加氢程序时车载储氢系统的压力重新确定。

加氢机应采用通信获取的车载储氢系统内氢气实时温度、车载储氢系统实时压力以及加氢率作为加氢结束的判定依据，保证加氢结束时满足加氢性能目标要求。

(6) 加氢过程控制

1) 基本要求

环境温度：测量环境温度的温度传感器精度和安装位置应符合《加氢机》(GB/T 31138) 规定的要求。加氢过程中环境温度应不低于－40℃且不高于50℃，如果超过该范围，应按照GB/T 31138规定的环境温度超限要求处理。

氢气预冷温度：测量氢气温度的温度传感器精度和安装位置应符合GB/T 31138规定的要求。

加氢机压力测量：加氢机压力测量不仅是计量基准，更是安全控制的核心节点。需严格执行大于等于1Hz采样率、0.5级精度、流量计要求，并通过双传感器冗余和斜率监控构建多层防护。在设备选型、安装及校准中应优先满足GB/T 31138—2022与GB/T 34584—2022的要求。

启动时间加氢质量：加氢启动时间内充入车载储氢系统内的氢气质量不应超过300g。

加氢流量及计量：总加氢时间内氢气流量循环、最大氢气流量以及计量性能应符合GB/T 31138规定的要求。

体积测试：加氢启动时间内测得的车载储氢系统容量误差不应超过±15%。

气密性检测：H35加氢站主加氢过程应至少进行一次初始气密性检测，H70加氢站主加氢过程应在加氢机压力达到30MPa和60MPa时分别进行加氢过程气密性检测，并且应符合GB/T 31138规定的要求。

根据以下方法确定加氢参数：

① 根据加氢机流量调节装置的类型选择加氢过程控制方法，采用压力控制法或流量控制法；

② 根据加氢机压力等级和储氢容器类别选择相应的加氢表格；

③ 根据环境温度、车载储氢系统容量以及初始压力，依据选定的加氢表格采用线性插值法确定加氢速率（平均升压速率或流量）和目标压力。如果插值点位于加氢表格的“无加氢”区域，加氢机不应加氢。

2) 压力控制法

主加氢时间范围内，加氢机压力应按照目标平均压力上升速率升高，并满足下列要求。

除前15s外，在主加氢过程的有效加氢时间内，如果加氢机压力超过如下范围，应在3s内停止加氢。

加氢机压力上限：$P_{加氢机} \leqslant P_0 + 目标平均升压速率 \times t_{加氢} + \Delta P_{上限}$

加氢机压力下限：$P_{加氢机} \geqslant P_0 + (目标平均升压速率 \times t_{加氢} - \Delta P_{下限})$

式中 $P_0$——车载储氢系统初始压力，MPa；

$t_{加氢}$——主加氢时间，min，不包括非加氢时间；

$\Delta P_{上限}$——压力公差上限，$\Delta P_{上限} = 7.0$MPa；

$\Delta P_{下限}$——压力公差下限，$\Delta P_{下限}=2.5$MPa。

3）流量控制法

在主加氢过程的有效加氢时间内，加氢机平均加氢流量不应超过目标平均流量的±5%，并应符合下列要求：

① 加氢机最大加氢流量不应大于目标平均流量对应的最大流量，当加氢流量连续超过规定值 3s 以上，应在 3s 内停止加氢；

② 加氢机最小加氢流量不应小于目标平均流量对应的最小流量，当加氢流量连续低于规定值 3s 以上，应在 3s 内停止加氢；

③ 加氢机平均压力上升率应大于 0，否则应在 3s 内停止加氢。

4）加氢过程控制流程

① 加氢启动程序（图 5-22）

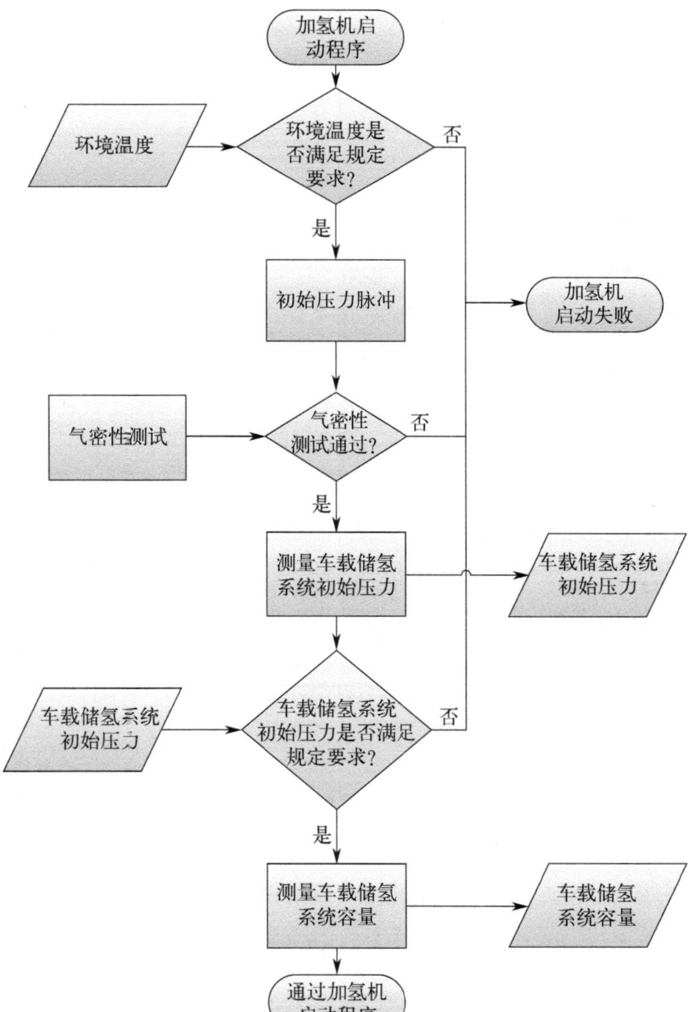


图 5-22　加氢启动程序

② 加注表选择程序（图 5-23）

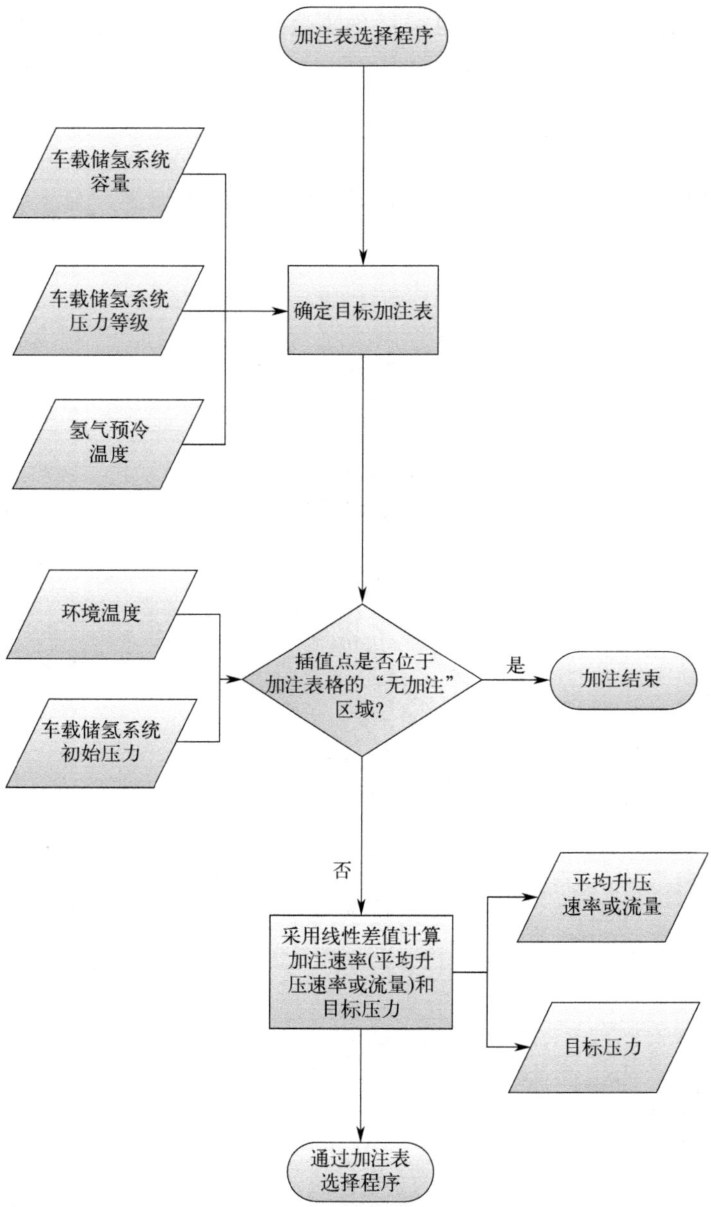


图 5-23 加氢表选择程序

③ 加氢程序（图 5-24）

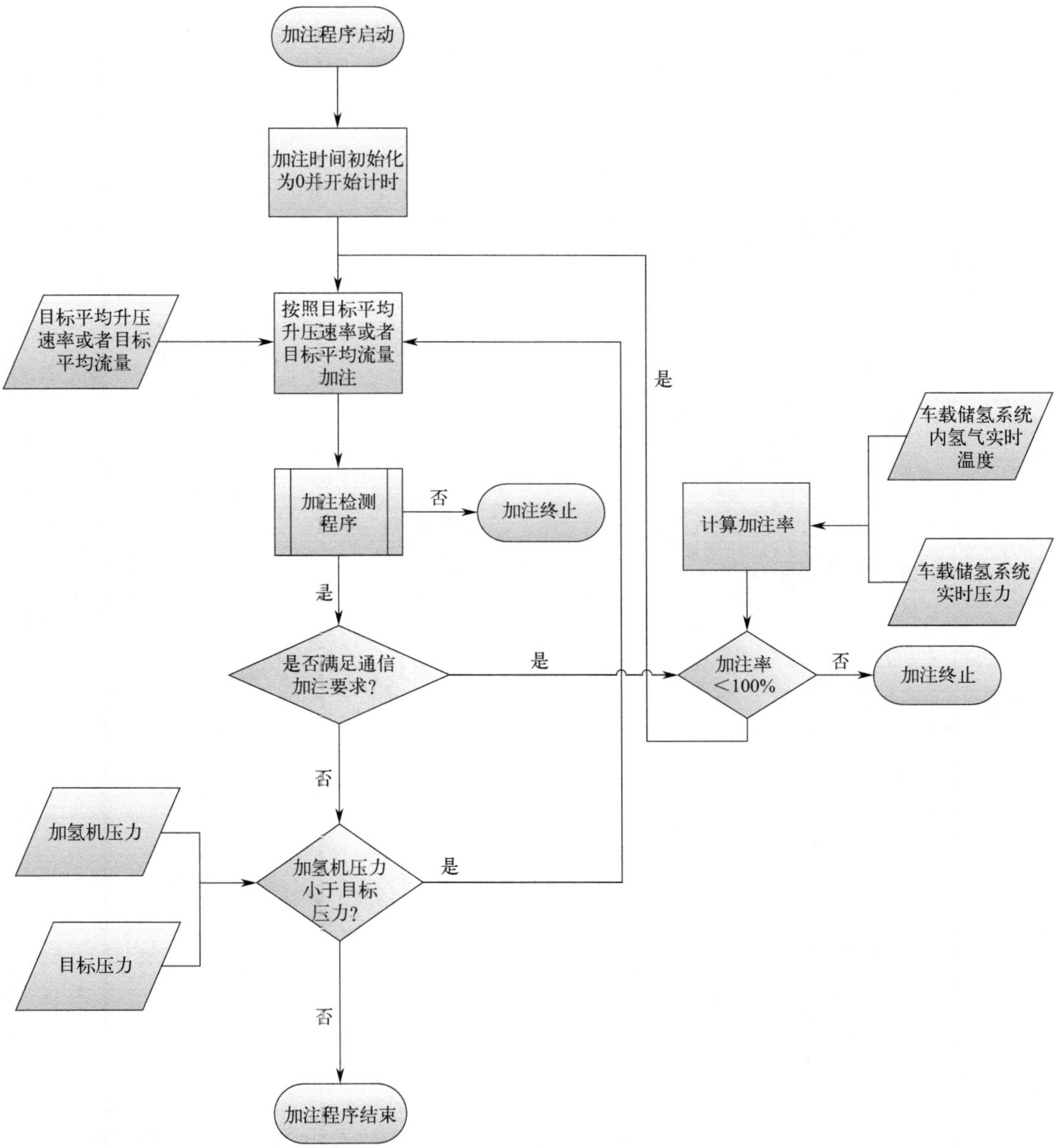


图 5-24　加氢程序

④ 加氢过程检测程序（图 5-25）

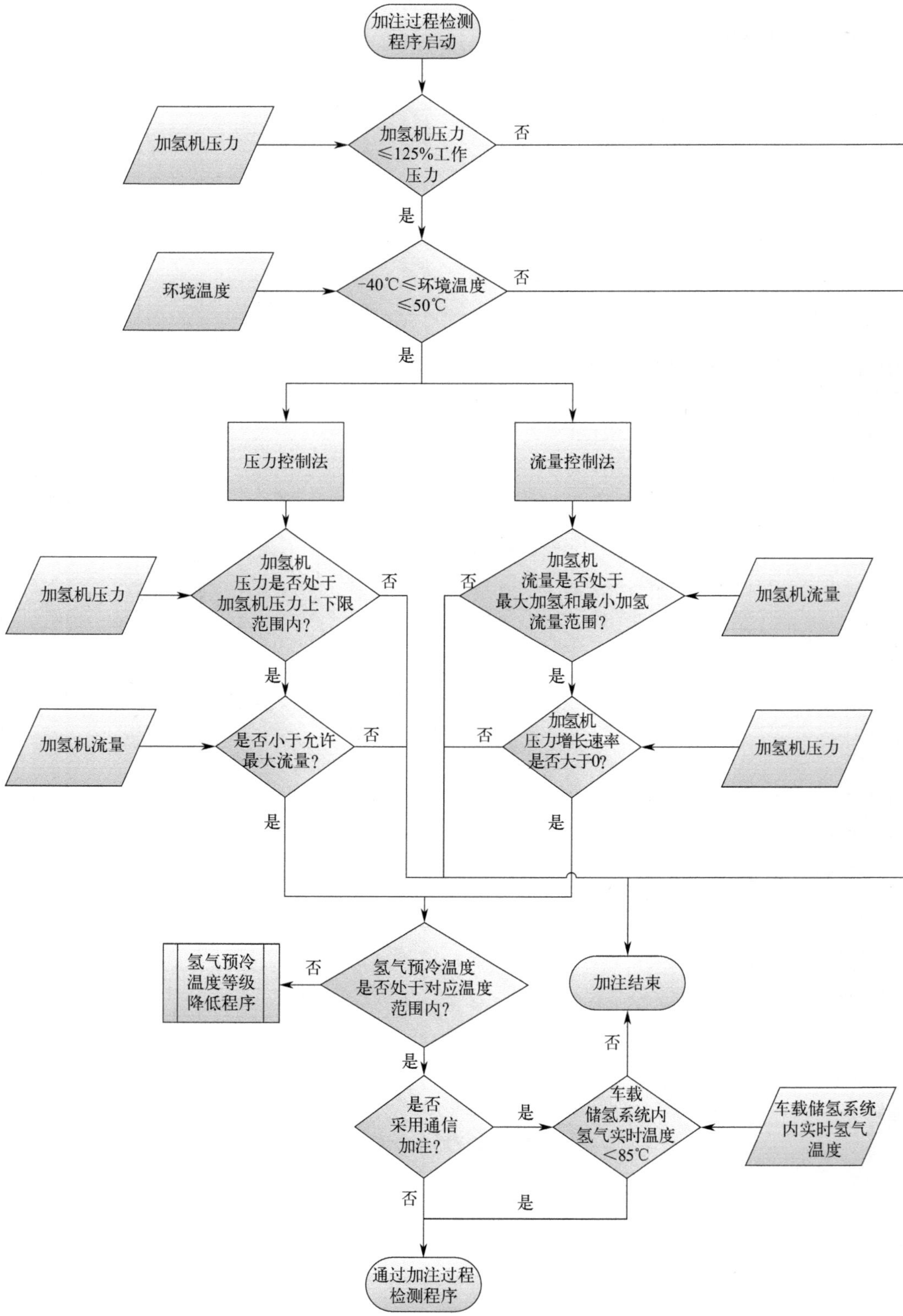


图 5-25 加氢过程检测程序

⑤ 氢气预冷温度等级降低加氢程序（图 5-26）

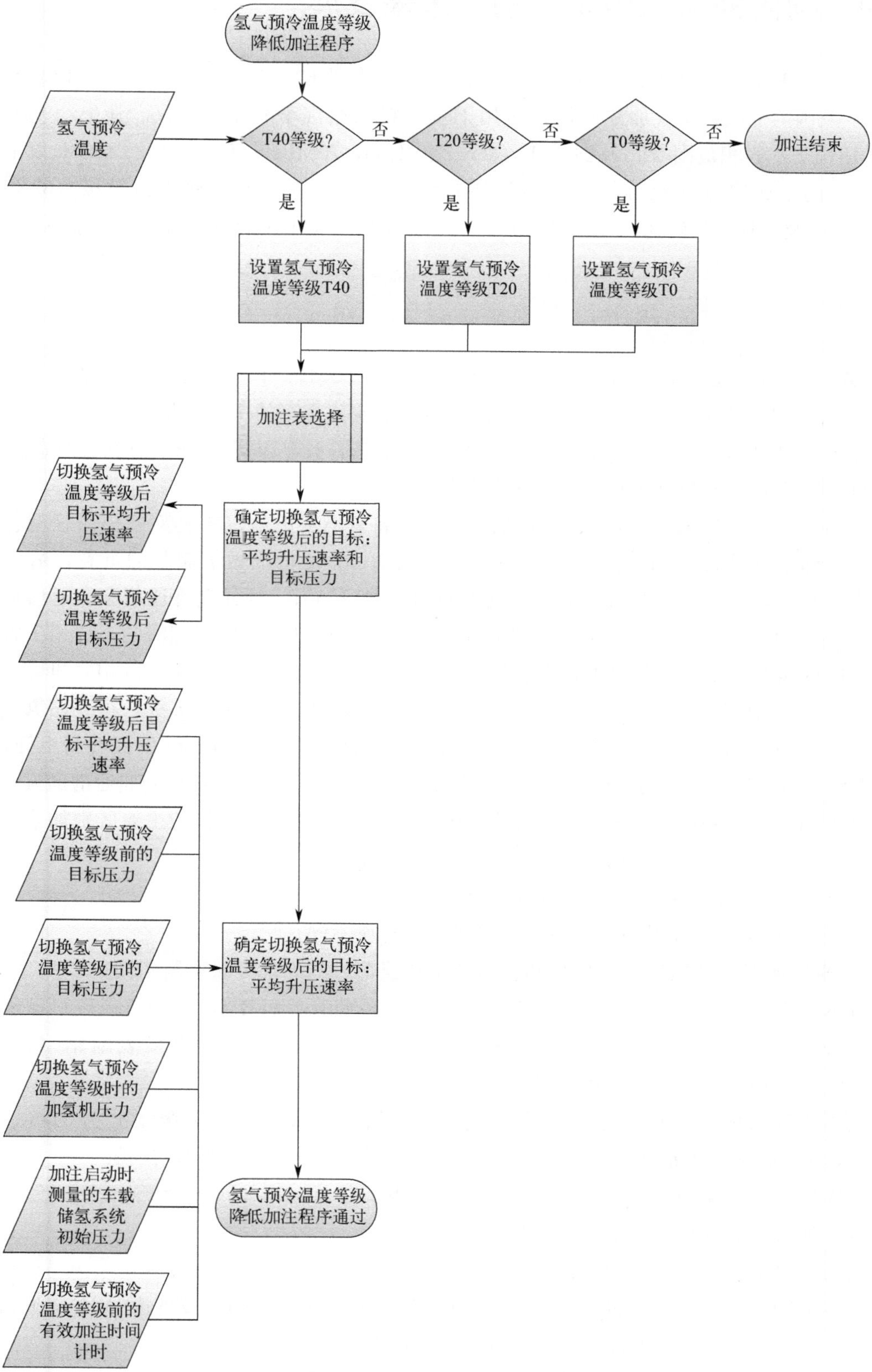


图 5-26 氢气预冷温度等级降低加氢程序

## 5.3 国内外加氢协议区别及未来发展

美国 SAE J2601、SAE J2601-2、SAE J2601-3、欧洲 EN 17127-2020、日本 JPEC-S 0003（2016）及国内加氢站氢气加注协议都是用于氢燃料电池汽车的加氢协议。其中，美国 SAE J2601 适用于水容积范围 49.7～248.6L（35MPa—H35，70MPa—H70）以及 248.6L 以上（仅限 H70）的车载储氢气瓶容量的轻型氢燃料汽车的，且适用于两种压力等级（35MPa 和 70MPa）以及三种氢气输送温度等级（T40、T30、T20），并且允许通信和非通信加氢。

T40：－40～－33℃；

T30：－33～－26℃；

T20：－26～－17.5℃。

SAE J2601-2 是 SAE J2601 的补充规范，补充了 35MPa 下车辆综合车载储氢气瓶容量大于 10kg 的重型氢燃料电池汽车，并支持氢燃料电池公交车的所有容量；

美国 SAE J2601-3 也是 SAE J2601 的补充，补充了水容积超过 18L 的所有车载储氢系统，可用于所有类型的氢燃料电池工业卡车。

欧洲 EN 17127—2020 参考了美国加氢协议，将氢燃料电池汽车类型划分为轻型、中型及重型，储氢容量为 2～10kg。对于储氢容量大于 10kg 的情况做了简单的折算，适用以上三种类型车辆，压力等级及氢气输送温度等级同 SAE J2601，同样允许通信和非通信加氢。

日本 JPEC-S 0003（2016）加氢协议也是基于美国 SAE J2601 协议编写的，适用于容量为 2kg 以上 10kg 以下的氢燃料电池汽车，同样适用于加氢站两种压力等级（35MPa 和 70MPa）、三种氢气输送温度等级（－40℃、－30℃、－20℃）。加氢压力为 70MPa 级，车载储氢气瓶容量为 2～10kg；加氢压力为 35MPa 级，车载储氢气瓶容量为 2.4～6.0kg 的氢燃料电池汽车。压力等级及氢气输送温度与美国 SAE J2601 加氢协议一样，同样允许通信和非通信加氢。

日本 JPEC-S 0003（2016）加氢协议与美国 SAE J2601 加氢协议的主要区别如下。

① 针对氢气压力以及外部温度的测量有更多的测量；

② 氢气压力以及供应氢气温度的测量位置有所不同；

③ 车载储氢气瓶容器的容量测量及选择要求有所不同；

④ 通信加氢中的加氢中断信号和重新开始加氢信号的处理方法有所不同。

日本 JPEC-S 0003（2016）加氢站加氢协议表无通信（70MPa，－40℃预冷）加氢压力上限值没有超过 70MPa。日本 JPEC-S 0003（2016）加氢站加氢协议表通信（70MPa，－40℃预冷）加氢压力上限值都超过 70MPa。

国内加氢站加氢协议适用于所有氢能车辆。加氢协议将压力等级划分为 H35、H50、H70。将氢气输送温度等级划分为 T40、T20、T0。同样允许通信和非通信加氢。

国内比国外加氢协议多出一个加氢站压力等级，即 50MPa。

国外加氢站加氢协议将来也有计划。

加氢协议未来发展方向如下。

① SAE J2601，美国计划 2030 年氢气加氢流量升至 8kg/min，最终达到 10kg/min。

② JPEC-S-0003，日本计划加氢量升至 30kg 级别。

③ 美国，欧洲未来加氢站加氢协议也要增加 50MPa 压力等级。

# 第6章 加氢站安全

## 6.1 加氢站事故种类

氢气相对于空气具有非常低的密度（20℃，1atm 条件下为 0.0838kg/$m^3$），相对于天然气，氢气具有较大的扩散速率、较宽的燃烧极限范围（4%～75%）、极低的最小点火能（仅为 0.018mJ）和极高的燃烧速率。氢气火焰颜色很淡，很难被察觉。目前氢气在使用中的主要存储方式是高压气态存储，由于氢气能够对多种金属产生氢脆，同时因高压高速氢气冲击、冲蚀阀门，密封件损伤等均会发生氢气泄漏，泄漏后的氢气在受限空间内扩散与空气混合，形成极具爆炸性的氢-空气混合物。实际生产生活过程中点火源种类繁多（碰撞、明火、高温表面、静电、摩擦火花等），调查研究发现氢气发生泄漏后在无明显点火源的条件下也能够发生自点火现象，极易造成氢火灾或爆炸事故。

加氢站内可能发生的氢气事故主要包括氢气泄漏、氢气爆炸和氢气喷射火等。氢气泄漏通常是因为管道、阀门等元件损坏造成，泄漏的氢气会在空气中形成大片的氢气云团；倘若泄漏形成的氢气云团遇到明火，便会形成强烈的氢气爆炸；而当氢气从泄漏口流出时直接被点燃或发生激波自点火，则会形成氢气喷射火。

### 6.1.1 氢泄漏

#### 6.1.1.1 氢气状态方程

在常温常压下，氢气可被视为理想气体，这是由于常温常压下气体分子间距较大，气体分子的体积和分子间作用力可以忽略不计[69]。然而，在低温或高压下，分子间距减小，气体分子的体积和分子间作用力无法忽略。此时，气体行为严重偏离理想气体的行为，理想气体状态方程不再适用。根据分子间作用力的性质，实际气体可分为极性气体、非极性气体和量子气体。当温度接近临界温度时，氢气可以被视为量子气体，但当温度远离临界温度时，氢气变成非极性气体[70]。

为描述实际气体的行为，热力学中通常采用压缩因子。气体压缩因子可表示为

$$Z=\frac{p}{\rho R_g T} \tag{6-1}$$

式中，$p$，$T$，$\rho$ 分别为压力、温度和密度；$R_g=R/M$ 是氢气的气体常数，$R$ 和 $M$ 分别为通用气体常数和氢气的分子量。图 6-1 显示了不同温度和压力下氢气的压缩因子，数据

来源于美国国家标准与技术研究院数据库[71]。从图 6-1 中可以看出，当温度 $T=35\mathrm{K}$ 时，在 0～100MPa 的压力范围内，压缩系数 $Z$ 的下限和上限分别为 0.3 和 6.7，严重偏离理想气体的压缩因子 1。随着温度的升高，曲线逐渐趋平，压缩因子 $Z$ 的值逐渐接近于 1。

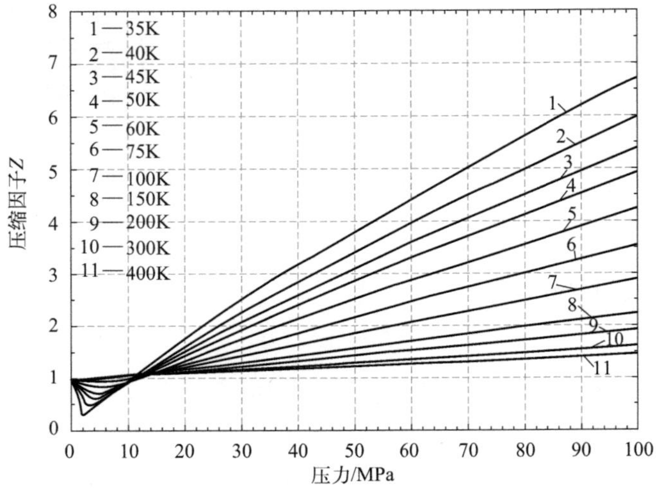


图 6-1 不同温度条件下氢气的压缩因子与压力之间的关系

前人提出了大量的半经验公式来描述非理想气体的行为，如范德瓦尔斯方程（1873 年）、Betti-Bridgman 方程（1928 年）、Benedict-Webb-Rubin 方程（1940 年）、Redlich-Kwong 方程（1949 年）、Peng-Robinson 方程（1976 年）[72] 等。然而，大部分方程是针对碳氢化合物或制冷剂建立的，并不完全适用于氢气。

针对常温条件下的高压氢气，Schefer 等[73] 提出采用 Abel-Nobel 方程来描述氢气的行为，并取得了良好的效果。Abel-Nobel 方程可描述为

$$p=\frac{\rho R_{\mathrm{g}}T}{1-b\rho}=Z\rho R_{\mathrm{g}}T \tag{6-2}$$

式中，压缩因子 $Z=1/(1-b\rho)$，$b$ 为常数，等于 $7.691\times10^{-3}\mathrm{m}^3/\mathrm{kg}$。

图 6-2 给出了 Abel-Nobel 方程计算出的氢气压缩因子与美国国家标准与技术研究院数据库（NIST）提供的数据对比情况。从图中可以看出，当氢气温度在 200K 以上时，Abel-Nobel 方程计算出的压缩因子在 0～80MPa 的范围内均与 NIST 数据高度吻合。当温度降至 200K 以下时，则会出现较大偏差。由此可见，Abel-Nobel 方程在常温条件下能非常准确地预测高压氢气的行为。

而针对低温氢气的行为，采用 Redlich-Kwong-Soave（RKS）[74] 方程能获得更好的结果。方程如下

$$p=\frac{RT}{V_{\mathrm{m}}-b}-\frac{\alpha}{V_{\mathrm{m}}(V_{\mathrm{m}}+b)} \tag{6-3}$$

式中，$V_{\mathrm{m}}=VM$；$a$，$b$ 两个量可以通过实验进行测定，也可以通过临界点等温条件来进行推导。当氢气温度处于临界温度时，则

$$\left(\frac{\partial p}{\partial V}\right)_{T_{\mathrm{c}}}=0,\left(\frac{\partial^2 p}{\partial V^2}\right)_{T_{\mathrm{c}}}=0 \tag{6-4}$$

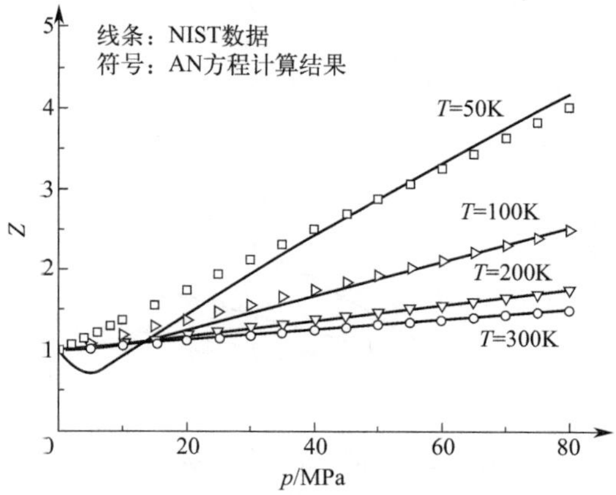


图 6-2　Abel-Nobel 方程计算出的氢气压缩因子与 NIST 数据比较

由此可得

$$a = a_{T_c} = \Omega_a \frac{R^2 T_c^{\ 2}}{p_c} \tag{6-5}$$

$$b = b_{T_c} = \Omega_b \frac{R T_c}{p_c} \tag{6-6}$$

式中，$\Omega_a = 0.42748$，$\Omega_b = 0.08664$ 为常数；$p_c = 1.2964\text{MPa}$，$T_c = 33.1450\text{K}$，分别为氢气的临界压力和临界温度。然而，当温度偏离临界温度时，需对 $a$ 进行修正，将其乘一个系数 $\alpha$，$\alpha$ 值的描述如下

$$a = a_{T_c} \cdot \alpha(T_r, \omega) \tag{6-7}$$

其中

$$\alpha(T_r, \omega)^{0.5} = 1 + m(1 - T_r^{0.5}) \tag{6-8}$$

$$m = 0.480 + 1.574\omega - 0.176\omega^2 \tag{6-9}$$

式中，$\omega$ 为气体偏心因子，对应于相对温度 $T_r = T/T_c = 0.7$ 时的饱和蒸汽压。上式可知，当气体温度等于临界温度时，$\alpha(T_r,\ \omega) = 1$。

图 6-3 给出了 RKS 方程计算出的氢气压缩因子与美国国家标准与技术研究院数据库 NIST 提供的数据对比情况。从图中可以看出，即使在氢气温度低至 50K 的情况下，RKS 方程计算出的压缩因子在 0～90MPa 的范围内仍能与 NIST 数据较好地吻合。

#### 6.1.1.2　泄漏流量

高压氢气从储罐向环境中泄漏的过程可认为是等熵过程。将等熵流动方程与 Abel-Nobel 方程结合，即可得到泄漏口处氢气的密度 $\rho_j$，如下式

$$\left(\frac{\rho_0}{1-b\rho_0}\right)^{\gamma} = \left(\frac{\rho_j}{1-b\rho_j}\right)^{\gamma} \left[1 + \frac{\gamma-1}{2(1-b\rho_j)^2} Ma_j^2\right]^{\gamma/(\gamma-1)} \tag{6-10}$$

式中，$Ma_j$ 为泄漏口处的马赫数；$\gamma$ 为比热容比；下标 0 和 j 分别表示储氢罐内和泄漏口处。

根据获得的密度 $\rho_j$，可依次计算出泄漏口处的温度 $T_j$、压力 $p_j$、速度 $u_j$、流量 $Q$，计算过程如下

$$\frac{T_0}{T_j} = 1 + \frac{\gamma-1}{2(1-b\rho_j)^2} Ma_j^2 \tag{6-11}$$

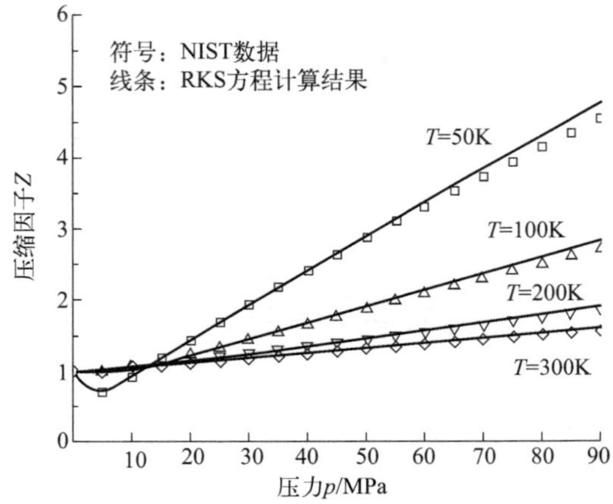


图 6-3　RKS 方程计算出的氢气压缩因子与 NIST 数据比较

$$p_j=\frac{\rho_j R_g T_j}{1-b\rho_j} \tag{6-12}$$

$$u_j=a_j=\frac{\sqrt{\gamma R_g T_j}}{1-b\rho_j} \tag{6-13}$$

$$Q=\frac{\pi}{4}d_j^2\rho_j u_j \tag{6-14}$$

通常加氢站中储罐的泄漏过程并不是定常释放，而是动态泄压过程。随着氢气流出储罐，罐内压力逐渐减小，泄放的流量也随之减小。因此，要获得氢气泄放的动态流量，需要在一段极小的时间内运用式(6-10)～式(6-14)，再根据流出的氢气质量计算出储罐中剩余的氢气量，然后计算下一个时刻泄漏口处的流量，如此反复迭代即可。

图 6-4 展示了美国桑迪亚国家实验室开展的氢气泄放实验结果以及理论计算结果的对比情况。实验中初始氢气压力为 413bar（6000psi），储氢容器为圆柱形，内径 15.2cm，高度 29.2cm。氢气泄压过程持续约 500s。图中△和○表示实验测量的数据，黑色点划线为等熵流动方程与 Abel-Nobel 方程耦合计算出的结果，两者在泄放时间的计算上基本一致，但压力降低过程有所差别，这主要是由于等熵过程忽略了储氢容器与外界之间的换热。当壁面条件改为恒温条件时，如图中分别取壁面温度为 289K 和 267K，泄压计算的结果有显著改善。

#### 6.1.1.3　氢气泄漏浓度/速度衰减

弗劳德（Froude）数常用来描述射流过程中惯性力与浮力的比例关系。当 $Fr>1000$ 时，为初始动量主导的射流；$Fr<10$ 时，为浮力主导的射流；$10<Fr<1000$ 时，初始动量与浮力都将对射流产生较大影响。

Schefer 等利用平面激光瑞利散射技术（PLRS）进行可视化浓度测量实验系统。实验采用较高的 Froude 数，即泄漏气流的流动都是由初始动量主导。利用密度比的平方根与喷嘴直径对轴向距离进行无量纲化后，氢气沿射流中心线的摩尔分数衰减规律与甲烷完全一致，说明了射流气体轴向浓度衰减具有自模性。浓度参数的分布与气体种类和出口速度无关。

对于 Froude 数较小的氢气射流，Schefer 等研究了浮力对射流浓度分布的影响。利用

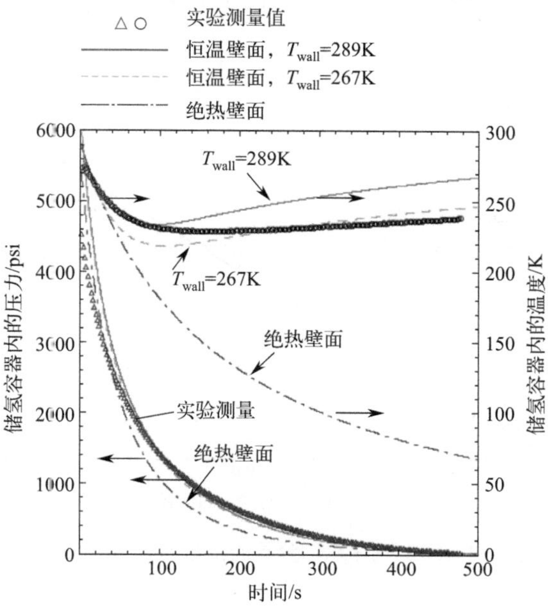


图 6-4　美国桑迪亚国家实验室开展的氢气泄放实验结果与理论计算结果对比（另见文后彩图）

PLRS 系统对氢气射流浓度场进行了测量，并采用粒子图像测速法（PIV）进行了射流速度场的测量。实验结果表明，距离泄漏口较近的区域内，速度等气流参数的衰减符合双曲线规律，即气流参数与无量纲的轴向距离成反比；在距离出口较远的区域，气流参数偏离了初动量主导区内气流参数拟合得到的直线，这说明浮力作用变得显著。

对于动量主导的氢气射流[75-78]，轴向氢气浓度 $C(x)$ 可表示为：

$$C(x)=C_0 A \frac{d_j}{x+x_0}\left(\frac{\rho_{H_2}}{\rho_\infty}\right)^{1/2} \tag{6-15}$$

轴向流动速度 $u(x)$ 可以表示为射流泄漏口起始距离 $x$ 的函数：

$$u(x)=u_0 B \frac{d_j}{x+x_0}\left(\frac{\rho_{H_2}}{\rho_\infty}\right)^{1/2} \tag{6-16}$$

式中，$A$ 和 $B$ 分别为经验常数；$C_0$ 和 $u_0$ 为初始氢气浓度和速度；$d_j$ 为喷嘴直径；$x_0$ 为虚拟极点距离；$\rho_\infty$ 和 $\rho_{H_2}$ 为环境空气和储罐中氢气的密度。

图 6-5 和图 6-6 展示了射流中心线上的浓度和速度的衰减。实验数据来自 Birch 等开展的实验。从图中可以看出，理论公式计算出的结果与实验数据高度吻合。然而，必须指出的是，公式(6-15)、公式(6-16) 仅能计算预测射流轴线方向上浓度和速度值，不能预测射流口四周的浓度和速度，另外，当射流受到障碍物阻隔或存在环境风时，也不能有效发挥作用，此时必须进行全局流场分析以获得更加完整的数据。

### 6.1.1.4　氢气扩散

由于氢气密度远小于空气密度，浮力对氢气扩散的影响不可忽略。为评估氢气泄漏过程中动量与浮力所起的作用，可以采用弗劳德数[79]来进行分析，如下：

$$Fr=\frac{U_j}{\sqrt{g d_j(\rho_\infty-\rho_j)/\rho_j}} \tag{6-17}$$

式中，$U_j$ 为泄漏口氢气流速；$g$ 为重力加速度；$d_j$ 为泄漏口直径；$\rho_\infty$ 为空气密度；$\rho_j$ 为泄漏口氢气密度。

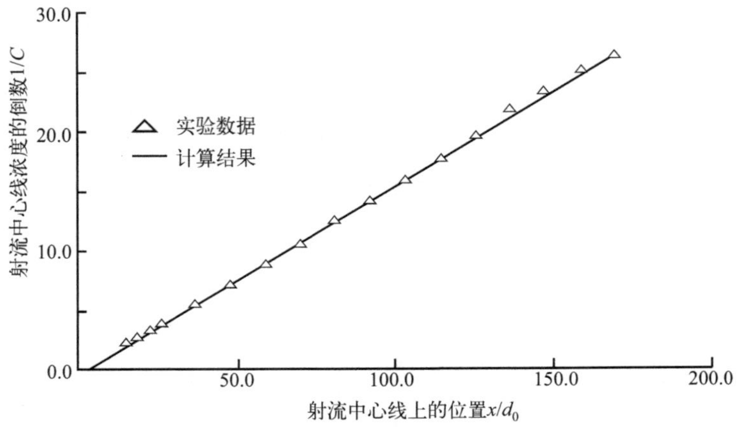


图 6-5 射流中心线上气体摩尔分数的倒数与无量纲位置之间的关系

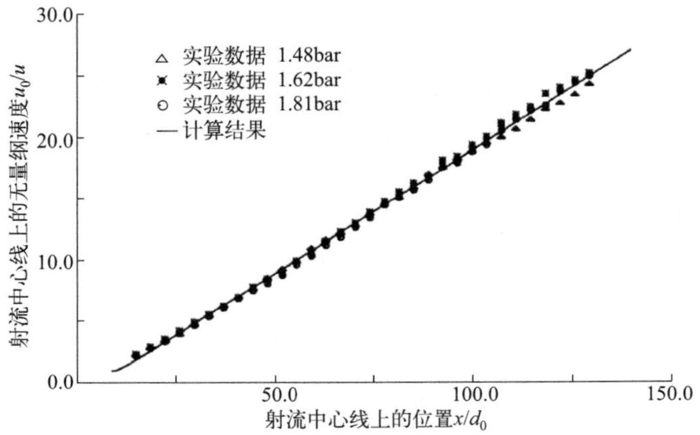


图 6-6 射流中心线上无量纲速度与无量纲位置之间的关系

根据弗劳德数，可将氢气泄漏扩散分为：浮力主导阶段（$Fr<10$）、过渡阶段（$10<Fr<1000$）和动量主导阶段（$Fr>1000$）三种类型。由于加氢站内储氢压力较高，一旦发生泄漏，泄漏过程一般由动量主导。

对于动量主导的高压氢气扩散，当氢气扩散方向上存在障碍物时，障碍物的特征对扩散路径有着重要影响。氢气射流在被阻挡之前，氢气云的分布呈喇叭形，形状可预测，一旦射流被阻挡，氢气云的分布是不规则的。如图 6-7 所示，通过数值模拟可知，氢气射流撞击墙壁后，氢气云主要聚集在墙壁底部和地面；而当氢气射流撞击邻近的储罐后，氢气云展开的轮廓更大。针对氢气云轮廓的定量分析表明，泄漏孔与障碍物之间的空间越窄，与障碍物的接触面积越小，氢气云的轮廓就越大[80]。

另外，环境风对氢气的扩散也存在较大的影响。如图 6-8 所示，由于风的存在，地面附近氢气的自然对流扩散被削弱，空气和氢气之间的混合大为加强。如图所示，随着环境风速增加，大量氢气被空气吹走，氢气浓度大幅减小，氢气云的轮廓也随之减小。

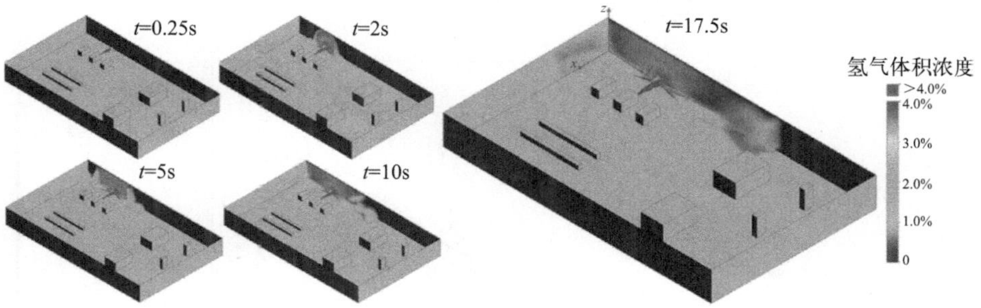


(a) 氢气射流撞击墙壁

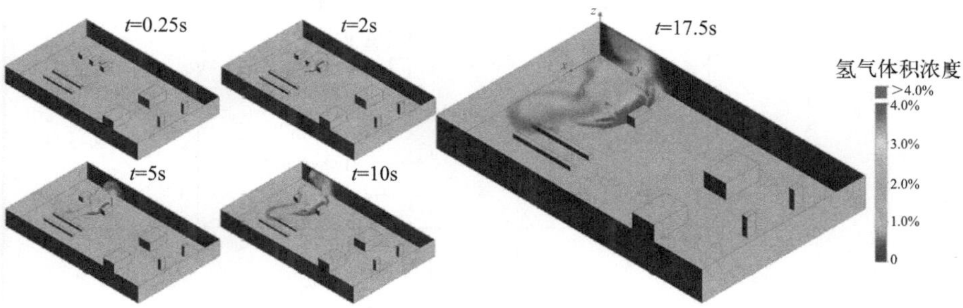


(b) 氢气射流撞击邻近储罐

图 6-7　不同障碍物作用条件下的氢气扩散过程（另见文后彩图）

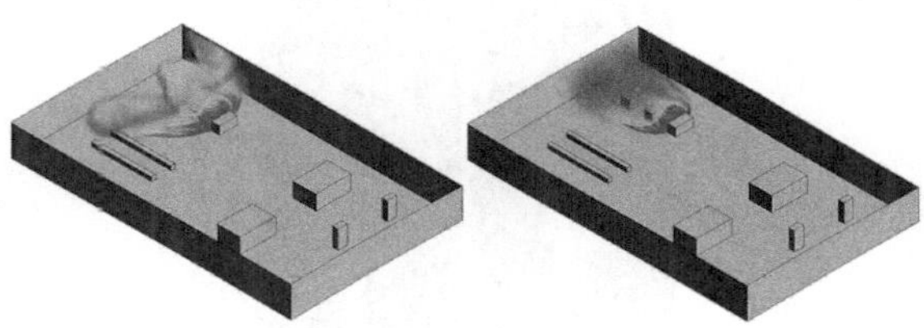

(a) $u_w$=2m/s　　(b) $u_w$=5m/s

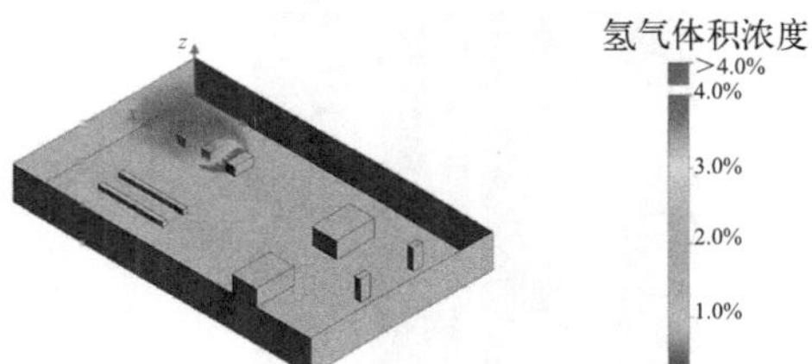


(c) $u_w$=10m/s

图 6-8　不同风速的环境风作用条件下的氢气扩散（另见文后彩图）

## 6.1.2　氢火灾

氢火灾一般表现为欠膨胀喷射火。由于氢气的储存压力较高（35MPa 或 70MPa），氢气通过孔或缝隙泄漏时，泄口处的压力仍远高于大气压，此时氢气处于阻塞状态，泄口处氢气的流速等于当地音速。因此，氢气从泄口流出后，仍会膨胀加速。欠膨胀氢喷射火由于流速高，火焰动量大，因此火焰长度通常也较大。如图 6-9 所示，无量纲火焰长度 $L_f/d$（$L_f$ 表示可视火焰长度，$d$ 表示氢气射流口直径）与氢气的压力成正比。当氢气压力为 40MPa 时，无量纲火焰长度 $L_f/d$ 可达 3000 左右。由于火焰温度很高，火焰颜色整体呈亮黄色，距离泄口较近的区域，由于氢气燃烧不完全，呈现淡蓝色，如图 6-10 所示。

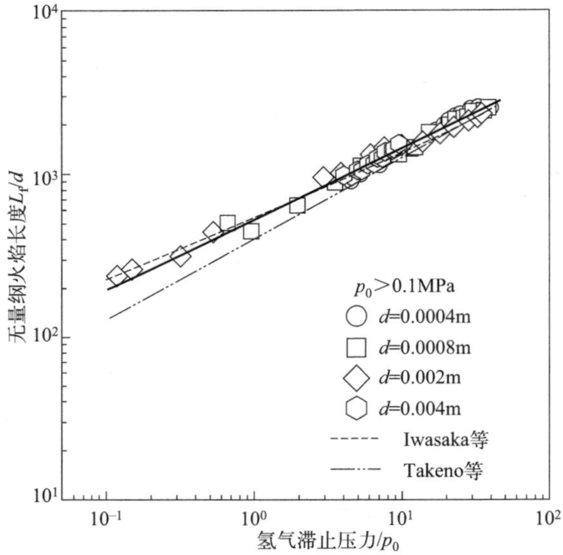


图 6-9 无量纲火焰长度与压力之间的关系

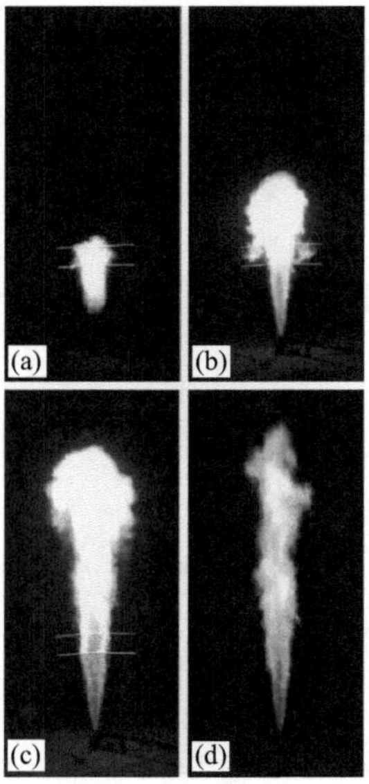


图 6-10 欠膨胀氢喷射火的形态和颜色（另见文后彩图）

#### 6.1.2.1 氢气火焰温度

图 6-11 展示了氢气射流中心线上的火焰温度与无量纲位置 $x/L_f$ 的关系，其中，$x$ 表示火焰轴线距离喷嘴的位置；$L_f$ 表示火焰长度[81]。从图中可以看出，氢气火焰温度以射流口为初始点快速上升，之后缓慢下降。火焰最高温度出现在 $0.5L_f$～$0.7L_f$，温度高达 2200K。因此，一旦被氢气火焰直接灼烧，可能会造成人员或设备严重的损伤。图中 3 条水平线为国际防火规范[82] 中的 3 个伤害标准：70℃为“无害”极限温度；115℃为人体忍受的疼痛极限，暴露时间不超过 5min；309℃为“死亡”极限，持续 20s 会造成三度烧伤。根据轴向温度曲线

和伤害标准，可知氢气喷射火焰的安全距离：$x>3.5L_f$ 时处于“无害”区域（70℃），$x>3L_f$ 表示处于疼痛极限以外（115℃，5min），$x>2L_f$ 表示三度烧伤范围以外（309℃，20s）。

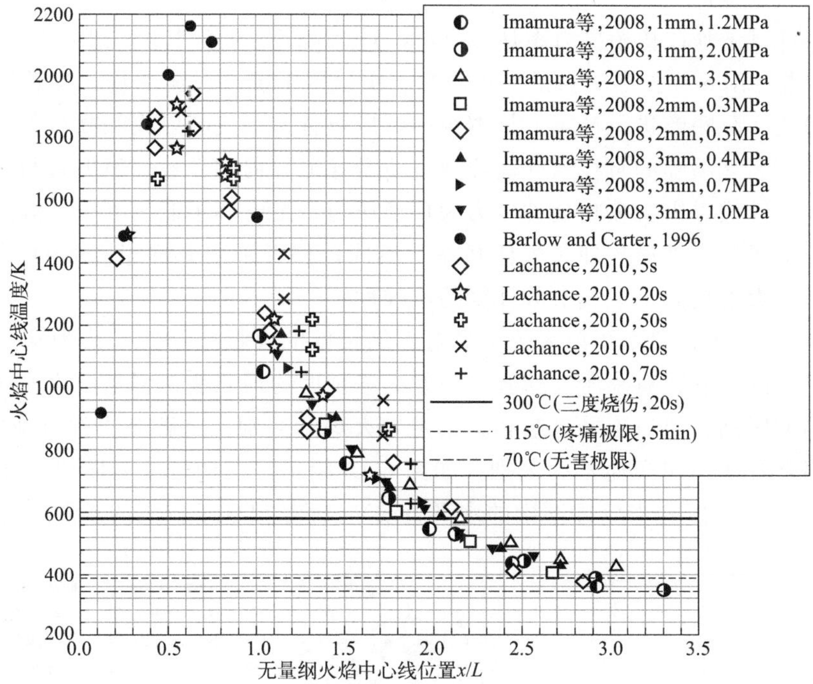


图 6-11　氢气火焰轴向温度与无量纲距离的关系

### 6.1.2.2　氢气火焰长度

1993 年，Delichatsios[83] 提出采用无量纲火焰弗劳德数 $Fr_f$ 对火焰长度进行分析。无量纲火焰弗劳德数 $Fr$ 表征流体的浮力与动量之比，其定义为

$$Fr_f=\frac{U_j f_s^{3/2}}{(\rho_j/\rho_\infty)^{1/4}[(\Delta T_f/T_\infty)\cdot g d_j]^{1/2}} \tag{6-18}$$

式中，$u_j$ 是射流出口速度；$f_s$ 是化学计量条件下燃料的质量分数；$\rho_j/\rho_\infty$ 是喷嘴处气体密度与环境中气体密度之比；$d_j$ 是喷嘴直径；$\Delta T_f$ 是由于燃烧放热导致火焰温度相比环境温度升高的差值。当 $Fr_f$ 值较小时，对应于浮力为主导的火焰；而较大的 $Fr_f$ 值对应于动量为主导的火焰。此外，还可以定义无量纲火焰长度 $L^*$

$$L^*=\frac{L_f f_s}{d^*}=\frac{L_f f_s}{d_j\cdot(\rho_j/\rho_\infty)^{1/2}} \tag{6-19}$$

式中，$L_f$ 是可视火焰长度；$d^*$ 是射流动量直径，$d^*=d_j(\rho_e/\rho_\infty)^{1/2}$。

无量纲火焰长度 $L^*$ 与火焰弗劳德数 $Fr_f$ 之间的关系如下

$$L^*=\begin{cases}\dfrac{13.5Fr_f^{2/5}}{(1+0.07Fr_f^2)^{1/5}} & Fr_f<5\\ 23 & Fr_f>5\end{cases} \tag{6-20}$$

当 $Fr_f<5$ 时，火焰为浮力主导；当 $Fr_f>5$ 时，火焰为动量主导。使用无量纲弗劳德数

$Fr_f$ 建立的拟合关系式在很大的流速范围内均能准确预测火焰的长度。但对于高压欠膨胀喷射火焰，由于喷嘴处的压力高于大气压，气体离开喷嘴后会继续膨胀加速，导致火焰长度与拟合公式出现较大偏离。

2007 年 Schefer 等在初始压力高达 6000psi（413bar）的条件下，进行氢气泄放射流燃烧实验。作者将 Birch 等提出的当量直径概念首次运用于氢气射流燃烧火焰长度的分析，采用名义喷嘴替代实际喷嘴进行计算，试图统一低压亚音速氢气喷射火和高压欠膨胀喷射火焰长度的表达式。名义喷嘴的直径尺寸需要通过质量守恒方程和动量守恒方程与实际喷嘴尺寸进行关联计算，并假设名义喷嘴处的压力为环境压力，温度等于储氢罐中的温度。另外，考虑到高压条件下氢气的性质与理想气体状态下不同，作者采用非理想气体的 Abel-Nobel 气体状态方程，极大地提高了氢气参数计算的准确性。

然而，Molkov 等在研究了前人关于喷射火焰长度的大量数据后，认为基于单一的无量纲弗劳德数 $Fr_f$ 的关联式对高压欠膨胀氢喷射火焰长度的预测能力不足，应充分考虑层流火焰和湍流火焰的区别、浮力主导火焰和动量主导火焰的区别、过膨胀火焰（亚音速和音速）和欠膨胀火焰（音速和超音速）的区别。如图 6-12 所示，在动量主导阶段，无量纲火焰长度 $L^*$ 并不能维持在 23 左右（即图中的水平直线），而是出现了较大的发散。

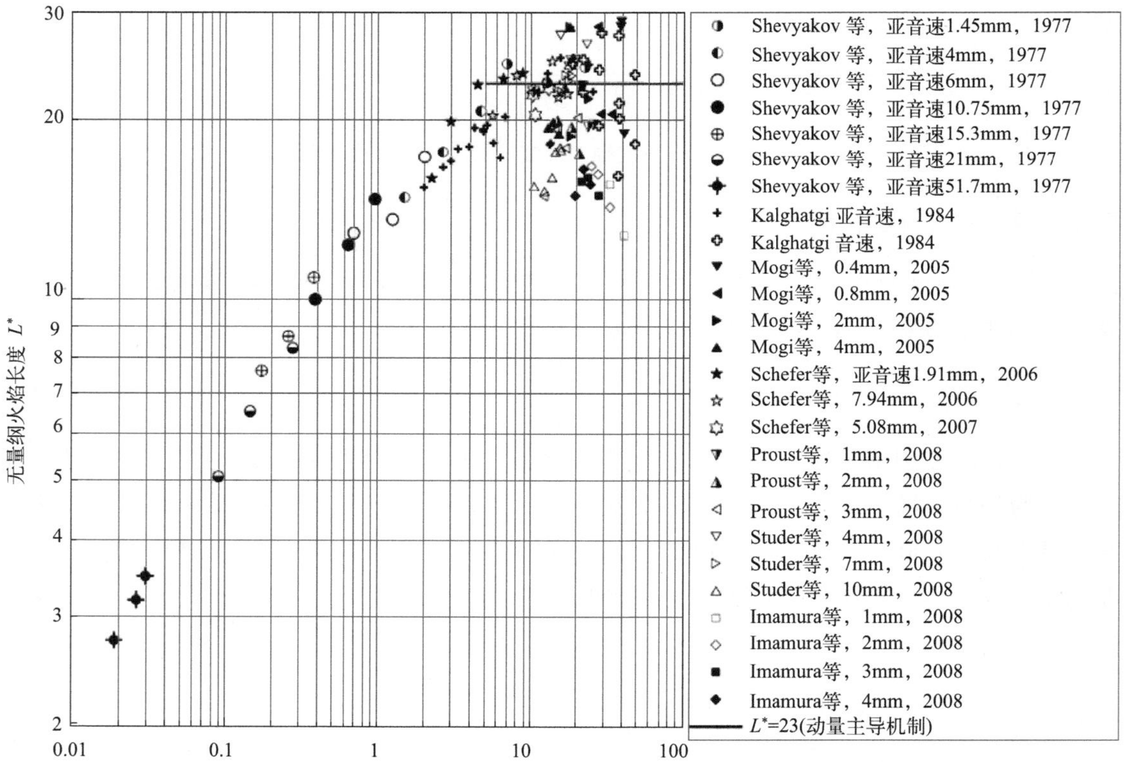


图 6-12 基于无量纲火焰弗劳德数的 Schefer 模型的局限性

因此，Molkov 等提出采用无量纲雷诺数 $Re$ 和弗劳德数 $Fr$ 共同建立喷射火焰长度公式，如式(6-21) 所示

$$\frac{\rho_N}{\rho_S}\times\left(\frac{U_N}{C_N}\right)^3=\frac{g\mu_N}{\rho_S C_N^3}\times\frac{\rho_N U_N d_j}{\mu_N}\times\frac{U_N^2}{g d_j}=\frac{g\mu_N}{\rho_S C_N^3}\times Re\times Fr \tag{6-21}$$

式中，$\rho_N$ 和 $\rho_S$ 分别为喷嘴处气体密度和大气密度；$U_N$ 和 $C_N$ 分别为喷嘴处速度和当地音速；$d_j$ 为喷嘴直径；$\mu_N$ 为喷嘴处气体的动力黏度，可以采用 Sutherland 公式计算

$$\mu_N=\mu_{293}\times\frac{293+K_{suth}}{T_N+T_{suth}}\times\frac{T_N^{3/2}}{293} \tag{6-22}$$

对氢气而言，$\mu_{293}=8.76\times10^{-6}$ Pa·s。通过对前人开展的大量氢气喷射火焰长度数据进行整理，提出采用新的无量纲数 $(\rho_N/\rho_S)(U_N/C_N)^3$ 将可视火焰长度与喷嘴直径之比 $L_f/d_j$ 分为三段多项式。

$$\frac{L_f}{d_j}=\begin{cases}1403\times[(\rho_j/\rho_\infty)(U_j/C_j)^3]^{0.196} & [(\rho_j/\rho_\infty)(U_j/C_j)^3<0.0001]\\ 230 & [0.0001<(\rho_j/\rho_\infty)(U_j/C_j)^3<0.07]\\ 800\times[(\rho_j/\rho_\infty)(U_j/C_j)^3]^{0.47} & [(\rho_j/\rho_\infty)(U_j/C_j)^3>0.07]\end{cases} \tag{6-23}$$

图 6-13 展示了 Molkov 模型对氢气喷射火焰长度的预测结果。当 $(\rho_N/\rho_S)(U_N/C_N)^3<0.0001$ 时，氢气火焰为纯浮力火焰；当 $0.0001<(\rho_N/\rho_S)(U_N/C_N)^3<0.07$ 时，氢气火焰为亚音速动量火焰；当 $(\rho_N/\rho_S)(U_N/C_N)^3>0.07$ 时，氢气火焰为超音速动量火焰。从图中可以看出，这个模型是一个相对保守的模型，计算出的火焰长度微大于实验中测量的火焰长度，但从安全的角度来看，采用 Molkov 模型来设计储氢系统的安全距离具有较高的安全系数。

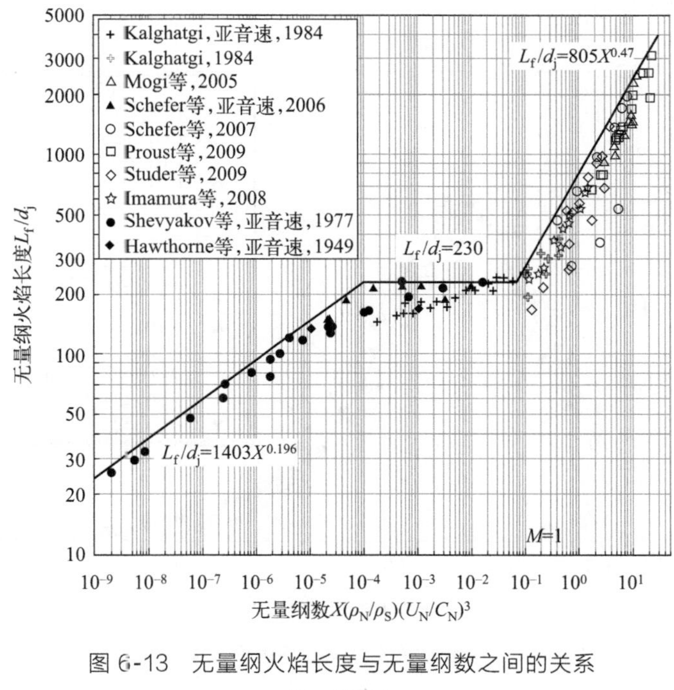


图 6-13　无量纲火焰长度与无量纲数之间的关系

M—马赫数

#### 6.1.2.3 氢气火焰辐射

氢气泄漏燃烧释放的热量一部分用于加热自身和周围空气，另一部分则以电磁波的形式辐射到周围空间。根据国际防火规范，人体可承受的热辐射上限值为 $4.7\text{kW/m}^2$，允许暴露时间为 3min，过高的热辐射量或者长时间的暴露会造成皮肤或组织损伤。火焰辐射能量占氢气燃烧释放热量的比重称为辐射分数（$\chi_{rad}$），可表示为

$$\chi_{rad}=\frac{Q_{rad}}{Q_f}=\frac{Q_{rad}}{\dot{m}_{fuel}\Delta H_c} \tag{6-24}$$

式中，$Q_{rad}$ 和 $Q_f$ 分别为辐射能量以及燃烧总放热量；$\dot{m}_{fuel}$ 和 $\Delta H_c$ 分别为氢气泄漏的质量流量以及单位质量氢气的燃烧热。对于湍流射流火焰，总辐射功率 $Q_{rad}$ 可以用无量纲辐射功率 $C^*$［Sivathanu，1993 年］表示，如式(6-25) 所示

$$C^*\left(\frac{Z}{L_f}\right)=\frac{4\pi R^2 q_r\left(\frac{Z}{L_f}\right)}{Q_{rad}} \tag{6-25}$$

式中，$Z$ 和 $R$ 是辐射计和射流出口之间的轴向和径向距离，$q_r(Z/L_f)$ 是辐射计在指定位置（$Z/L_f$，$R$）测量的辐射热流量。为了获得总辐射功率 $Q_{rad}$，通常需要在火焰周围安装大量辐射计，并对测量值进行积分运算。Sivathanu 等通过研究各种条件下射流火焰的辐射通量，提出在单个位置测得辐射通量并估算了湍流射流火焰的总辐射功率 $Q_{rad}$。图 6-14 给出不同测量位置得到的无量纲数 $C^*$。从图中可以看出，对于氢喷射火，当 $0.5\leqslant Z/L_f\leqslant 0.85$ 时，$C^*$ 的值约为 0.85，因此可通过在 $0.5L_f\sim0.85L_f$ 之间测量火焰的热辐射通量，获得火焰的总辐射功率 $Q_{rad}$。

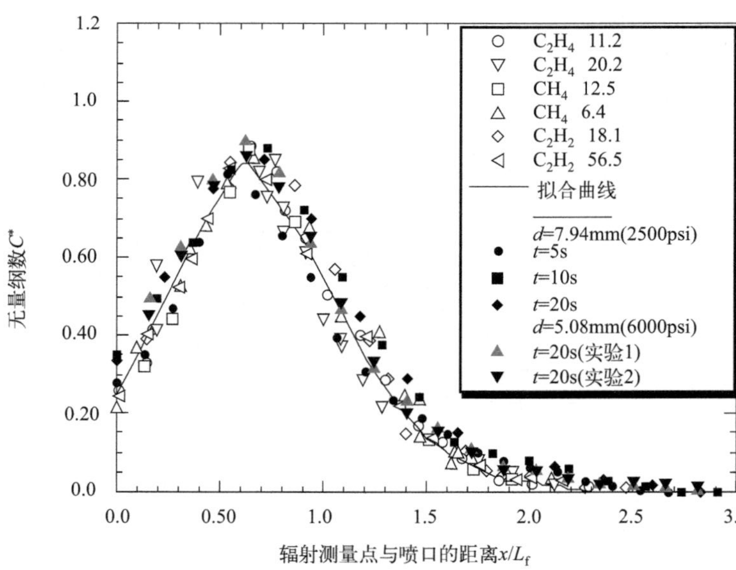


图 6-14 无量纲数与辐射测量点之间的关系

Turns 和 Myhr[84] 通过理论分析，提出湍流喷射火焰的辐射分数 $\chi_{rad}$ 正比于火焰滞留时间 $\tau_f$。$\tau_f$ 如式(6-26) 所示

$$\tau_{f}=\frac{\rho_{f}W_{f}^{2}L_{f}f_{s}}{3\rho_{j}d_{j}^{2}U_{j}} \tag{6-26}$$

Molina 等在 Turns 和 Myhr 的研究基础上进一步确定火焰辐射分数 $\chi_{rad}$ 正比于火焰滞留时间 $\tau_f$、绝热火焰温度 $T_{ad}$ 和普朗克平均吸收系数 $a_p$ 三项的乘积，并通过数据拟合，确定了氢气火焰辐射分数的形式，如下

$$\chi_{rad}=0.085\lg(\tau_{f}a_{p}T_{ad}^{4})-1.16 \tag{6-27}$$

## 6.1.3 氢爆炸

### 6.1.3.1 基本概念

爆炸过程是一种极为迅速的能量释放过程，在此过程中，能量以剧烈的方式转化为机械能、光和热辐射等。

气体要发生爆炸，必须有 3 个基本条件：

① 有合适浓度的燃料气体；

② 有合适浓度的氧气；

③ 有足够能量的点火源。

所谓合适浓度是指可以发生爆炸的浓度。每种燃料气体在氧气或空气中都有一个可以发生爆炸的浓度范围。超出这个范围，即使使用很强的点火源也不能激发爆炸。这个浓度范围叫爆炸极限。因此爆炸极限实际上指燃料气体的爆炸浓度极限。

(1) 最佳浓度

燃料和空气或氧气混合物的燃烧速度和放热量均随燃料浓度变化，当混合比达到某一值时，其基本燃烧速度达到最大值，此时的燃料浓度称为最佳浓度，相应的爆炸反应热达到最大值。必须指出，最佳浓度并不等于化学计量浓度，由于化学反应的不完全性和燃烧产物的离解和二次反应等原因，最佳浓度总是高于化学计量浓度。可燃气体与空气混合物的最佳浓度为当量浓度的 1.1～1.5 倍。从安全的角度来看，最佳浓度即为最危险的浓度，在此浓度下，爆炸威力最大，破坏效应最严重，因此要尽力避免达到这个浓度。

(2) 化学计量浓度

所谓化学计量浓度即为可燃剂恰好被氧化剂全部氧化生成二氧化碳和水时的浓度。

(3) 极限浓度

当从化学计量浓度增加或减小可燃剂浓度时，燃烧速度都会减小，并存在一个上限和下限，称为爆炸极限。凡是浓度低于爆炸下限或高于爆炸上限的混合物与点火源接触时都不会引起火焰自行传播。浓度低于爆炸下限时，由于过量的空气作为惰性介质参与燃烧反应，消耗一部分反应热，起了冷却作用，阻碍了火焰的自行传播；相反，浓度高于爆炸上限时，由于可燃剂过剩，即空气量不足，导致化学反应不完全，反应放出的热量小于损耗的热量，因而阻碍了火焰的传播。测试的点火能量、初始浓度和初始压力对爆炸极限具有显著影响。

### 6.1.3.2 氢气爆炸特征参数

表征氢气爆炸的特征参数主要有火焰温度、燃烧速度、绝热温度、绝热火焰温度、定容爆炸压力、压力上升速率、爆炸强度特征、点火能量及点火温度等。

(1) 火焰速度和燃烧速度

火焰相对于前方已扰动气体的运动速度称为燃烧速度，它与反应物有关，是反应物的特征量。常温、常压下的层流燃烧速率称为标准层流燃烧速率，或基本燃烧速率。燃料与纯氧混合物的基本燃烧速度比燃料空气混合物可提高一个数量级。火焰速度是相对静止坐标系的速度，它不是燃料的特征量，而取决于火焰阵面前气流的扰动情况。混合气体的燃烧速度和火焰速度是与爆炸猛烈程度直接相关的参量，燃烧速度大的气体具有大的危害性和破坏效应。火焰传播过程中不稳定性，如气体流动中的耗散性、界面效应、密度差、重力作用、障碍物绕流及射流效应等可能引起湍流和旋涡，使火焰不稳定，其表面变得褶皱不平，从而增大火焰面积、体积和燃烧速率，增强爆炸效应。

(2) 火焰温度

氢爆炸过程中由于火焰传播速度快，温度极高，现有的温度测试方法难以精确测量氢气爆炸温度，主要采用化学热力学和化学平衡方法计算绝热火焰温度。

(3) 爆炸压力

氢气爆炸压力演变过程分为 3 个阶段。

① 爆炸压力上升阶段。此阶段的特点是爆炸反应放出大量的能量，化学反应放出的热量大于向周围释放的热量，因此能量不断积累，压力不断升高。压力的上升速率与化学反应动力学和燃烧速率有关。

② 爆炸压力高值区。随着反应的进行，当化学反应释放的能量等于向周围介质传播损失的能量时，爆炸压力曲线出现高值段，此值大小与化学反应热效应和热力学有关。

③ 爆炸压力衰减区。当化学反应放出的能量小于向周围介质传播损失的能量时，压力开始逐渐下降。能量的散失主要是由于周围介质的冷却作用、燃料的消耗导致化学反应速率降低，进而引起释放的能量减少导致。

(4) 爆炸压力上升速率

爆炸压力上升速率定义为爆炸压力-时间曲线的曲率，在拐点处产生最大值，定义为最大爆炸压力上升速率。最大爆炸压力上升速率是衡量燃烧速率的标准，也就是衡量爆炸强度的标准，可燃气体的最大压力上升速率与容器体积的关系可用“三次方定律”表示，即爆炸指数

$$K_{\mathrm{G}}=\left(\frac{\mathrm{d}P}{\mathrm{d}t}\right)_{\max}V^{1/3} \tag{6-28}$$

#### 6.1.3.3 氢气爆炸模式

由于能量释放过程发生在极短的时间间隔内和极小的空间范围内，爆炸过程必定伴随着高压气体急剧膨胀，产生陡峭的压力跳跃。爆炸变化范围很宽，从速度量级来考察，氢气与空气混合物的最大层流燃烧速率为 2.8m/s，随着反应的进行，由层流向湍流转换达到湍流燃烧，随着火焰面的进一步扩展，速度最大能够达到 2000m/s 量级，气体爆炸的模式大致可以分为定压燃烧、爆燃、定容爆炸、爆轰四种。

定压燃烧是无约束的敞开型燃烧。其燃烧产物能够及时向后排放，其压力始终保持与环境压力相平衡，因此系统的压力是恒定的。定压燃烧的一个特征参量为定压燃烧速度，或叫基本燃烧速度。它取决于燃料的输运速率和反应速率。

爆燃是一种带有压力波的燃烧。与定压燃烧不同点正是在于有压力波的产生。定压燃烧时燃烧产物能及时排放，压力不会增长，也就不可能产生压力波。但当燃料化学反应速率极快，燃烧波阵面后边界有约束或障碍时，燃烧产物可以建立一定的压力，波阵面两侧就建立起一个压力差，这个压力差以当地的音速向前传播，这就是压力波。压力波的传播速度比火焰阵面要快，行进在火焰面之前，因此也叫前驱压力波。由此可见，爆燃是由前驱压力波和随后的火焰燃烧阵面组成。爆燃是一种不稳定状态的燃烧波。它可以因约束的减弱或燃烧速率的下降导致压力波的消失，爆燃转变为定压燃烧。相反，如果爆燃的后边界约束增强，压力波强度增加，火焰加速，直至火焰阵面追赶上前驱压力波阵面，火焰面和压力波阵面合二为一，成为一个带化学反应的冲击波，这就是爆轰波。

爆轰是燃烧爆炸的最高形式，相对于波前未反应的混合物带有化学反应的冲击波以超音速传播，波阵面两侧介质参数压力和密度突跃增加，爆轰波压力达到 1MPa 量级。

图 6-15 为采用烟迹技术得到普通爆轰波的胞格结构。可以看到其由一系列规则排列的菱形图案组成，常把这些菱形称为“胞格”(Cell)。把 $L$ 称为胞格的长度、$Z$ 称为胞格的宽度或横波间隔。

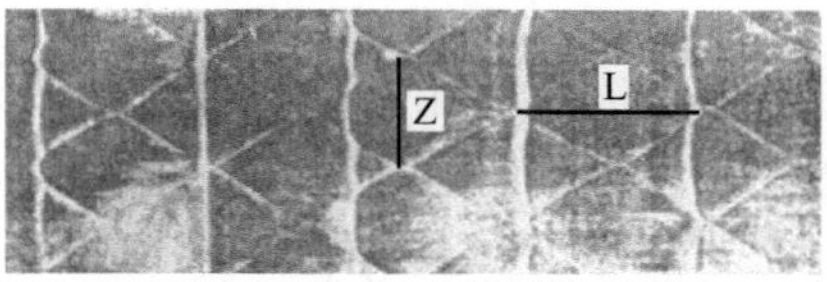


图 6-15 爆轰波在烟熏板上的二维结构

为解释爆轰波的形成，采用若干电阻丝的高压放电作为微元爆轰波。当微元爆轰波开始作用时，两相邻波碰撞首先发生规则反射。当碰撞角增加时就形成了马赫反射，马赫杆、入射波和横波交叉于三波点，三波点的迹线为菱形图案，即爆轰波胞格结构，如图 6-16 为三波阵面形成的立体三维结构。

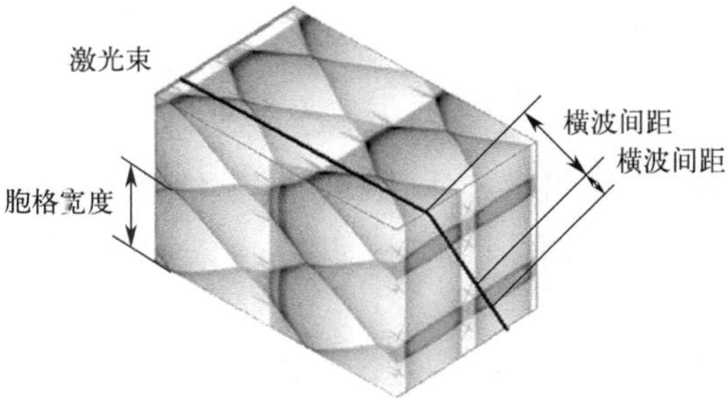


图 6-16 爆轰胞格三维结构

加氢站氢气爆炸事故主要以爆燃形式出现，爆燃区别于爆轰的一个根本特点是前者为亚音速流动，受环境条件和物理因素的影响极大。但即使是爆燃，也可以形成具有很大破坏作用的爆炸波，由爆燃事故形成的爆炸波峰值压力较低，但压力作用持续时间较长，因而冲量大，故具有很大的破坏作用。加氢站氢气云爆炸的形成经过以下几个阶段：a. 液体氢或高压氢气的大量泄漏，液态氢泄漏后成为蒸气；b. 燃料气体或蒸气与周围大气混合形成可燃混合物；c. 可燃气云点火；d. 气云爆炸。如果泄漏后的气云立即被点火，氢气还来不及在大范围内与空气充分混合形成可燃混合物，故只是在泄漏处着火。在这种情况下，燃料与空气在燃烧阵面上相遇并发生反应，即扩散火焰。这时一般不会发生爆炸，对周围造成的破坏效应主要是燃烧火球的热辐射所引起。相反，泄漏后的氢气与空气混合，泄漏与点火之间存在一定的时间间隔即点火延迟，点火后形成的是预混火焰。点火后能量足够大，预混火焰经过现场管道等设备不断加速后成长为快速火焰，对周围产生爆炸波效应（参见图 6-17）。

图 6-17 山东某企业液化氢罐爆炸

爆轰的形成需要严苛的条件，一般发生在密闭的空间中，火焰通过不断加速，最终突破音速，实现爆燃向爆轰的转变。而在加氢站事故中，氢气泄漏后一般直接与空气混合，形成可燃气云，被点燃后通常以爆燃的形式出现。由于气云处在开放空间，通常难以形成爆轰。

#### 6.1.3.4 氢气爆炸预测方法

氢气云爆炸所产生的破坏效应是人们关注的重点，希望在事故发生前就能预测爆炸冲击波的破坏效应，预测这类爆炸效应主要有以下 4 类方法。

（1）TNT 方法

TNT（三硝基甲苯）当量法是将氢气爆炸所产生的爆炸波等同于相当能量的 TNT 爆轰所产生的爆炸波，即

$$W_{TNT}=\eta\frac{\Delta H_c \times W_c}{Q_{TNT}} \tag{6-29}$$

式中，$W_{TNT}$ 是爆炸的 TNT 当量；$Q_{TNT}$ 是 TNT 的爆热，ML/kg，一般取为 4.2MJ/kg；$\Delta H_c$ 为燃料的燃烧热；$W_c$ 是泄漏的燃料总量；$\eta$ 是能量释放率。

（2）TNO 方法

在 TNO（the Netherlands Organization for Applied Scientific Research，荷兰应用科学研究组织）方法中，爆炸冲击波的影响距离可表示为

$$R_d=\overline{R}\times\left(\frac{10^6 E}{22.4 p_0}\right)^{1/3} \tag{6-30}$$

式中，$R_d$ 为距离爆源中心的距离；$\overline{R}$ 为相对距离；$p_0$ 为环境气体压力；$E$ 为爆炸释放的能量。相对距离 $\overline{R}$ 可根据相对超压 $\overline{P}_s$ 来查图确定，如图 6-18 所示。相对超压 $\overline{P}_s$ 可表示为

$$\overline{P}_s=\frac{P_s}{P_0} \tag{6-31}$$

式中，$P_s$ 为距离爆源中心 $R_d$ 的超压；$\overline{P}_s$ 为相对超压。

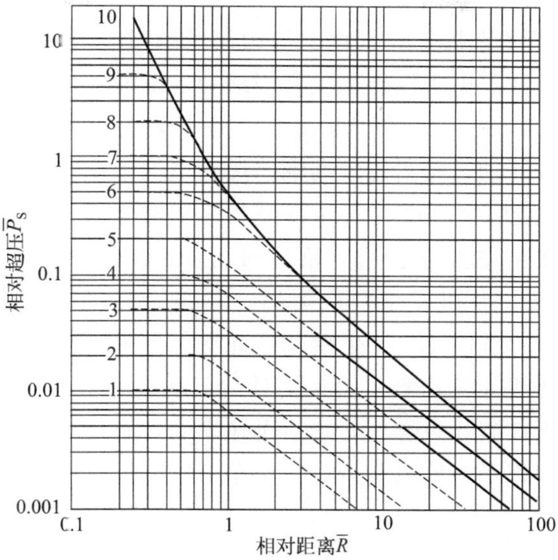


图 6-18　相对超压随相对距离的变化

多数情况下，冲击波的破坏伤害作用是由超压引起的。冲击波超压对构（建）筑物和人员的伤害如表 6-1、表 6-2 所示。

表6-1　冲击波对建筑物的破坏

| 超压/kPa | 破坏形式 |
|---|---|
| 0.5～2 | 玻璃部分破碎 |
| 2～12 | 玻璃全部破碎 |
| 12～30 | 门窗坏，砖墙小裂纹（0.5mm） |
| 30～50 | 砖墙裂纹（0.5～5mm），钢混屋面起裂 |
| 50～76 | 墙裂纹（50mm），钢混屋面严重开裂 |
| 76～100 | 砖墙倒塌，钢混屋面塌下 |
| 100～200 | 防震钢混结构破坏 |
| 200～300 | 钢架桥破坏 |

表6-2　冲击波对人的伤害

| 超压/kPa | 程度（等级） | 损伤程度 |
|---|---|---|
| 20～30 | 轻微 | 中耳、肺挫伤 |
| 30～50 | 中等 | 中度耳伤、肺伤 |
| 50～100 | 严重 | 心肌撕裂、脱臼 |
| >100 | 死亡 | 体腔、肝、脾破裂 |

### 6.1.4　氢安全事故案例

由于氢气的分子体积小，极易发生泄漏，且点火能低、点火浓度范围宽，因此一旦发生泄漏很可能被引燃并诱发严重火灾。另外，加氢站等场景中的储氢压力较高，即使微小的孔洞，造成的氢气泄漏量也会非常大。近年来，随着加氢站陆续在全球各地落地投产，已陆续发生多起储氢设备泄漏引发的火灾或爆炸事故。例如，2010 年 3 月，长春某公司热电氢站内一个储氢罐的压力表管接口处发生氢气泄漏，并引发明火，火焰长度达 30cm 左右；2019 年 5 月，韩国江原道江陵市一家工厂发生一起氢气罐爆炸事故，造成 2 人死亡、6 人受伤；2019 年 6 月，美国加州圣塔克拉拉一家化工厂的储氢罐发生泄漏爆炸，引发三级火灾和两次爆炸，导致大批人员疏散。由于爆炸事故，当地加氢站的氢供应中断，从而导致氢燃料电池车无燃料可补充。2019 年 6 月，位于挪威首都奥斯陆附近的一处合营加氢站发生爆炸，由于爆炸冲击波巨大，致使加氢站附近的两辆非燃料电池汽车气囊被触发弹出，造成两人受伤。2019 年 12 日，美国威斯康星州 Airgas 沃基肖工厂储氢区域发生了爆炸起火事件，一名工人受轻伤。2020 年 1 月，珠海某公司重整与加氢装置预加氢单元发生闪爆，之后管道内漏出的易燃物料猛烈燃烧，并再发生两次爆燃。2020 年 4 月，美国北卡州朗维尤（Long View）一家氢燃料电池工厂 OneH2 发生爆炸，此次加氢站爆炸事故直接导致附近 60 处房屋受损，所幸爆炸没有造成人员伤亡，损失估计数万美元。2021 年 8 月，位于辽宁沈阳市一企业内的氢气罐车软管破裂导致爆燃，之后迅速燃烧，附近居民在家听见一声巨响，现场冒出大量浓烟，事故发生现场共停放两台氢气罐车，所幸没有引起另一辆车同时爆炸。2021 年 12 月，云南安宁市草铺街道某企业渣油加氢装置处发生起火，造成 4 人受伤。事发地腾起几十米的黑烟，中间还夹着火光。起火处附近停有多辆燃料运输车，工作人员快速撤离。在离事发地不足两公里处，能听到巨大的响声，火势也很大。

下面详细阐述几个典型的氢安全事故。

#### 6.1.4.1　韩国江原道氢气罐爆炸事故

（1）事故介绍

韩国江原道江陵市一家工厂在 2019 年 5 月 23 日傍晚发生一起氢气罐爆炸事故（图 6-19、图 6-20），造成 2 人死亡、4 人受伤。死者和受伤者主要是大邱等地区前来实地考察的投资人和研究人员。爆炸发生后，江陵市已经出动包括消防、警察在内的 266 名专业人士进行紧急疏散、救援和善后。

图 6-19　韩国江原道氢气爆炸事故搜救

据当地媒体报道，事发工厂位于江陵市大田洞科技园区，是一家利用太阳能制氢的创新型中小企业。当地时间傍晚 6 时 20 分（北京时间 5 时 20 分）许，工人正在对容量为 400L 的氢气罐进行测试。不料，氢气罐发生爆炸。该机构有三个容积为 400$m^3$ 的储氢罐，罐体厚度约为 1.5cm，爆炸发生在安装于厂房侧墙上的一个储氢罐，爆炸时该罐碎屑扩散到 100m 外。由于爆炸，该机构的太阳能电池板被剥落，邻近工厂的玻璃窗被打碎。爆炸声很

图 6-20　韩国江原道氢气爆炸事故现场

大，以至于可以在爆炸点外 10km 处听到。该事件是韩国国内首次发生的涉及氢气的爆炸事故，也是近年来全球首次发生在氢气制取储存过程中的爆炸事故。爆炸没有发生火灾，为压力爆炸。压力爆炸与燃烧爆炸有所不同，在没有发生火焰的状态下，存在由于安全容器和相关安全设备的故障导致压力突然增加引起容器发生物理爆炸的可能性。

（2）事故原因

本次事故是自 21 世纪以来全球多国发展氢燃料电池的进程中首次发生在储存过程中的大规模爆炸事故。当地消防部门通过调查氢气罐、罐体碎片、罐体与系统之间的连接环节来调查事故原因，认为氢气罐的安全装置未启动，因此气罐内部压力超压后联动有问题。事故发生的储气罐承压能力为 10bar，当压力超过 10bar 时，安全阀就会自动开启。通过事故结果分析，造成本次事故最可能的原因是氢气罐安全装置未启动、容器焊接不良、氢注入不顺畅等。

### 6.1.4.2　美国加州储氢罐爆炸事故

（1）事故介绍

美国加利福尼亚州，当地时间 2019 年 6 月 1 日，美国空气化工产品公司的一处化工厂储氢罐和氢气运输拖车发生爆炸和火灾（图 6-21），所幸没有人员伤亡。

图 6-21　加州储氢罐爆炸救援现场

据美国媒体报道，加利福尼亚州的爆炸事件事故涉及氢气运输过程，即氢气输送拖车泄漏的是高压气态氢气，泄漏泄放过程中引发自燃，然后连锁爆炸。

（2）事故原因

据业内专家分析，美国液氢比较便宜，且建站地区多比较空旷，因此没有蒸发气体的回收环节，大量的冷氢气直接泄放。如果只有液氢工况，一般没有问题，但如果恰好旁边有一辆高压氢气管束车，又恰好在这个时刻泄漏或泄放引发自燃的话，爆炸就在所难免。

#### 6.1.4.3　挪威加氢站爆炸事故

（1）事故介绍

2019 年 6 月 10 日，位于挪威首都奥斯陆郊外的一处合营加氢站发生爆炸（图 6-22、图 6-23）。该公司合作伙伴、加氢站运营商 Uno-X 宣布暂停当地加氢服务。

图 6-22　挪威加氢站爆炸事故

图 6-23　挪威加氢站爆炸后现场图

这次氢气站爆炸威力巨大。“在 Kjorbo 警察局旁边的氢气站爆炸威力相当于一辆坦克发射的威力。”当地一位消防人员如此描述。虽然这次爆炸没有直接造成人员伤亡，但由于爆炸冲击波巨大，致使加氢站附近的两辆非燃料电池汽车气囊被触发弹出，导致当时车内两名乘客被安全气囊震伤，繁忙的 E18 和 E16 交叉路口更一度被迫关闭，消防部门随后建议安全区在 500m 以外。事故发生后，Uno-X 在挪威的另外两座加氢站暂时关闭，而加氢站运营公司 Nel Hydrogen 也暂时停止在挪威、丹麦等国家的氢燃料供给业务。爆炸事件已经引发了公众对于氢能源车安全的担忧，因为这不是加氢站第一次爆炸，而一旦爆炸，其破坏力非常惊人。随后，丰田和现代汽车则暂时停止了氢燃料电池车在挪威的销售。

（2）事故原因

咨询公司 Gexcon 负责调查事故，他们发现爆炸的根本原因是其中一个氢气罐（图 6-

24）的一个特殊插头的装配错误所导致，这就是为什么氢气会泄漏在空气中，并形成了最终爆炸的气体混合物。

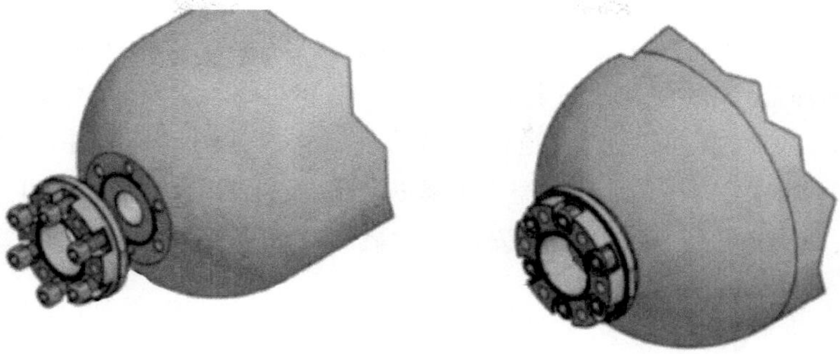

图 6-24　储氢罐结构图

图 6-25 中显示的螺栓 1、2 已正确打开，而螺栓 3、4 未正确打开。此错误最初导致了氢气朝向密封件标有●的方向的较小泄漏。最终，泄漏破坏了这种密封性，从而泄漏开始变大。由于错误导致螺栓扭矩，使整个接头被抬起，并且在标⊕处的密封件立即断开。以浅灰色标记的衬套也会破裂，氢气不受控制地泄漏了到空气当中（标记为▒）。泄漏储罐与正常储罐对比图见图 6-26。

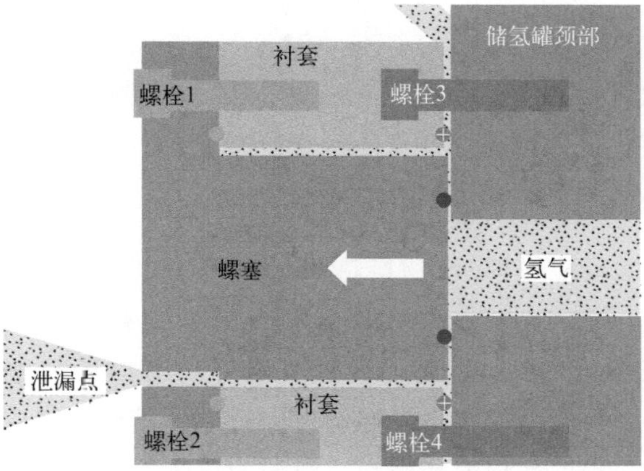


图 6-25　储氢罐泄漏示意图

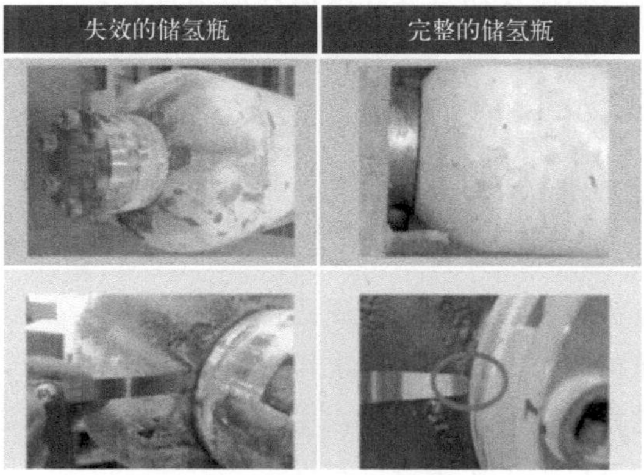


图 6-26　储氢罐泄漏点

#### 6.1.4.4 珠海某石化加氢装置爆炸事故

（1）事故介绍

2020 年 1 月 14 日 13 时 41 分许，珠海某石化公司催化重整装置预加氢进料/产物换热器 E202A-F 与预加氢产物/脱水塔进料换热器 E204AB 间的压力管道（250P2019CS-H）90°弯头处出现泄漏，发生爆燃，之后管道内漏出的易燃物料猛烈燃烧，并于 13 时 51 分和 14 时 21 分再发生两次爆燃（图 6-27）。经全力救援，1 月 14 日 19 时 15 分明火完全扑灭。该公司当班 121 人及周边厂区 604 人全部安全疏散撤离，事故及救援过程中无人员伤亡。

图 6-27 珠海某石化氢气爆炸事故救援

（2）事故原因

催化重整装置预加氢反应进料/产物换热器 E202A-F 与预加氢产物/脱水塔进料换热器 E204AB 间的压力管道（250P2019CS-H）90°弯头因腐蚀减薄破裂（爆裂口约 950mm×620mm），内部带压（2.0MPa）的石脑油、氢气混合物喷出后与空气形成爆炸性混合物，因喷出介质与管道摩擦产生静电火花引发爆燃。附近部分塔器、管道及其他设备设施等在高温火焰持续烘烤下，不同程度地损毁或破裂，泄漏的可燃物料加剧燃烧和火势蔓延引发后续两次爆燃。造成压力管道破裂的主要原因是管道超常规腐蚀：一是事故管道持续处于酸性环境，加剧管道腐蚀；二是管道温度超过设计限值，加剧管道腐蚀。

## 6.2 加氢站安全设计

### 6.2.1 安全距离设计

加氢站在选址时，应符合《加氢站技术规范》（GB 50516—2010）（2021 年版）的规定，将符合城镇规划、环境保护和防火安全的要求作为前提或基本要求，在满足这些要求的情况下考虑输送距离或输送过程增加的能量消耗，尽力节约能源。城市建成区内的加氢站，宜靠近城市道路，但不应设在城市干道交叉路口附近。

加氢站设计时应充分考虑加氢站站内设备之间及站内设备与站外建筑物、构筑物之间的防火距离，详见表 6-3。

表6-3　加氢站的氢气工艺设施与站外建筑物、构筑物的防火距离　　单位：m

| 项目名称 | | 储氢罐 | | | 氢压缩机、加氢机 | 放空管口 |
|---|---|---|---|---|---|---|
| | | 一级 | 二级 | 三级 | | |
| 重要公共建筑 | | 50 | 50 | 50 | 50 | 50 |
| 明火或散发火花地点 | | 40 | 35 | 30 | 20 | 30 |
| 民用建筑物保护类别 | 一类保护物 | 35 | 30 | 25 | 20 | 25 |
| | 二类保护物 | 30 | 25 | 20 | 14 | 25 |
| | 三类保护物 | 30 | 25 | 20 | 12 | 25 |
| 生产厂房、库房耐火等级 | 一、二级 | 25 | 20 | 15 | 12 | 25 |
| | 三级 | 30 | 25 | 20 | 14 | |
| | 四级 | 35 | 30 | 25 | 16 | |
| 甲类物品仓库，甲、乙、丙类液体储罐，可燃材料堆场 | | 35 | 30 | 25 | 18 | 25 |
| 室外变配电站 | | 35 | 30 | 25 | 18 | 30 |
| 铁路 | | 25 | 25 | 25 | 22 | 40 |
| 城市道路 | 快速道、主干道 | 15 | 15 | 15 | 6 | 15 |
| | 次干道、支路 | 10 | 10 | 10 | 5 | 10 |
| 架空通信线 | 国家一、二级 | 不应跨越，且不得小于杆高的 1 倍 | | | | |
| | 一般 | | | | | |
| 架空电力线路 | ＞380V | 不应跨越，且不得小于杆高的 1.5 倍 | | | | |
| | ≤380V | | | | | |

加氢站站内设施之间的防火距离，应符合《加氢站技术规范》（GB 50516—2010）（2021 年版）的规定，详见表 6-4。

另外，氢气长管拖车停车位与站内建筑物、构筑物之间的防火距离应按表 6-4 中氢气储罐的防火距离来确定；长管拖车的储气瓶卸气端应设钢筋混凝土实体墙，其高度不得低于长管拖车的高度，长度不应小于长管拖车车宽的 2 倍，实体墙可作为站区围墙的一部分。

加氢站的围墙与加氢站内工艺设施之间的距离小于或等于表 6-3 中防火距离的 1.5 倍，且小于或等于 25m 时，相邻一侧应设置高度不低于 2.2m 的不燃烧实体围墙；而当围墙与加氢站内工艺设施之间的距离大于表 6-3 中防火距离的 1.5 倍，且大于 25m 时，相邻一侧可设置非实体围墙。

在加氢加油合建站内，宜将柴油罐布置在储氢罐或压缩天然气储气瓶组与汽油罐之间。

## 6.2.2　工艺系统安全设计

加氢站的设计应严格遵循五层安全防范设计理念，五层设计理念之间的关系为层次递进：

① 确保加氢站内氢气不泄漏；

② 加氢站内设备泄漏可及时检测到，并预防进一步泄漏扩散；

③ 加氢站即使发生泄漏，也不应积聚；

④ 杜绝点火源；

**表6-4 站内设施之间的防火距离**

单位：m

| 设施名称 | | 汽、柴油罐 | | 储氢罐 | | | 制氢间 | 压缩天然气储气瓶组（储气井） | 可燃气体放空管管口 | 密闭卸油点 | 可燃气压缩机间 | 可燃气调压阀组间 | 天然气脱硫和脱水装置 | 加油机 | 加氢机、加气机 | 站房 | 消防泵房和消防水池取水口 | 其他建筑物、构筑物 | 燃气（油）热水炉间、燃气厨房 | 变配电间 | 道路 | 站区围墙 |
|---|---|---|---|---|---|---|---|---|---|---|---|---|---|---|---|---|---|---|---|---|---|---|
| | | 埋地油罐 | 通气管管口 | 一级站 | 二级站 | 三级站 | | | | | | | | | | | | | | | | |
| 汽、柴油罐 | 埋地油罐 | — | — | 6.0 | 4.0 | 3.0 | 5.0 | 6.0 | 6.0 | — | 6.0 | 6.0 | 5.0 | — | 4.0 | 4.0 | 10.0 | 5.0 | 8.0 | 5.0 | — | — |
| | 通气管管口 | — | — | 8.0 | 6.0 | 6.0 | 6.0 | 8.0 | 6.0 | 3.0 | 6.0 | 6.0 | 5.0 | — | 8.0 | 4.0 | 10.0 | 7.0 | 8.0 | 5.0 | — | — |
| 储氢罐 | 一级站 | — | — | — | — | — | 15.0 | 5.0 | — | 12.0 | 9.0 | 5.0 | 5.0 | 10.0 | 10.0 | 10.0 | 30.0 | 12.0 | 14.0 | 12.0 | 5.0 | 5.0 |
| | 二级站 | — | — | — | — | — | 10.0 | 5.0 | — | 10.0 | 9.0 | 5.0 | 5.0 | 8.0 | 8.0 | 8.0 | 20.0 | 12.0 | 12.0 | 10.0 | 4.0 | 5.0 |
| | 三级站 | — | — | — | — | — | 8.0 | 5.0 | — | 8.0 | 9.0 | 5.0 | 5.0 | 6.0 | 6.0 | 8.0 | 20.0 | 12.0 | 12.0 | 9.0 | 3.0 | 5.0 |
| 制氢间 | | — | — | — | — | — | — | 12.0 | — | — | 9.0 | 9.0 | 9.0 | 4.0 | 4.0 | 15.0 | 15.0 | 15.0 | 14.0 | 12.0 | 5.0 | 3.0 |
| 压缩天然气储气瓶组（储气井） | | — | — | — | — | — | — | 1.5（1.0） | — | — | 3.0 | 3.0 | 5.0 | 6.0 | 6.0 | 5.0 | 6.0 | 10.0 | 14.0 | 6.0 | 4.0 | 3.0 |
| 可燃气体放空管管口 | | — | — | — | — | — | — | — | — | 6.0 | — | — | — | 6.0 | 6.0 | 5.0 | 6.0 | 10.0 | 14.0 | 6.0 | 4.0 | 3.0 |
| 密闭卸油点 | | — | — | — | — | — | — | — | — | — | 6.0 | 6.0 | 5.0 | — | 4.0 | 5.0 | 10.0 | 7.0 | 8.0 | 6.0 | — | — |
| 可燃气压缩机间 | | — | — | — | — | — | — | — | — | — | — | 4.0 | — | — | 4.0 | 5.0 | 8.0 | 10.0 | 12.0 | 6.0 | 2.0 | 2.0 |
| 可燃气调压阀组间 | | — | — | — | — | — | — | — | — | — | — | — | — | — | 6.0 | 5.0 | 8.0 | 10.0 | 12.0 | 6.0 | 2.0 | 2.0 |
| 天然气脱硫和脱水装置 | | — | — | — | — | — | — | — | — | — | — | — | — | 5.0 | 5.0 | 5.0 | 15.0 | 10.0 | 12.0 | 6.0 | 2.0 | 3.0 |
| 加油机 | | — | — | — | — | — | — | — | — | — | — | — | — | — | 4.0 | 5.0 | 6.0 | 8.0 | 8.0 | 6.0 | — | — |
| 加氢机、加气机 | | — | — | — | — | — | — | — | — | — | — | — | — | — | — | 5.0 | 6.0 | 8.0 | 12.0 | 6.0 | — | — |
| 站房 | | — | — | — | — | — | — | — | — | — | — | — | — | — | — | — | — | 6.0 | — | — | — | — |

续表

| 设施名称 | 汽、柴油罐 | | 储氢罐 | | | 制氢间 | 压缩天然气储气瓶组（储气井） | 可燃气体放空管管口 | 密闭卸油点 | 可燃气压缩机间 | 可燃气调压阀组间 | 天然气脱硫和脱水装置 | 加油机 | 加氢机、加气机 | 站房 | 消防泵房和消防水池取水口 | 其他建筑物、构筑物 | 燃气（油）热水炉间、燃气厨房 | 变配电间 | 道路 | 站区围墙 |
|---|---|---|---|---|---|---|---|---|---|---|---|---|---|---|---|---|---|---|---|---|---|
| | 埋地油罐 | 通气管管口 | 一级站 | 二级站 | 三级站 | | | | | | | | | | | | | | | | |
| 消防泵房和消防水池取水口 | — | — | — | — | — | — | — | — | — | — | — | — | — | — | — | — | 6.0 | — | — | — | — |
| 其他建筑物、构筑物 | — | — | — | — | — | — | — | — | — | — | — | — | — | — | — | | | 5.0 | — | — | — |
| 燃气（油）热水炉间、燃气厨房 | — | — | — | — | — | — | — | — | — | — | — | — | — | — | — | — | — | — | 5.0 | — | — |
| 变配电间 | | | | | | | | — | — | — | — | — | — | — | — | — | — | — | — | — | — |
| 道路 | | | | | | | | — | — | — | — | — | — | — | — | — | — | — | — | — | — |
| 站区围墙 | | | | | | | | — | — | — | — | — | — | — | — | — | — | — | — | — | — |

⑤ 万一发生火灾也不会对周围产生影响或影响小。

目前我国已制定了一系列与加氢站相关的标准，加氢站设计应严格执行这些标准。与加氢站相关的标准详见表 6-5。

表6-5　与加氢站相关的标准

| 序号 | 技术标准名称 | 类别 | 标准号 |
|---|---|---|---|
| 1 | 氢气站设计规范 | 国家标准 | GB 50177—2005 |
| 2 | 加氢站技术规范 | 国家标准 | GB 50516—2010 |
| 3 | 压缩氢气车辆加注连接装置 | 国家标准 | GB/T 30718—2014 |
| 4 | 液氢车辆燃料加注系统接口 | 国家标准 | GB/T 30719—2014 |
| 5 | 汽车用压缩氢气加氢机 | 国家标准 | GB/T 31138—2022 |
| 6 | 移动式加氢设施安全技术规范 | 国家标准 | GB/T 31139—2014 |
| 7 | 氢能车辆加氢设施安全运行管理规程 | 国家标准化指导性技术文件 | GB/Z 34541—2017 |
| 8 | 加氢站用储氢装置安全技术要求 | 国家标准 | GB/T 34583—2017 |
| 9 | 加氢站安全技术规范 | 国家标准 | GB/T 34584—2017 |
| 10 | 燃料电池电动汽车加氢枪 | 国家标准 | GB/T 34425—2023 |
| 11 | 质子交换膜燃料电池汽车用燃料氢气 | 国家标准 | GB/T 37244—2018 |
| 12 | 加氢车技术条件 | 行业标准 | QC/T 816—2009 |
| 13 | 燃料电池汽车加氢站技术规程 | 地方标准 | DGJ08—2055—2017，J11330—2017 |

根据《加氢站技术规范》（GB 50516—2010）（2021 年版）的规定，在选择氢气加氢站的站址时，应将符合城镇规划、环境保护和防火安全的要求作为前提或基本要求。在满足这些要求的情况下充分考虑输送距离或输送过程增加的能量消耗，应设置在交通方便的位置，不应设在多尘或有腐蚀性气体及地势低洼和可能积水的场所，并尽可能做到节约能源的要求。加氢站站址的选择应充分考虑交通方便的条件，合理解决加氢、加油、加气、充电的关系，在合适条件下优先考虑加氢站与加油站、天然气加气站、充电站合建，以减少建设投资和方便运营管理。此外，与充电站合建的加氢合建站与站外市政道路之间宜设置缓冲距离或缓冲地带，便于电动汽车的进出和充电等候。

此外，GB 50516 中参考相关的加油站及加气站标准，对加氢站站内设备之间及站内设备与站外建、构筑物之间的防火间距进行了明确规定，可视作相关的安全距离。实际上，安全距离不是保证绝对安全，但可以确保安全距离以外的人和物的风险水平在某一限值以下。各种类型的安全距离的特性以及说明详见表 6-6。

表6-6　加氢站相关的各种类型安全距离

| 安全距离的特征 | 目的 | 危险来源 | 保护目标 |
|---|---|---|---|
| 限制距离 | 设备相邻区域风险的最小化 | 加氢站的设备 | 氢设备相邻的开放区域 |
| 清空距离 | 避免加氢站的人员设备受到与加氢站有关的危害 | 加氢站的设备和物体 | 加氢站的人员和设备 |
| 装置布局距离 | 防止危险升级到其他装置 | 加氢站的设备 | 加氢站的设备 |

续表

| 安全距离的特征 | 目的 | 危险来源 | 保护目标 |
| --- | --- | --- | --- |
| 防护距离 | 防止加氢站受到外部危害的损坏 | 外部危险源 | 加氢站的设备 |
| 外部风险距离 | 缓解非现场与加氢站有关的危害 | 加氢站的设备 | 加氢站以外周边的人员和资产 |

## 6.2.3 消防系统设计

### 6.2.3.1 一般要求

加氢站应设置火灾自动报警系统和氢气探测报警系统，采用的火灾探测器、氢气探测器及相关组件应符合现行国家标准（GB 50116—2013）《火灾自动报警系统设计规范》的规定，系统的控制和指示设备应设置在消防控制室或有人值班的房间。

作为火灾事后处理手段，加氢站内应设消防给水系统以及灭火器材。加氢站内灭火器配置应符合《加氢站技术规范》（GB 50516—2010）（2021 年版）的规定。

① 每 2 台加氢机或加气机应至少配置 1 只 8kg 手提式干粉灭火器或 2 只 4kg 手提式干粉灭火器；

② 可燃气体压缩机间应按建筑面积每 $50m^2$ 配置 1 只 8kg 手提式干粉灭火器，总数不得少于 2 只。

加氢站宜在站房外墙上设置消火栓箱，并与室外消火栓系统共用给水管道。

加氢站应设置固定式消防冷却水系统，并符合现行国家标准《自动喷水灭火系统设计规范》（GB 50084—2017）的规定。

消防给水设计流量应为室外消火栓设计流量和固定式消防冷却水系统的设计流量之和。当市政给水管网不能满足消防给水设计流量时，应设置消防水池和消防泵房。

加氢站消防系统的设备选型应与设备安装和使用的环境条件相符合，系统的信号传输线路应采用镀锌管、可挠（金属）电气导管、金属封闭线槽、B1 级以上的刚性塑料管或封闭式线槽保护，且传输线路应防爆。

加氢站氢气进气总管上应设紧急切断阀，便于发生事故时及时切断氢气源。同时，工艺系统上应配备安全阀，便于氢气自动泄放，阀门开启压力应符合《加氢站技术规范》（GB 50516—2010）（2021 年版）的规定，详见表 6-7。

表6-7　安全阀开启压力

| 序号 | 设计压力 P/MPa | 开启压力 $P_0$/MPa |
| --- | --- | --- |
| 1 | $P\leqslant 4.00$ | $P_0=1.10P$ |
| 2 | $4.00\leqslant P\leqslant 25.00$ | $P_0=1.05P$ |
| 3 | $25.00\leqslant P\leqslant 75.00$ | $P_0=P+1.25$ |

储氢罐或氢气储气瓶组与加氢枪之间，应设置切断阀、氢气主管切断阀、吹扫放空装置、紧急切断阀、供气软管和加氢切断阀等。

### 6.2.3.2 火灾自动报警系统

加氢站及各类加氢合建站内应设置氢气探测报警系统，并配有不间断电源。氢气探测器应安装在最有可能积聚氢气的地点或位置，氢气报警器宜集中设置在控制室或值班室内。加氢站内氢气探测报警系统检测到空气中的氢气含量达到氢气燃烧体积分数下限的1/10(即0.4%）时应触发报警信号，当氢气含量达到可燃下限的1/4(即1%）时应启动相应事故排风风机，当空气中的氢气含量达到可燃下限的2/5(即1.6%）时，应触发加氢站紧急切断系统[85]。另外，加氢站内可能发生氢气泄漏的房间均应设置机械排风系统，并将其与氢气泄漏探测报警系统连锁控制。自然通风换气次数不得少于5次/小时，事故排风换气次数不得少于15次/小时。

加氢站内下列位置应设置火焰探测器：固定式储氢压力容器处，控制阀组处，氢气压缩机邻近处，液氢泵、气化器处，加氢机上部，氢气卸车柱及其他可能发生氢气泄漏和引发火灾的位置。加氢站采用的火焰探测器应符合下列规定：

① 安装在室外的火焰探测器应能可靠探测氢气喷射火焰，并分别发出相应的火灾报警信号，报警时能够在消防控制柜上显示出发生火焰的部位；

② 安装在室外的火焰探测器不应受日光的干扰；

③ 火焰探测器的火警、故障信号应能单独直接传递至站控系统。

火焰探测器的设计应符合下列规定：

① 对加氢站内氢气泄漏火灾进行探测时，应选择适宜的探测器最大探测视角及最大探测距离；

② 探测器的探测区不应存在遮挡物；

③ 探测器的探测窗口应避免阳光直射。

加氢站内下列位置应设置氢气探测器：固定式储氢压力容器上部，压缩机间内顶部，液氢泵、气化器处，加氢机上部，氢气卸车柱及其他可能发生氢气泄漏的位置。

加氢站采用的氢气探测报警系统应符合下列规定：

① 氢气探测报警系统采用分级报警，一级报警设定值应为氢气在空气中的浓度达到0.4%时，二级报警设定值应为氢气在空气中的浓度达到1.0%时，三级报警设定值应为氢气在空气中的浓度达到1.6%时；

② 氢气探测报警系统达到一级报警条件时应启动声光警报器；

③ 设置在氢气压缩机间、氢气压力调节器间等易积聚氢气场所的氢气探测器应能给出事故排风风机启动信号，在氢气探测报警系统达到二级报警条件时触发；

④ 氢气探测报警系统达到三级报警条件时，应给出加氢站紧急切断系统启动信号；

⑤ 氢气探测器应具备通信和联网功能，可向可燃气体报警控制器及站控系统传送火警、故障等信息；

⑥ 氢气探测器应根据精度、可靠性、可维护性、检测范围、响应时间等因素选用，并符合现行国家标准《作业场所环境气体检测报警仪器　通用技术要求》（GB 12358—2024）和《可燃气体探测器》（GB 15322—2019）的规定。

声光警报器宜设置在控制室、加氢站内靠近站房等位置，报警系统应配有不间断电源。

加氢站的火灾自动报警系统的供电线路、消防联动控制线路应采用耐火铜芯屏蔽型电线电缆，报警总线、探测器的传输线路应采用燃烧性能为B1级以上的电线电缆。

#### 6.2.3.3　消防给水系统

一级加氢站室外消火栓设计流量不应小于25L/s，并应采用两路消防供水，二、三级加氢站室外消火栓设计流量不应小于 15L/s，且消火栓的连续给水时间不应小于 1h。利用城市消防管道时，储氢容器与室外消火栓的距离宜小于 60m。

加氢站的下列部位应设置固定式消防冷却水系统：

① 固定式储氢压力容器；

② 移动式储氢压力容器。

固定式消防冷却水系统应符合下列规定：

① 固定式消防冷却水系统应具有自动和手动两种启动方式；

② 固定式消防冷却水系统的设置应符合现行国家标准《自动喷水灭火系统设计规范》（GB 50084—2017）的规定；

③ 固定式消防冷却水系统应与设置区域的火焰探测器联动。

固定式消防冷却水系统的设计应符合下列规定：

① 氢气储存压力容器的设计冷却水供给强度不应小于 $9L/(min \cdot m^2)$，冷却面积按照容器外表面积计算。冷却水持续供给时间不应小于 1h。

② 液氢储存压力容器的设计冷却水供给强度不宜小于 $4L/(min \cdot m^2)$，冷却面积按照容器外表面积计算。冷却水持续供给时间不应小于 6h。

③ 冷却水系统的喷头出口处给水压力不应小于 0.2MPa。

④ 冷却水系统的喷头应均匀布置，储氢容器应在冷却水保护范围之内。

固定式消防冷却水系统的消防水泵应采用自灌式吸水。消防水泵应在接到报警后 2min 以内自动启动，且不应设置自动停泵的控制功能。

#### 6.2.3.4 惰化防爆系统

加氢站内有爆炸危险的封闭空间宜设置惰化防爆系统。

惰化防爆系统的设计除应符合下列规定外，尚应符合现行国家标准《惰化防爆指南》（GB/T 37241—2018）的规定。

① 惰化防爆系统宜优先选用气氛惰化系统。

② 惰化方法宜选用置换惰化方法。

③ 惰化系统应由惰性气体供给装置、氧浓度探测器、监测控制组件和供气管道等组成。

④ 氢气探测报警系统三级报警时，紧急切断系统启动并应同时联动启动惰化防爆系统。

## 6.3 加氢站风险评估

### 6.3.1 氢风险定量评估方法

#### 6.3.1.1 定量风险评价方法概述

在定量风险评估中，使用多个集成模型，根据这些模型中的背景信息，为决策方式提供合理理由。

风险可以通过灾害场景（$i$）、每个场景的后果（$c_i$）以及这些后果发生的概率（$p_i$）来表征。一种常用的计算表达式为

$$\text{Risk}=\sum_i(p_i\times c_i) \tag{6-32}$$

式中 $i$——灾害场景；

$c_i$——第 $i$ 个灾害场景的后果；

$p_i$——第 $i$ 个后果发生的概率。

在定量风险评价中，后果以可观察的数量来表示，例如在特定时期内的死亡人数或修复费用。概率项表示分析者对预测结果的不确定性（其中包括不同场景的频率和每个场景可能后果的范围）。

#### 6.3.1.2 风险矩阵计算

致命事故率（Fatal Accident rate，FAR）和平均个人风险（Average Individual Risk，AIR）是常用的表示评估对象死亡风险的指标。致命事故率和平均个人风险是潜在生命损失值（Potential Loss of Life，PLL）的函数。潜在生命损失值表示每年死亡人数的期望值，可表达为

$$\text{PLL}=\sum_n(f_n\times c_n) \tag{6-33}$$

式中 $n$——可能场景数；

$f_n$——事故场景 $n$ 发生的频率；

$c_n$——事故场景 $n$ 的死亡人数期望值。

致命事故率（FAR）是每 1 亿小时暴露时间对应死亡人数的期望值。则事故发生率（FAR）为

$$\text{FAR}=\frac{\text{PLL}\times 10^8}{\text{暴露时间}}=\frac{\text{PLL}\times 10^8}{N_{\text{pop}}\times 8760} \tag{6-34}$$

式中 $N_{\text{pop}}$——评估对象中人员的平均数，然后除以 8760（从年换算成小时，等于 365×24）。

平均个人风险表示每个暴露个体的平均死亡人数，可表达为

$$\text{AIR}=H\times FAR\times 10^{-8} \tag{6-35}$$

式中 $H$——评估对象中人员所花费的年平均时间（如全职工作者年平均时间为 2000h）。

#### 6.3.1.3 场景模型

氢泄漏扩散会导致几种不同的后果及相应的灾害。对于气态氢连续泄漏扩散，后果可能是未点燃氢气的泄漏扩散、喷射火（热效应）、闪火（积聚气体爆燃，以热效应为主）及爆炸（积聚气体的爆燃或爆轰，以超压影响为主）。表 6-8 描述了每个后果相关的关键因素和燃烧情况。

表6-8 氢泄漏扩散场景

| 后果 | 关键因素 | 燃烧描述 | 风险 |
|---|---|---|---|
| 喷射火 | 连续泄漏扩散（即直到氢气完全泄漏）；泄漏马上点火 | 动量驱动的非预混湍流火焰。燃烧速度大致等于气体泄漏速度 | 热效应 |
| 闪火 | 积聚气体爆燃，延迟点火（即在气体积聚并和空气混合后才点火） | 相当于预混火焰燃烧，其速度快于氢气泄漏到混合气中的速度 | 热效应 |
| 爆炸 | 积聚气体的爆燃或爆轰，延迟点火 | 受限空间火焰快速传播，爆燃或爆轰均产生冲击波 | 超压效应 |

对于氢气泄漏扩散可以用事件序列图来描述，如图 6-28 所示。

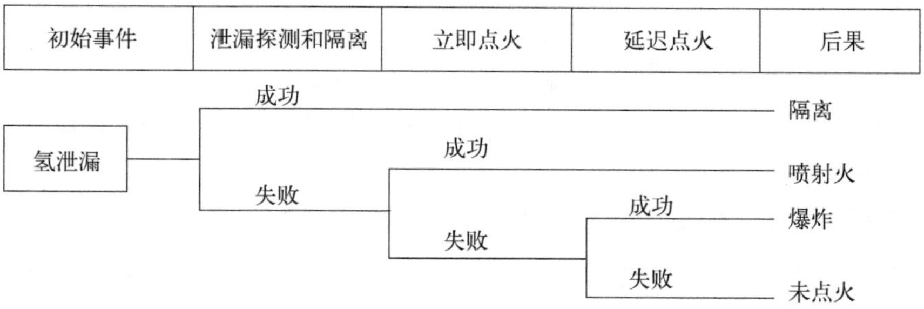


图 6-28　$GH_2$ 泄漏事件后果图

具体计算如下：

$$f_{隔离}=f_{泄漏}\times P_{隔离}$$
$$f_{未点火}=f_{泄漏}\times(1-P_{隔离})\times(1-P_{立即点火}-P_{延迟点火})$$
$$f_{喷射火}=f_{泄漏}\times(1-P_{隔离})\times P_{立即点火}$$
$$f_{爆炸}=f_{泄漏}\times(1-P_{隔离})\times P_{延迟点火}$$

式中　$f_{隔离}$——隔离状态的频率；

$f_{泄漏}$——泄漏频率；

$P_{隔离}$——被隔离的频率；

$f_{未点火}$——未点燃的频率；

$P_{立即点火}$——立即点燃概率；

$P_{延迟点火}$——延迟点燃概率；

$f_{喷射火}$——火焰喷射的频率；

$f_{爆炸}$——爆炸的频率。

（1）泄漏探测和隔离频率

成功探测并隔离的概率，取 $P$(隔离）为 0.9。该值包含了许多关于探测和隔离的考虑因素，包括通风、传感器放置、泄漏位置，以及传感器和隔离阀按需成功运行的能力。

（2）点火频率

氢气点火概率通常是氢泄漏速率的函数。需要注意的是，无论是直接点火还是延迟点火概率均是独立的，且都与释放有关。点火的总概率为瞬时点火概率和延迟点火概率相加。

表6-9　点火概率

| 氢泄漏速率/(kg/s) | P(立即点火) | P(延迟点火) |
| --- | --- | --- |
| <0.125 | 0.008 | 0.004 |
| 0.125~6.25 | 0.053 | 0.027 |
| >6.25 | 0.230 | 0.120 |

#### 6.3.1.4　气态氢泄漏扩散的频率

$f_{GH_2泄漏扩散}$是气态氢泄漏扩散的年频率矢量（管流面积 $\frac{\pi}{4}d^2$ 下的频率值 0.01%、0.1%、1%、10%、100%，其中 $d$ 是该管的内径）。

对应 0.01%、0.1%、1%、10%[公式(6-36)]、100%[公式(6-37)]下气态氢泄漏扩散的年频率：

$$f_{GH_2泄漏扩散}=f_{随机泄漏扩散} \tag{6-36}$$

$$f_{GH_2泄漏扩散}=f_{随机泄漏扩散}+f_{别的泄漏扩散}\text{（仅适用于 100\%泄漏扩散）} \tag{6-37}$$

（1）随机泄漏频率

使用故障树获取每个释放尺寸的年随机泄漏频率。例如，泄漏大小为 0.01%的随机泄漏故障树如图 6-29 所示。所有其他泄漏大小的随机泄漏故障树与每个泄漏大小是相似的。

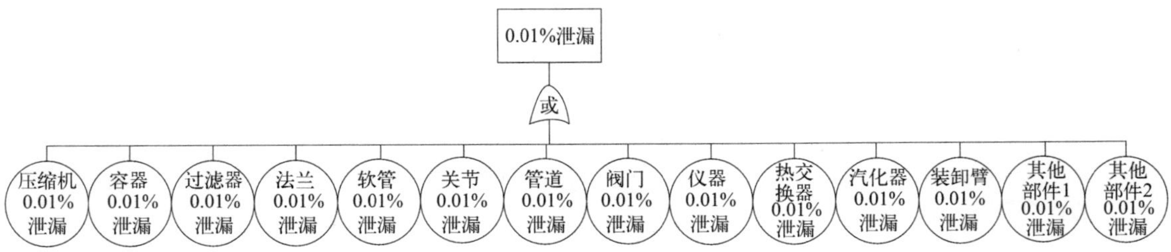


6-29 组件发生大小为 0.01%的随机泄漏故障树

将组件泄漏频率组合为每种尺寸的总体泄漏频率。通过结合感兴趣的系统中所有组件的单个组件泄漏频率，计算每个泄漏尺寸为 $k$ 的年度随机泄漏频率（$f_{随机泄漏扩散k}$）：

$$f_{泄漏扩散k}=\sum_i N_{部件i}\times f_{泄漏_{i,k}} \tag{6-38}$$

式中 $k$——组件泄漏尺寸；

$N_{部件i}$——每类部件数［压缩机、汽缸、阀门、仪表、接头、软管、管道（m）、过滤器、法兰］；

$f_{泄漏_{i,k}}$——组件 $i$ 的泄漏尺寸 $k$ 的平均泄漏频率；

$f_{别的泄漏扩散}$可采用下式计算：

$$f_{别的泄漏扩散}=5.5\times10^{-9}\times(n_{每日工作次数}\times n_{工作日}) \tag{6-39}$$

（2）组件泄漏频率

随机泄漏的年频率（$f_{\mathrm{Leak}}$）分布为参数 $\mu$ 和 $\sigma$ 的对数正态分布：

$$f_{\mathrm{Leak}}\sim \mathrm{L}gnormal(\mu,\sigma^2) \tag{6-40}$$

几何平均值（等于中位数）为：

$$中位数=e^{\mu}$$

频率计算中使用几何平均值（中值）作为 $a$ 分布的集中趋势度量。每个组件都是由一个分层贝叶斯模型生成的，该模型假定对数正态分布。从模型输出中找到中间的泄漏率，计算的 $\mu$ 为 ln（中位数）。模拟数据的标准差 $\sigma$ 为

$$\sigma=\frac{\sum_{i=1}^{N}(\ln x_i-\mu)^2}{N} \tag{6-41}$$

式中，$x_i$ 为模拟分布中的各泄漏频率。各分量的默认泄漏频率分布的参数和中值见表 6-10。

表6-10　单个组件随机泄漏频率值

| 组件 | 释放尺寸/% | 压缩氢气 | | | 液氢 | | |
|---|---|---|---|---|---|---|---|
| | | $\mu$ | $\sigma$ | 中位数 | $\mu$ | $\sigma$ | 中位数 |
| 压缩机 | 0.01 | −2.31 | 0.30 | $9.93\times10^{-2}$ | — | — | — |
| | 0.1 | −4.08 | 0.52 | $1.70\times10^{-2}$ | — | — | — |
| | 1 | −5.39 | 0.82 | $4.57\times10^{-3}$ | — | — | — |
| | 10 | −8.79 | 0.73 | $1.52\times10^{-4}$ | — | — | — |
| | 100 | −11.14 | 1.21 | $1.45\times10^{-5}$ | — | — | — |
| 气缸 | 0.01 | −13.48 | 0.73 | $1.40\times10^{-6}$ | — | — | — |
| | 0.1 | −13.64 | 0.64 | $1.19\times10^{-6}$ | — | — | — |
| | 1 | −14.05 | 0.62 | $7.91\times10^{-7}$ | — | — | — |
| | 10 | −14.61 | 0.60 | $4.52\times10^{-7}$ | — | — | — |
| | 100 | −15.27 | 0.62 | $2.34\times10^{-7}$ | — | — | — |
| 过滤器 | 0.01 | −5.23 | 1.70 | $5.35\times10^{-3}$ | — | — | — |
| | 0.1 | −5.28 | 1.29 | $5.09\times10^{-3}$ | — | — | — |
| | 1 | −5.33 | 1.29 | $4.84\times10^{-3}$ | — | — | — |
| | 10 | −5.38 | 0.74 | $4.61\times10^{-3}$ | — | — | — |
| | 100 | −5.43 | 0.82 | $4.38\times10^{-3}$ | — | — | — |
| 法兰 | 0.01 | −3.91 | 1.49 | $2.00\times10^{-2}$ | −3.91 | 1.49 | $2.00\times10^{-2}$ |
| | 0.1 | −6.12 | 1.13 | $2.20\times10^{-3}$ | −6.12 | 1.13 | $2.20\times10^{-3}$ |
| | 1 | −8.33 | 2.05 | $2.41\times10^{-4}$ | −8.33 | 2.05 | $2.41\times10^{-4}$ |
| | 10 | −10.53 | 0.72 | $2.67\times10^{-5}$ | −10.53 | 0.72 | $2.67\times10^{-5}$ |
| | 100 | −12.74 | 1.69 | $2.93\times10^{-6}$ | −12.74 | 1.69 | $2.93\times10^{-6}$ |
| 法兰和垫片 | 0.01 | — | — | — | — | — | — |
| | 0.1 | — | — | — | — | — | — |
| | 1 | — | — | — | — | — | — |
| | 10 | — | — | — | — | — | — |
| | 100 | — | — | — | — | — | — |
| 热交换器 | 0.01 | — | — | — | — | — | — |
| | 0.1 | — | — | — | — | — | — |
| | 1 | — | — | — | — | — | — |
| | 10 | — | — | — | — | — | — |
| | 100 | — | — | — | — | — | — |
| 软管 | 0.01 | −7.45 | 0.39 | $5.81\times10^{-4}$ | −7.45 | 0.39 | $5.81\times10^{-4}$ |
| | 0.1 | −8.50 | 0.60 | $2.03\times10^{-4}$ | −8.50 | 0.60 | $2.03\times10^{-4}$ |
| | 1 | −8.71 | 0.61 | $1.65\times10^{-4}$ | −8.71 | 0.61 | $1.65\times10^{-4}$ |
| | 10 | −8.80 | 0.59 | $1.51\times10^{-4}$ | −8.80 | 0.59 | $1.51\times10^{-4}$ |
| | 100 | −9.69 | 0.98 | $6.19\times10^{-5}$ | −9.69 | 0.98 | $6.19\times10^{-5}$ |
| 仪器 | 0.01 | −7.38 | 0.71 | $6.24\times10^{-4}$ | — | — | — |
| | 0.1 | −8.54 | 0.85 | $1.95\times10^{-4}$ | — | — | — |
| | 1 | −9.10 | 0.92 | $1.12\times10^{-4}$ | — | — | — |
| | 10 | −9.21 | 1.09 | $1.00\times10^{-4}$ | — | — | — |
| | 100 | −10.21 | 1.49 | $3.68\times10^{-5}$ | — | — | — |
| 关节/接合处 | 0.01 | −10.26 | 0.24 | $3.50\times10^{-5}$ | −10.26 | 0.24 | $3.50\times10^{-5}$ |
| | 0.1 | −12.27 | 0.87 | $4.69\times10^{-6}$ | −12.27 | 0.87 | $4.69\times10^{-6}$ |
| | 1 | −11.75 | 0.53 | $7.89\times10^{-6}$ | −11.75 | 0.53 | $7.89\times10^{-6}$ |
| | 10 | −11.80 | 0.61 | $7.50\times10^{-6}$ | −11.80 | 0.61 | $7.50\times10^{-6}$ |
| | 100 | −11.96 | 0.66 | $6.40\times10^{-6}$ | −11.96 | 0.66 | $6.40\times10^{-6}$ |
| 装卸臂 | 0.01 | — | — | — | — | — | — |
| | 0.1 | — | — | — | — | — | — |
| | 1 | — | — | — | — | — | — |

续表

| 组件 | 释放尺寸/% | 压缩氢气 | | | 液氢 | | |
|---|---|---|---|---|---|---|---|
| | | $\mu$ | $\sigma$ | 中位数 | $\mu$ | $\sigma$ | 中位数 |
| 装卸臂 | 10 | — | — | — | — | — | — |
| | 100 | — | — | — | — | — | — |
| 管道 | 0.01 | -11.73 | 0.72 | $8.05\times10^{-6}$ | -11.73 | 0.72 | $8.05\times10^{-6}$ |
| | 0.1 | -12.51 | 0.71 | $3.69\times10^{-6}$ | -12.51 | 0.71 | $3.69\times10^{-6}$ |
| | 1 | -13.86 | 1.25 | $9.56\times10^{-7}$ | -13.86 | 1.25 | $9.56\times10^{-7}$ |
| | 10 | -14.59 | 1.19 | $4.61\times10^{-7}$ | -14.59 | 1.19 | $4.61\times10^{-7}$ |
| | 100 | -15.74 | 1.85 | $1.46\times10^{-7}$ | -15.74 | 1.85 | $1.46\times10^{-7}$ |
| 阀门 | 0.01 | -5.85 | 0.25 | $2.88\times10^{-3}$ | -5.85 | 0.25 | $2.88\times10^{-3}$ |
| | 0.1 | -7.44 | 0.43 | $5.87\times10^{-4}$ | -7.44 | 0.43 | $5.87\times10^{-4}$ |
| | 1 | -9.82 | 1.14 | $5.44\times10^{-5}$ | -9.82 | 1.14 | $5.44\times10^{-5}$ |
| | 10 | -10.61 | 0.63 | $2.47\times10^{-5}$ | -10.61 | 0.63 | $2.47\times10^{-5}$ |
| | 100 | -12.24 | 1.37 | $4.83\times10^{-6}$ | -12.24 | 1.37 | $4.83\times10^{-6}$ |
| 汽化器 | 0.01 | — | — | — | — | — | — |
| | 0.1 | — | — | — | — | — | — |
| | 1 | — | — | — | — | — | — |
| | 10 | — | — | — | — | — | — |
| | 100 | — | — | — | — | — | — |
| 容器 | 0.01 | — | — | — | -7.34 | 1.78 | $6.49\times10^{-4}$ |
| | 0.1 | — | — | — | -8.89 | 2.55 | $1.38\times10^{-4}$ |
| | 1 | — | — | — | -10.47 | 2.05 | $2.84\times10^{-5}$ |
| | 10 | — | — | — | -12.08 | 2.73 | $5.67\times10^{-6}$ |
| | 100 | — | — | — | -13.66 | 3.13 | $1.17\times10^{-6}$ |

(3) 加氢机泄漏频率

加氢机故障会导致大量的燃料泄漏，所以频率仅用于最大泄漏尺寸（100%）。其他泄漏的年度频率（$f_{其他泄漏}$）的计算公式为

$$f_{其他泄漏}=f_{燃料需求}\times P_{加氢机泄漏} \tag{6-42}$$

式中，$f_{燃料需求}$是每年燃料需求的频率（即加氢机是用来在一年内给一辆车加氢的）；$P_{加氢机泄漏}$是 $a$ 的概率。

在加注过程中从加氢机释放，燃料需求的年度频率为

$$f_{燃料需求}=N_{工厂内的车辆}\times N_{每辆车每天加油}\times N_{每年运行天数} \tag{6-43}$$

式中，$N_{工厂内的车辆}$是工厂内车辆的数量；$N_{每辆车每天加油}$是每辆车每天加油的次数；$N_{每年运行天数}$为一年中运行的天数。

加氢机故障被归类为事故（其中车辆油箱过压或驱动器脱落）或关闭故障（系统关闭失败从喷嘴释放后下降），这些类型释放的概率如图 6-30 所示。

加注过程中从加氢机释放的概率为：

$$P_{加氢机泄漏}=P_{事故}+P_{关机失败} \tag{6-44}$$

式中，$P_{事故}$是在加注时发生事故的概率；$P_{关机失败}$是加注过程中关闭失败的概率。在加注过程中发生事故的可能性是

$$P_{事故}=P_{燃烧过程中的破裂}\times P_{因驾驶而导致的泄漏} \tag{6-45}$$

式中，$P_{燃烧过程中的破裂}$是燃烧过程中发生破裂的概率；$P_{因驾驶而导致的泄漏}$是由于车辆驾驶而导致泄漏发生的概率。在加注过程中发生破裂的概率为

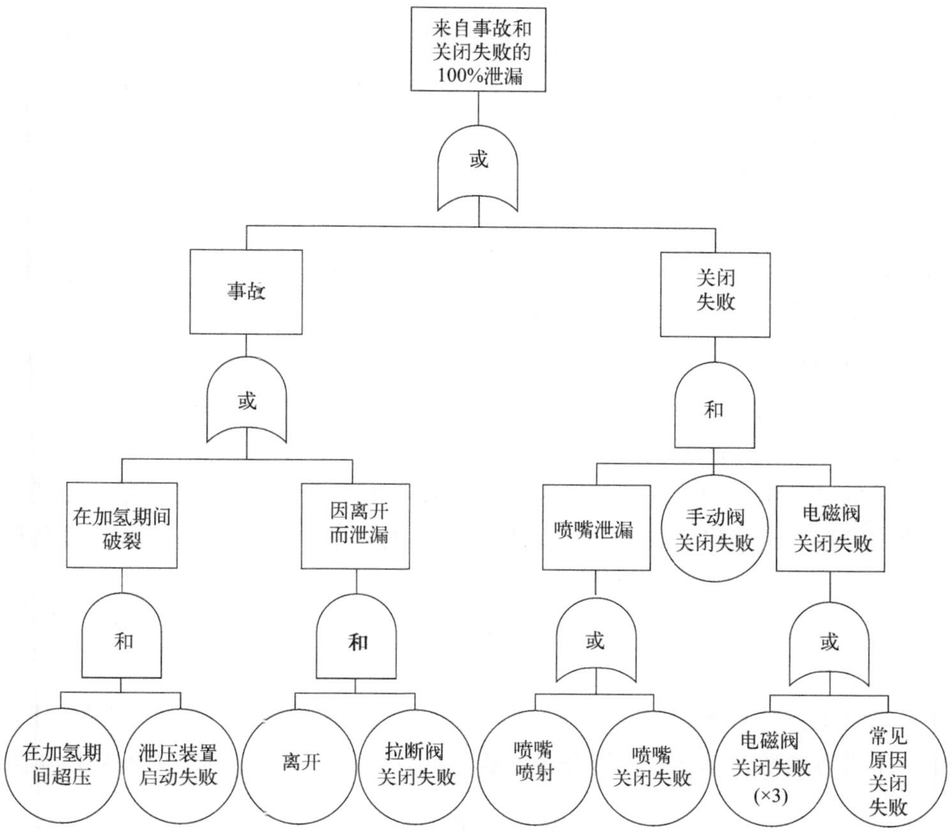


图 6-30　加氢机其他释放的故障树

$$P_{\text{燃烧过程中的破裂}}=P_{\text{加氢期间的超压}}\times P_{\text{PRD FTO}} \tag{6-46}$$

式中，$P_{\text{加氢期间的超压}}$是在加注期间发生超压的概率（例如，加氢机将车辆油箱填满）和 $P_{\text{PRD FTO}}$ 是加氢机压力释放装置无法按需打开的概率。$P_{\text{加氢期间的超压}}$和 $P_{\text{PRD FTO}}$ 可以分别指定为具体的预期值从 0.0 到 1.0，或者可以指定为概率分布，如贝塔或正态分布下标：PRD（pressure relief device，压力泄放装置）；FTO（failure to open，打开失效）。由于车辆脱落而发生释放的概率为

$$P_{\text{因驾驶而导致的泄漏}}=P_{\text{驾驶离开}}\times P_{\text{分离FTC}} \tag{6-47}$$

式中，$P_{\text{驾驶离开}}$是一辆仍附在加氢机上的车辆驶离的概率；$P_{\text{已分离FTC}}$ 是分离耦合失效的概率。$P_{\text{驾驶离开}}$和 $P_{\text{已离开FTC}}$ 分别可以指定为从 0.0 到 1.0 的特定期望值，或者可以指定为概率分布，或者对数正态分布。如果指定了概率分布，则平均值可按上述计算中计算和使用。

加氢过程中停机失败的概率为：

$$P_{\text{因驾驶而导致的泄漏}}=P_{\text{喷嘴泄漏}}\times P_{\text{手动阀FTC}}\times P_{\text{电磁阀FTC}} \tag{6-48}$$

式中，$P_{\text{喷嘴喷射}}$为喷管泄漏燃料的概率；$P_{\text{手动阀FTC}}$ 为手动关闭阀关闭失败的概率和 $P_{\text{电磁阀 FTC}}$ 是自动电磁阀未能关闭的概率；下标：FTC（failure to close，关闭失效）。$P_{\text{手动阀 FTC}}$ 可指定为具体期望值或可指定作为概率分布（贝塔或对数正态），实践中将使用其平均值。

喷嘴喷射燃料的概率为

$$P_{喷嘴喷射}=P_{喷管喷射}\times P_{喷管FTC} \tag{6-49}$$

式中，$P_{喷管喷射}$为加氢机喷管在加注过程中喷射的概率和$P_{喷管FTC}$是加氢机喷管关闭失败的概率。$P_{喷管喷射}$和$P_{喷管FTC}$都可以指定为一个特定的期望值或可以指定为概率分布（贝塔或对数正态），实践中将使用其平均值。

自动电磁阀关闭失败的概率$P_{电磁阀FTC}$为

$$P_{电磁阀\ FTC}=P^{3}_{任一个电磁阀\ FTC}\times P_{常见原因\ FTC} \tag{6-50}$$

式中，$P_{任一个电磁阀\ FTC}$是任意一个自动电磁阀失效的概率；$P_{常见原因\ FTC}$是指由于共因失效导致所有电磁阀未能关闭的概率（例如失去与传感器的连接）。需要注意的是，此故障树假设有3个电磁阀，且必须全部失效才能释放氢。因此，单个阀失效的概率被立方化。$P_{电磁阀\ FTC}$和$P_{常见原因\ FTC}$可以分别指定为具体的预期值或可以指定为概率分布（贝塔或对数正态），实践中将使用其平均值。

应该注意的是，本节中的任何概率都可以用来估计年度事件发生的频率，即任何事件在一年内发生的频率。这可以通过将某些事件A的发生概率［$P(A)$］乘以每年的燃料需求数（$f_{燃料需求}$）来实现，即

$$f_{A}=P(A)\times f_{燃料需求} \tag{6-51}$$

（4）加氢机失效频率

几何平均（中位数）泄漏频率用于释放计算，对数正态分布和算术平均值用于概率分布。对于一个带有参数$\alpha$和$\beta$的贝塔分布（数值见表6-11、表6-12），其算术平均值为

$$算术平均值=\frac{\alpha}{\alpha+\beta} \tag{6-52}$$

表6-11 组件失效的默认概率分布

| 组件 | 失效模型 | 分布类型 | 参数 |
|---|---|---|---|
| 喷嘴 | 过压释放 | 贝塔分布 | $\alpha=0.5$, $\beta=610415.5$ |
| 喷嘴 | 关闭失败 | 期望 | 0.002 |
| 断开式联轴节 | 关闭失败 | 贝塔分布 | $\alpha=0.5$, $\beta=5031$ |
| 减压阀 | 提前开放 | 贝塔分布 | $\alpha=4.5$, $\beta=310288.5$ |
| 减压阀 | 关闭失败 | 正态分布 | $\mu=-11.74$, $\sigma=0.67$ |
| 手控阀 | 关闭失败（人为错误） | 期望 | 0.001 |
| 电磁阀 | 关闭失败 | 期望 | 0.002 |
| 电磁阀 | 常见原因故障（3个阀门，贝塔系数法） | 期望 | $1.28\times10^{-4}$ |

表6-12 事故发生的默认概率分布

| 事故 | 分布类型 | 参数 |
|---|---|---|
| 驾驶离开 | 贝塔分布 | $\alpha=31.5$, $\beta=610384.5$ |
| 加氢过程中的超压 | 贝塔分布 | $\alpha=3.5$, $\beta=310289.5$ |

#### 6.3.1.5 后果模型

喷射火和爆炸超压的后果模型可以采用理论模型和CFD模拟。理论模型参见本节的6.3.1.3，CFD模拟在此不再详述。

#### 6.3.1.6 伤害和损失模型

概率模型用于确定某一暴露的伤害或死亡概率。该概率模型是一种预测因子的线性组合，这种预测因子建立了与正常分布相关的逆累积分布函数模型。死亡的概率计算是在概率模型（$Y$）建立的值的基础上评估正态累积分布函数 $\phi$。下面讨论热和超压效应的不同概率模型。

$$P_{\text{fatality}}=F(Y|\mu,\sigma)=\phi(Y-5) \tag{6-53}$$

（1）热伤害

热辐射引起的伤害水平是热通量强度和暴露持续时间的函数。辐射热通量的危害通常用热剂量单位来表示，热剂量单位综合体现了热通量强度和暴露时间。热剂量单位为

$$V=I\times\frac{4}{3}\times t$$

式中，$I$ 为热辐射通量，W/m$^2$；$t$ 为暴露时间，s；表 6-13 列出了典型的死亡率模型。在氢风险评估中，LaChance 等推荐使用 Eisenberg 和 Tsao & Perry 模型。

表6-13 死亡概率模型

| 参考公式 | 死亡率模型 | 说明 |
|---|---|---|
| Eisenberg | Y= －38.48+ 2.56lnV | 基于广岛和长崎核爆炸紫外辐射数据获得 |
| Tsao & Perry | Y= －36.38+ 2.56lnV | 考虑红外辐射，修正 Eisenberg 模型 |
| TNO | Y= －37.23+ 2.56lnV | 考虑衣服的影响，修正 Tsao & Perry 模型 |
| Lees | Y= －29.02+ 1.99ln(0.5V) | 考虑衣服的影响，用紫外源确定皮肤伤害的办法测量猪的皮肤实验数据 |

结构和设备也会因为暴露于辐射热中而损坏。一些对结构和部件损伤的典型的热流值与曝光时间由 LaChance 等提供。然而，结构和部件损伤所需要的曝光时间长（>30min），既然人员能够在重要结构损伤发生前撤离，氢火灾对结构和部件热辐射影响通常显得不重要。

（2）超压伤害

目前国际上有几个概率模型可以预测爆炸超压的伤害。这些模型一般区分压力的直接效应和间接效应。压力的显著增加会导致敏感器官损伤，如肺、耳朵等。间接效应包括由超压产生的碎片、结构的坍塌和热辐射（蒸气云爆炸产生的火球热辐射）。大的爆炸也会冲击到人与结构碰撞或使人剧烈运动而造成伤害。表 6-14 提供了超压影响的概率模型。

表6-14 超压导致死亡的概率模型

| 参考 | 死亡模型 |
|---|---|
| Eisenberg-肺损伤 | $Y=-77.1+6.91\ln P_s$ |
| HSE-肺损伤 | $Y=1.47+1.371\ln P_s$ |
| TNO-头部撞击 | $Y=5-8.49\ln(2430/P_s)+4.0\times 108/(P_s i)$ |
| TNO-结构坍塌 | $Y=5-0.22\ln V$<br>$V=(40000/P_s)\times 7.4+(460/i)\times 11.3$ |

注：$P_s$ 是超压峰值，Pa；$i$ 是冲击波比冲，Pa · s。

HSE，指 U. K. Health and Safety Executive，英国健康与安全执行局。

HSE-损伤，指的是依据 HSE 标准，考虑爆炸超压冲击波下的人员损伤概率模型。

LaChance 等推荐使用 TNC 概率模型，并建议超压的间接影响代表了人们最为关注的问题。引起致命肺损伤需要的超压值明显高于把人扔向障碍物或使用子弹穿透皮肤的值。此外，在结构

中的人比起肺损伤更可能死于设施坍塌。为此，通常采用 TNO 概率模型分析结构倒塌。

## 6.3.2 加氢站风险评估案例研究

### 6.3.2.1 加氢站案例概况

本文运用 HyRAM 4.1 软件提出的定量风险评估模型对上海地区的某加氢站（图 6-31）风险进行评估。该加氢站占地 880$m^2$，属于外供氢加氢站，其储氢量最大可达 800kg，加注压力为 35MPa，加注能力 800kg/d，一次能连续为 20 辆燃料电池轿车、6 辆燃料电池大巴加氢。根据最新的国家标准《加氢站技术规范》（GB 50516—2010）（2021 年版）要求，该加氢站等级划分为三级站[86]。

图 6-31 上海某加氢站

该加氢站的平面布置如图 6-32 所示，包括设备区、加氢岛和站房。设备区主要由氢气管束车、储氢瓶组、氢气压缩机、汇流排及集中放散管等构成。氢气管束车将 20MPa 的压缩氢气运输进入站内后，经氢气压缩机将其压缩至 45MPa 高压后，储存于 45MPa 储氢瓶组中。加气岛有一台双枪加氢机，可以为轿车和大巴加氢，加注压力 35MPa。加氢机为燃料电池汽车加氢时，分三级加注，氢气管束车为第一级；9 个储氢瓶组分两组，其中 7 个瓶组为第二级，2 个瓶组为第三级。站房内部分为监控室和访客中心两部分，监控室内设置整站的监控系统和配电系统，操作人员可在线监控管理，实现 24h 实时管理。为满足加氢站站内的工艺操作和安全管理要求，每班要求站长 1 名、操作员 1 名和安全员 1 名。访客中心内布置了氢能知识科普、加氢站安全操作视频等资料，可让更多的人了解和接受氢能，帮助氢能走进公众社会。

该加氢站的主要设备配置总结如表 6-15 所示。

表6-15 上海某加氢站的主要设备配置

| 设备 | 数量 | 单位 | 工作压力 |
|---|---|---|---|
| 氢气拖车 | 2 | 台 | 20MPa |
| 压缩机 | 1 | 台 | 45MPa |
| 储氢气瓶 | 9 | 个 | 45MPa |
| 加注机 | 1 | 台 | 35MPa |

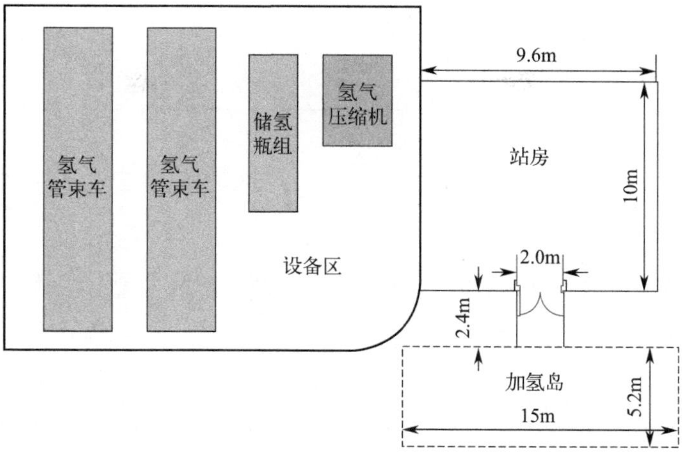


图 6-32　上海某加氢站的平面布局图

其中，假定氢气拖车的主要配件如表 6-16 所示。

表6-16　氢气拖车的组成部件[87]

| 组成 | 数量 | 单位 | 工作压力 |
|---|---|---|---|
| 接头 | 22 | 个 | 20MPa |
| 管道 | 22.5 | m | 20MPa |
| 阀门 | 15 | 个 | 20MPa |
| 仪表 | 3 | 个 | 20MPa |

假定加注机的主要配件如表 6-17 所示。

表6-17　加注机的组成部件[88]

| 组成 | 数量 | 单位 | 工作压力 |
|---|---|---|---|
| 气缸 | 2 | 个 | 35MPa |
| 过滤器 | 3 | 个 | 35MPa |
| 阀门 | 7 | 个 | 35MPa |
| 仪表 | 5 | 个 | 35MPa |
| 接头 | 43 | 个 | 35MPa |
| 软管 | 1 | 个 | 35MPa |
| 管道长度 | 30 | 米 | 35MPa |

#### 6.3.2.2　上海某加氢站泄漏的事故树分析

通过对泄漏事故数据的统计分析可知，造成加氢站泄漏事故的主要原因包括管道泄漏、设备失效和异常事故。该加氢站的主要设备包括氢气拖车、压缩机、储氢气瓶、加注机等，均存在泄漏风险。根据图 6-29 和图 6-32，该加氢站泄漏的事故树分析如图 6-33 所示。

通过上述分析可以看出该加氢站氢气泄漏的风险源包括压缩机、气瓶、过滤器、仪表、管道、阀门、软管、接头、喷嘴、手动阀、电磁阀等。氢气泄漏频率不仅与泄漏源有关，而且与泄漏规模密切相关。目前，根据通用泄漏统计数据确定该加氢站不同泄漏源在不同泄漏规模下的泄漏频率，如表 6-18 所示。该加氢站有加注机 1 台，由于加注机自身组件故障或者事故原因，加注机可能会发生失效。其中，加氢机各组件的失效概率和事故概率如表 6-19 和表 6-20 所示。

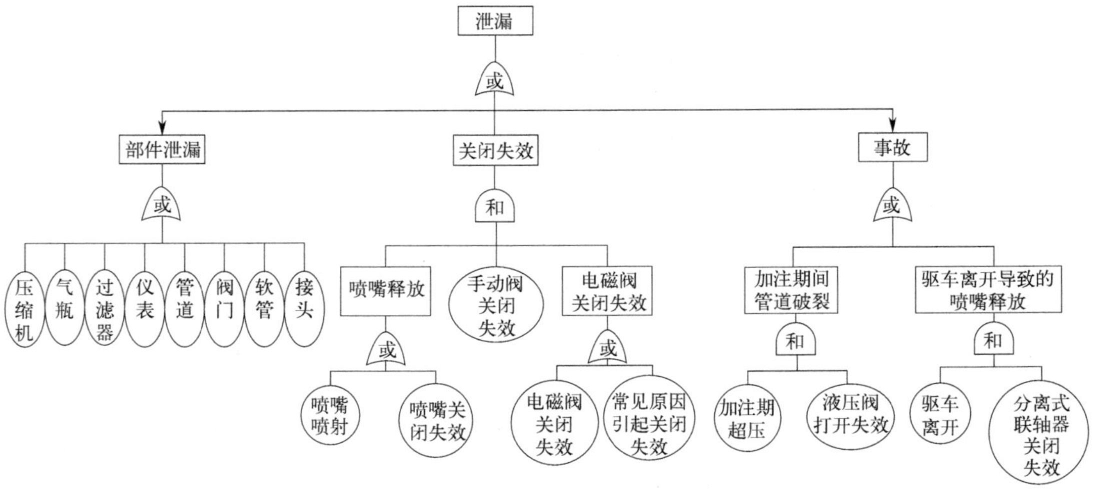


图 6-33　该加氢站的事故树分析图

根据事故树分析并结合公式(6-41) ～公式(6-55)，可知该加氢站主要设备泄漏的频率如表 6-21、表 6-22 所示。

表6-18　该加氢站氢气拖车的泄漏频率

| 泄漏源 | 泄漏频率/(次/年) | | | | |
|---|---|---|---|---|---|
| | 0.01%泄漏 | 0.1%泄漏 | 1.0%泄漏 | 10%泄漏 | 100%泄漏 |
| 阀门 | $4.30\times10^{-2}$ | $8.79\times10^{-3}$ | $8.16\times10^{-4}$ | $3.71\times10^{-4}$ | $7.22\times10^{-5}$ |
| 仪器 | $1.87\times10^{-3}$ | $5.86\times10^{-4}$ | $3.35\times10^{-4}$ | $3.00\times10^{-4}$ | $1.10\times10^{-4}$ |
| 接头 | $7.71\times10^{-4}$ | $1.03\times10^{-4}$ | $1.73\times10^{-4}$ | $1.66\times10^{-4}$ | $1.41\times10^{-4}$ |
| 管道 | $1.77\times10^{-4}$ | $8.13\times10^{-5}$ | $2.10\times10^{-5}$ | $1.01\times10^{-5}$ | $3.23\times10^{-5}$ |
| 总计 | $4.58\times10^{-2}$ | $9.56\times10^{-3}$ | $1.35\times10^{-3}$ | $8.47\times10^{-4}$ | $3.56\times10^{-4}$ |

表6-19　该加氢站压缩机的泄漏频率

| 泄漏源 | 泄漏频率/(次/年) | | | | |
|---|---|---|---|---|---|
| | 0.01%泄漏 | 0.1%泄漏 | 1.0%泄漏 | 10%泄漏 | 100%泄漏 |
| 压缩机 | $9.97\times10^{-2}$ | $1.7\times10^{-2}$ | $4.57\times10^{-3}$ | $1.52\times10^{-4}$ | $1.46\times10^{-5}$ |

表6-20　该加氢站储氢气瓶的泄漏频率

| 泄漏源 | 泄漏频率/(次/年) | | | | |
|---|---|---|---|---|---|
| | 0.01%泄漏 | 0.1%泄漏 | 1.0%泄漏 | 10%泄漏 | 100%泄漏 |
| 气瓶 | $1.26\times10^{-5}$ | $1.07\times10^{-5}$ | $7.11\times10^{-6}$ | $4.05\times10^{-6}$ | $2.10\times10^{-6}$ |
| 管道 | $2.41\times10^{-4}$ | $1.11\times10^{-4}$ | $2.87\times10^{-5}$ | $1.38\times10^{-5}$ | $4.40\times10^{-6}$ |
| 总计 | $2.54\times10^{-4}$ | $1.22\times10^{-4}$ | $3.58\times10^{-5}$ | $1.79\times10^{-5}$ | $6.50\times10^{-6}$ |

表6-21　该加氢站加注机随机泄漏事故的发生频率

| 泄漏源 | 泄漏频率/(次/年) | | | | |
|---|---|---|---|---|---|
| | 0.01%泄漏 | 0.1%泄漏 | 1.0%泄漏 | 10%泄漏 | 100%泄漏 |
| 气缸 | $2.81\times10^{-6}$ | $2.38\times10^{-6}$ | $1.58\times10^{-6}$ | $9.00\times10^{-7}$ | $4.66\times10^{-7}$ |
| 阀门 | $2.01\times10^{-2}$ | $4.10\times10^{-3}$ | $3.81\times10^{-4}$ | $1.73\times10^{-4}$ | $3.37\times10^{-5}$ |
| 仪表 | $3.12\times10^{-3}$ | $9.77\times10^{-4}$ | $5.58\times10^{-4}$ | $5.00\times10^{-4}$ | $1.84\times10^{-4}$ |
| 接头 | $1.51\times10^{-3}$ | $2.02\times10^{-4}$ | $3.38\times10^{-4}$ | $3.24\times10^{-4}$ | $2.75\times10^{-4}$ |
| 总计 | $2.47\times10^{-2}$ | $5.28\times10^{-3}$ | $1.28\times10^{-3}$ | $9.97\times10^{-4}$ | $4.93\times10^{-4}$ |

表6-22　该加氢站加注机部件失效和事故导致的泄漏频率

| 泄漏源 | 泄漏频率/（次/年） | | | | |
|---|---|---|---|---|---|
| | 0.01%泄漏 | 0.1%泄漏 | 1.0%泄漏 | 10%泄漏 | 100%泄漏 |
| 加注机 | 0 | 0 | 0 | 0 | $7.12\times10^{-5}$ |

通过以上表格可以看出在100%的泄漏规模下该加氢站加注机的泄漏频率最大，氢气拖车泄漏频率次之，储氢气瓶泄漏频率最小。

### 6.3.2.3　该加氢站泄漏的事件树分析

根据图 6-28，该加氢站泄漏事故后果事件树如图 6-34 所示。

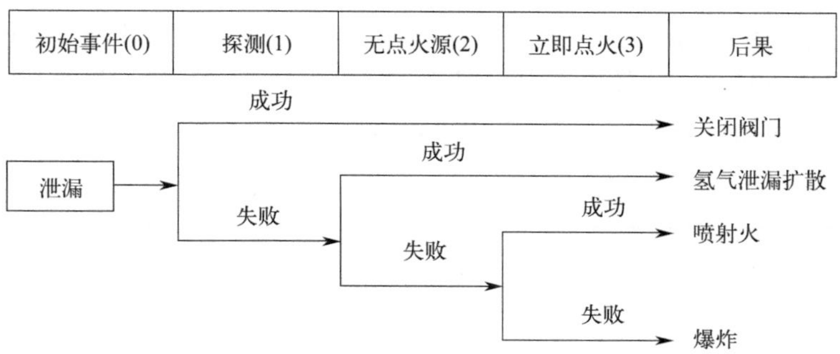


图 6-34　该加氢站泄漏的事件树序列图

氢气探测和隔离成功的概率为 0.9，氢气点火的概率与氢气的质量流量有关，如表 6-9 所示。该加氢站氢气管道外径为 0.75in，内径为 0.5in，可利用 HyRAM 4.1 计算其主要设备在不同泄漏规模下的质量流量如表 6-23 所示。

表6-23　该加氢站主要设备泄漏质量流量的估算

| 泄漏源 | 压力/MPa | 泄漏质量流量/（kg/s） | | | | |
|---|---|---|---|---|---|---|
| | | 0.01%泄漏 | 0.1%泄漏 | 1.0%泄漏 | 10%泄漏 | 100%泄漏 |
| 氢气拖车 | 20 | $1.56\times10^{-4}$ | $1.56\times10^{-3}$ | $1.56\times10^{-2}$ | 0.156 | 1.56 |
| 压缩机 | 45 | $3.41\times10^{-4}$ | $3.41\times10^{-3}$ | $3.41\times10^{-2}$ | 0.341 | 3.41 |
| 储氢气瓶 | 45 | $3.41\times10^{-4}$ | $3.41\times10^{-3}$ | $3.41\times10^{-2}$ | 0.341 | 3.41 |
| 加注机 | 35 | $2.68\times10^{-4}$ | $2.68\times10^{-3}$ | $2.68\times10^{-2}$ | 0.268 | 2.68 |

通过表 6-23 可看出：泄漏质量流量由压力决定，压缩机和气瓶泄漏质量流量最大，加注机泄漏质量流量次之，而氢气拖车泄漏质量流量最小。

基于事件树分析，可利用 HyRAM 4.1 获得该加氢站泄漏场景后果的概率如表 6-24 所示。

表6-24　该加氢站泄漏场景后果的概率

| 场景后果 | 概率 | | | | |
|---|---|---|---|---|---|
| | 0.01%泄漏 | 0.1%泄漏 | 1.0%泄漏 | 10%泄漏 | 100%泄漏 |
| 关闭阀门 | 90% | 90% | 90% | 90% | 90% |
| 喷射火 | 0.08% | 0.08% | 0.08% | 0.53% | 0.53% |
| 爆炸 | 0.04% | 0.04% | 0.04% | 0.27% | 0.27% |
| 无火源 | 9.88% | 9.88% | 9.88% | 9.2% | 9.2% |

通过表 6-24，可以看出阀门关闭出现的概率最大，无火源出现的概率次之，喷射火出

现的概率大于爆炸；当泄漏规模达到10%时，喷射火和爆炸出现的概率开始增加，无火源出现的概率开始变小。

#### 6.3.2.4　该加氢站泄漏的后果分析

（1）热辐射和爆炸超压

该加氢站坐落于上海市某国际汽车博览公园内，考虑夜间公园封闭管理，不得夜间加氢。结合加氢站管理要求，加氢站24h必须有人值守，为满足加氢站站内的工艺操作和安全管理要求，设置站长、安全员和操作员。站长和安全员按照白班8小时工作。安排操作员1名，三班两倒连续工作，每日两班，24小时运行。进而，根据该加氢站的平面布置图，认为3名工作人员在泄漏源泄漏方向20m，宽度方向30m的范围内均匀分布。基于Birch2（Birch等提出的第二组关系式）当量喷嘴模型和BST（Baker-Strelow-Tang模型）超压计算方法，利用HyRAM 4.1软件可获得不同泄漏规模下的辐射热流和爆炸超压。该加氢站主要设备泄漏后的辐射热流和爆炸超压如表6-25～表6-30所示。

表6-25　该加氢站氢气拖车的辐射热流

| 人员位置 | | 辐射热流/(kW/m²) | | | | |
|---|---|---|---|---|---|---|
| x/m | y/m | 0.01%泄漏 | 0.1%泄漏 | 1.0%泄漏 | 10%泄漏 | 100%泄漏 |
| 4.0 | 18.6 | $4.34\times10^{-5}$ | $7.50\times10^{-4}$ | $1.31\times10^{-2}$ | $2.28\times10^{-1}$ | 3.035 |
| 1.5 | 14.8 | $7.28\times10^{-5}$ | $1.25\times10^{-3}$ | $2.17\times10^{-2}$ | $3.56\times10^{-1}$ | 3.855 |
| 6.8 | 13.8 | $6.76\times10^{-5}$ | $1.18\times10^{-3}$ | $2.13\times10^{-2}$ | $4.08\times10^{-1}$ | 5.616 |

表6-26　该加氢站氢气拖车的爆炸超压

| 人员位置 | | 爆炸超压/kPa | | | | |
|---|---|---|---|---|---|---|
| x/m | y/m | 0.01%泄漏 | 0.1%泄漏 | 1.0%泄漏 | 10%泄漏 | 100%泄漏 |
| 4.0 | 18.6 | 2.660 | 2.660 | 2.660 | 5.734 | 22.23 |
| 1.5 | 14.8 | 2.660 | 2.660 | 2.660 | 7.811 | 28.90 |
| 6.8 | 13.8 | 2.660 | 2.660 | 2.660 | 7.630 | 30.95 |

表6-27　该加氢站压缩机和储氢气瓶的辐射热流

| 人员位置 | | 辐射热流/(kW/m²) | | | | |
|---|---|---|---|---|---|---|
| x/m | y/m | 0.01%泄漏 | 0.1%泄漏 | 1.0%泄漏 | 10%泄漏 | 100%泄漏 |
| 4.0 | 18.6 | $1.10\times10^{-4}$ | $1.91\times10^{-3}$ | $3.34\times10^{-2}$ | $5.65\times10^{-1}$ | 5.919 |
| 1.5 | 14.8 | $1.84\times10^{-4}$ | $3.18\times10^{-3}$ | $5.47\times10^{-2}$ | $8.42\times10^{-1}$ | 6.988 |
| 6.8 | 13.8 | $1.72\times10^{-4}$ | $3.02\times10^{-3}$ | $5.55\times10^{-2}$ | $1.05\times10^{-1}$ | 1.031 |

表6-28　该加氢站压缩机和储氢气瓶的爆炸超压

| 人员位置 | | 爆炸超压/kPa | | | | |
|---|---|---|---|---|---|---|
| x/m | y/m | 0.01%泄漏 | 0.1%泄漏 | 1.0%泄漏 | 10%泄漏 | 100%泄漏 |
| 4.0 | 18.6 | 2.660 | 2.660 | 2.660 | 8.936 | 34.3 |
| 1.5 | 14.8 | 2.660 | 2.660 | 3.100 | 11.94 | 43.25 |
| 6.8 | 13.8 | 2.660 | 2.660 | 3.022 | 11.98 | 49.06 |

表6-29 该加氢站加注机泄漏的辐射热流

| 人员位置 | | 辐射热流/(kW/m²) | | | | |
|---|---|---|---|---|---|---|
| x/m | y/m | 0.01%泄漏 | 0.1%泄漏 | 1.0%泄漏 | 10%泄漏 | 100%泄漏 |
| 4.0 | 18.6 | $8.29\times10^{-5}$ | $1.44\times10^{-3}$ | $2.51\times10^{-2}$ | $4.31\times10^{-1}$ | 4.888 |
| 1.5 | 14.8 | $1.39\times10^{-4}$ | $2.40\times10^{-3}$ | $4.13\times10^{-2}$ | $6.52\times10^{-1}$ | 5.890 |
| 6.8 | 13.8 | $1.29\times10^{-4}$ | $2.27\times10^{-3}$ | $4.15\times10^{-2}$ | $7.92\times10^{-1}$ | 8.693 |

表6-30 该加氢站加注机泄漏的爆炸超压

| 人员位置 | | 爆炸超压/kPa | | | | |
|---|---|---|---|---|---|---|
| x/m | y/m | 0.01%泄漏 | 0.1%泄漏 | 1.0%泄漏 | 10%泄漏 | 100%泄漏 |
| 4.0 | 18.6 | 2.660 | 2.660 | 2.660 | 7.938 | 30.12 |
| 1.5 | 14.8 | 2.660 | 2.660 | 2.660 | 10.27 | 39.38 |
| 6.8 | 13.8 | 2.660 | 2.660 | 2.660 | 10.24 | 42.39 |

通过以上表格可看出该加氢站中压缩机和储氢气瓶的辐射热和爆炸超压最大，加注机的辐射热流和爆炸超压次之，氢气拖车的辐射热和爆炸超压最小。

(2) 加氢站伤亡情况估算

结合表 6-13 中的 Tsao 热伤害概率模型和表 6-14 中的 HSE（肺损伤）爆炸超压伤害概率模型，利用 HyRAM 4.1 软件可获得不同泄漏情况下导致的人员伤亡概率。该加氢站主要设备泄漏后导致的人员伤亡概率估算如表 6-31～表 6-36 所示。

表6-31 该加氢站氢气拖车辐射热流的伤亡概率估算

| 人员位置 | | 伤亡概率 | | | | |
|---|---|---|---|---|---|---|
| x/m | y/m | 0.01%泄漏 | 0.1%泄漏 | 1.0%泄漏 | 10%泄漏 | 100%泄漏 |
| 4.0 | 18.6 | 0.00 | 0.00 | 0.00 | 0.00 | 0.0002 |
| 1.5 | 14.8 | 0.00 | 0.00 | 0.00 | 0.00 | 0.0033 |
| 6.8 | 13.8 | 0.00 | 0.00 | 0.00 | 0.00 | 0.0764 |

表6-32 该加氢站氢气拖车爆炸超压的伤亡概率估算

| 人员位置 | | 伤亡概率 | | | | |
|---|---|---|---|---|---|---|
| x/m | y/m | 0.01%泄漏 | 0.1%泄漏 | 1.0%泄漏 | 10%泄漏 | 100%泄漏 |
| 4.0 | 18.6 | $6.53\times10^{-7}$ | $6.53\times10^{-7}$ | $6.53\times10^{-7}$ | $7.64\times10^{-5}$ | $2.68\times10^{-2}$ |
| 1.5 | 14.8 | $6.53\times10^{-7}$ | $6.53\times10^{-7}$ | $6.53\times10^{-7}$ | $3.86\times10^{-4}$ | $5.81\times10^{-2}$ |
| 6.8 | 13.8 | $6.53\times10^{-7}$ | $6.53\times10^{-7}$ | $6.53\times10^{-7}$ | $3.43\times10^{-4}$ | $6.99\times10^{-2}$ |

表6-33 该加氢站压缩机和储氢气瓶辐射热流的伤亡概率估算

| 人员位置 | | 伤亡概率 | | | | |
|---|---|---|---|---|---|---|
| x/m | y/m | 0.01%泄漏 | 0.1%泄漏 | 1.0%泄漏 | 10%泄漏 | 100%泄漏 |
| 4.0 | 18.6 | 0.0000 | 0.0000 | 0.0000 | 0.0000 | 0.1056 |
| 1.5 | 14.8 | 0.0000 | 0.0000 | 0.0000 | 0.0000 | 0.2470 |
| 6.8 | 13.8 | 0.0000 | 0.0000 | 0.0000 | 0.0000 | 0.7401 |

表6-34 该加氢站压缩机和储氢气瓶爆炸超压的伤亡概率估算

| 人员位置 | | 伤亡概率 | | | | |
|---|---|---|---|---|---|---|
| x/m | y/m | 0.01%泄漏 | 0.1%泄漏 | 1.0%泄漏 | 10%泄漏 | 100%泄漏 |
| 4.0 | 18.6 | $6.532\times10^{-7}$ | $6.532\times10^{-7}$ | $6.5328\times10^{-7}$ | $7.398\times10^{-4}$ | $9.078\times10^{-2}$ |
| 1.5 | 14.8 | $6.532\times10^{-7}$ | $6.532\times10^{-7}$ | $1.837\times10^{-6}$ | $2.704\times10^{-3}$ | $1.543\times10^{-1}$ |
| 6.8 | 13.8 | $6.532\times10^{-7}$ | $6.532\times10^{-7}$ | $1.551\times10^{-6}$ | $2.743\times10^{-3}$ | $1.989\times10^{-1}$ |

表6-35 该加氢站加注机泄漏辐射热流伤亡概率估算

| 人员位置 | | 伤亡概率 | | | | |
|---|---|---|---|---|---|---|
| x/m | y/m | 0.01%泄漏 | 0.1%泄漏 | 1.0%泄漏 | 10%泄漏 | 100%泄漏 |
| 4.0 | 18.6 | 0.00 | 0.00 | 0.00 | 0.00 | 0.0285 |
| 1.5 | 14.8 | 0.00 | 0.00 | 0.00 | 0.00 | 0.1025 |
| 6.8 | 13.8 | 0.00 | 0.00 | 0.00 | 0.00 | 0.5245 |

表6-36 该加氢站加注机泄漏爆炸伤亡概率估算

| 人员位置 | | 伤亡概率 | | | | |
|---|---|---|---|---|---|---|
| x/m | y/m | 0.01%泄漏 | 0.1%泄漏 | 1.0%泄漏 | 10%泄漏 | 100%泄漏 |
| 4.0 | 18.6 | $6.53\times10^{-7}$ | $6.53\times10^{-7}$ | $6.53\times10^{-7}$ | $4.18\times10^{-4}$ | $6.50\times10^{-2}$ |
| 1.5 | 14.8 | $6.53\times10^{-7}$ | $6.53\times10^{-7}$ | $6.53\times10^{-7}$ | $1.40\times10^{-3}$ | $1.26\times10^{-1}$ |
| 6.8 | 13.8 | $6.53\times10^{-7}$ | $6.53\times10^{-7}$ | $6.53\times10^{-7}$ | $1.39\times10^{-3}$ | $1.48\times10^{-1}$ |

通过以上表格可看出该加氢站中压缩机和储氢气瓶泄漏的伤亡最大，加注机泄漏的伤亡次之，氢气拖车泄漏的伤亡最小。

#### 6.3.2.5 该加氢站的风险量化

风险度量包括潜在生命损失、致命事故率和平均个人风险。潜在生命损失表示每年死亡人数的期望值；致命事故率表示每1亿小时暴露时间死亡人数的期望值；平均个人风险表示每年暴露时间内个体风险的平均值，具体计算见公式(6-36)～公式(6-38)。基于HyRAM 4.1软件，该加氢站主要设备发生泄漏后的潜在生命损失、致命事故率、平均个人风险和贡献率如表6-37所示。

表6-37 该加氢站泄漏的风险度量

| 主要设备 | 潜在生命损失 | 致命事故率 | 平均个人风险 | 贡献率 |
|---|---|---|---|---|
| 加氢机随机泄漏 | $6.07\times10^{-5}$ | $2.30\times10^{-1}$ | $4.59\times10^{-6}$ | 0.9879 |
| 加氢机失效 | $3.12\times10^{-7}$ | $1.19\times10^{-3}$ | $2.38\times10^{-8}$ | 0.0051 |
| 氢气拖车 | $2.768\times10^{-7}$ | $1.05\times10^{-3}$ | $2.11\times10^{-8}$ | 0.0045 |
| 压缩机 | $1.05\times10^{-7}$ | $3.98\times10^{-4}$ | $7.96\times10^{-9}$ | 0.0017 |
| 储氢气瓶 | $4.57\times10^{-8}$ | $1.74\times10^{-4}$ | $3.48\times10^{-9}$ | 0.0008 |
| 总计 | $6.11\times10^{-5}$ | 0.233 | $4.65\times10^{-6}$ | 1.0 |

根据表6-37可以发现该加氢站加注机的泄漏风险最大，氢气拖车的泄漏风险次之，储氢气瓶的泄漏风险最小。此外，由表6-37可看出该加氢站主要设备氢泄漏的个人风险均在

个人可接受风险限值 $1.0\times10^{-4}$ 范围内。因此，对于工作人员来说，该加氢站是安全的。

# 6.4 加氢站消防与应急

加氢站主要包括制加氢一体站、固定式加氢站和撬装式加氢站。加氢站的消防安全既是技术问题，也涉及法律法规问题。由于加氢站可能造成事故危害极其严重，目前世界各国对加氢站的消防应急手段均十分重视，相关的法律法规也在逐步完善之中。

## 6.4.1 消防标准规范

加氢站、加氢加气合建站、加氢加油合建站的等级划分应符合现行国家标准《加氢站技术规范》(GB 50516) 的有关规定。

加氢充电合建站的等级划分应符合现行国家标准《加氢站安全技术规范》(GB/T 34584) 的有关规定。

加氢站应设置消防给水及室外消火栓系统，且系统的设置应符合现行国家标准《消防给水及消火栓系统技术规范》(GB 50974) 的有关规定。

一、二级加氢站的站房内应设置消防控制室，并符合现行国家标准《火灾自动报警系统设计规范》(GB 50116) 的有关规定。

加氢站内设有站内制氢系统时，其消防给水系统应符合现行国家标准《氢气站设计规范》(GB 50177) 的有关规定。

## 6.4.2 消防技术介绍

### 6.4.2.1 泄漏探测技术

加氢站内氢气泄漏探测主要依靠氢浓度传感器。目前采用的氢浓度传感器包括半导体型传感器、热电型传感器、光纤传感器和钯合金薄膜氢气传感器。

半导体型传感器主要以 $SnO_2$、ZnO、$WO_3$ 等金属氧化物为气敏材料，故也称金属氧化物半导体氢气传感器，其工作原理是：当吸附氢气后，氢气作为施主释放出电子，与化学吸附层中的氧离子结合，于是载流子浓度发生变化，该变化值与氢气体积分数存在一定的函数关系。

热电型传感器是利用塞贝克 (Seebeck) 效应形成的微电势来检测氢气的浓度。首先，在基片上沉积一层热电材料，然后在热电材料表面的某一部分沉积一层催化金属，如 Pt、Pd 等，最后分别在催化金属层、热电薄膜层（表面上无催化金属）引出电极，即获得最为简单的热电型氢气敏感元件。当此敏感元件暴露在含氢气的环境中时，在催化金属的作用下，氢气与氧气反应生成水蒸气并放出热量，于是沉积有催化金属的一端温度高，为热端；无催化金属的一端温度低，为冷端。由于热电材料的热电效应，将这种热端与冷端之间的温差转换为温差电势，以电信号的形式输出，从而实现对氢气的检测。

光纤传感器采用光信号代替电信号进行传输，避免产生电火花，降低易爆环境中使用的风险。

钯合金薄膜氢气传感器是新型的第三代氢气传感技术，具有真正意义的氢气专一性，0～

100%全量程，不受其他气体干扰，测量过程中不需要氧气，使用寿命长。

#### 6.4.2.2 火焰探测技术

火焰探测器又称感光式火灾探测器，它用于响应火灾的光特性，即探测火焰燃烧的光照强度和火焰的闪烁频率的一种火灾探测器。根据火焰的光特性，使用的火焰探测器有三种：一种是对火焰中波长较短的紫外光辐射敏感的紫外探测器；另一种是对火焰中波长较长的红外光辐射敏感的红外探测器；第三种是同时探测火焰中波长较短的紫外线和波长较长的红外线的紫外/红外混合探测器。根据防爆类型可分为隔爆型、本安型。

一般要将探测器安装在监控区域内最高目标高度两倍的地方。在探测器的有效范围内，不能受到阻碍物的阻挡，同时能够涵盖所有目标和需要监控的地区，而且方便定期维护。探测器安装时一般向下倾斜30°～45°角，既能向下看又能向前看，同时又减低镜面受到的污染的可能。应该对监控区内各可能发生的火灾均保持直线入射，避免间接入射和反射。为避免探测盲区，一般在对面的角落安装另一只火焰探测器，同时也能在其中一只火焰探测器发生故障时提供备用。

#### 6.4.2.3 水幕抑制技术

作为火灾事故最常用的消防手段，细水雾技术早在20世纪40年代就已开始应用。细水雾凭借着对环境无污染的潜在优势，其应用范围在不断地拓展，并且它还兼具除烟、除尘、降温、隔绝辐射等重要功能[89]，可以有效地保护人员以及设备的安全。为了进一步提高细水雾的灭火能力和灭火效率，可以在细水雾中添加有助于灭火的添加剂。添加剂的应用使得细水雾技术除了具有物理抑制[90]，例如，动能冲击作用、冷却降温作用、削减热辐射作用等，还存在着化学抑制，即添加剂在火焰温度以及水蒸气的活化作用下，生成具有灭火活性的关键组分。这些组分通过捕捉燃烧反应过程中的自由基并与之发生碰撞、失活，阻断燃烧链式反应，进而达到抑制和灭火的目的[91,92]。因此，细水雾技术可以有效地抑制氢气喷射火所产生的危害。

细水雾能够有效缩短欠膨胀氢气喷射火的火焰长度。如图6-35所示，随着细水雾施加压力的增大以及施加位置逐渐靠近氢气泄漏喷嘴，喷射火长度逐渐缩短。此外，相同施加条件下，细水雾中添加剂的质量分数越大，对喷射火焰长度的抑制效果越明显。

细水雾作用下，火焰羽流区温度明显下降。随着施加压力的增大，细水雾对火焰羽流区温度的冷却效果逐渐加强。

细水雾对氢气喷射火的热辐射也具有较好的削减作用（图6-36）。细水雾雾滴覆盖范围广且分布紧密，可以有效地阻隔氢气喷射火的辐射传热，保障人员和设备安全。此外，细水雾对氢气泄漏源位置处辐射强度的衰减，可以有效地避免二次危害的产生，防治喷射火危害的进一步扩散。

#### 6.4.2.4 惰性气体抑制技术

气体灭火剂种类繁多，主要包括卤代烃灭火剂（哈龙灭火剂）、氮气、二氧化碳灭火剂等。卤代烷灭火剂在过去经常使用，但由于其对大气臭氧层具有明显的破坏作用，后逐渐被淘汰。目前常用的环境友好型气体灭火剂主要有氮气与二氧化碳，这两种气体均属于大气中天然存在的气体，且物理、化学性质稳定，适用于扑救可燃气体火灾。目前氮气与二氧化碳常被用作抑制油罐、矿井火灾。灭火剂气体在有限空间内积聚，通过降低氧气浓度抑制燃烧。而氢气喷射火事故常发生在开放空间中，气体灭火剂作用时难以积聚产生惰化效果，因

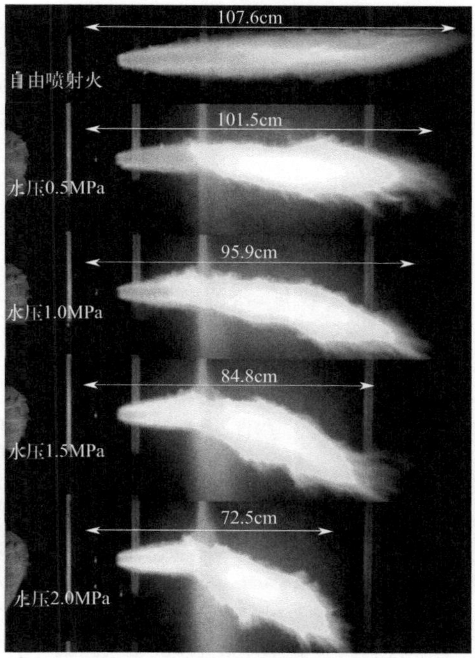


图 6-35　不同细水雾压力下火焰长度的变化（另见文后彩图）

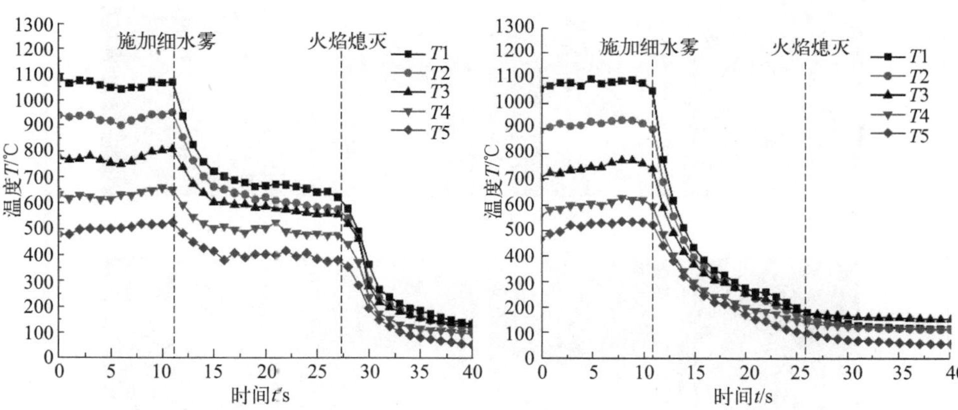


(a)1.0MPa　　(b)1.5MPa

图 6-36　不同细水雾压力下火焰羽流区温度变化

此气体灭火剂可抑制氢喷射火。

气体灭火剂喷射在氢喷射火根部时将有效使其熄灭。如图 6-37 所示为气体灭火剂作用下氢喷射火的熄灭过程。当灭火剂作用到喷射火表面后，火焰尺度大幅缩减，灭火剂作用过程中火焰燃烧方向几乎与气体射流相同，火焰外部几乎被灭火剂气体包裹，灭火剂射流的不断扰动使得氢气喷嘴处流出的氢气无法与氧气混合维持燃烧。这表明：火焰熄灭的前提条件是灭火剂能够使火焰偏转并且使之与空气隔绝。当灭火剂在根部喷射时，这是发生火焰熄灭的根本原因。换言之，火焰是否熄灭，取决于火焰抵抗弯曲的能力。

实验发现，随着气体灭火剂喷射高度与喷射距离的增大，灭火剂的抑制效果均减弱（图 6-38）。气体灭火剂喷射高度增大，无法使氢喷射火熄灭。此时灭火剂仅能抑制喷射火长度，氢喷射火与灭火剂作用区域也随之上移，因此其火焰长度衰减率也逐渐减小，火焰偏转角度减小。

当气体灭火剂喷射距离增大，灭火剂抑制火焰效果减弱（图 6-39）。灭火剂能在较小的喷射距离下使喷射火熄灭，而当喷射距离增大时，火焰仅能发生偏转，此时火焰长度衰减率也随之减小。对于喷嘴直径较小的氢喷射火，气体灭火剂能够在相对较大的喷射距离下使之熄灭。

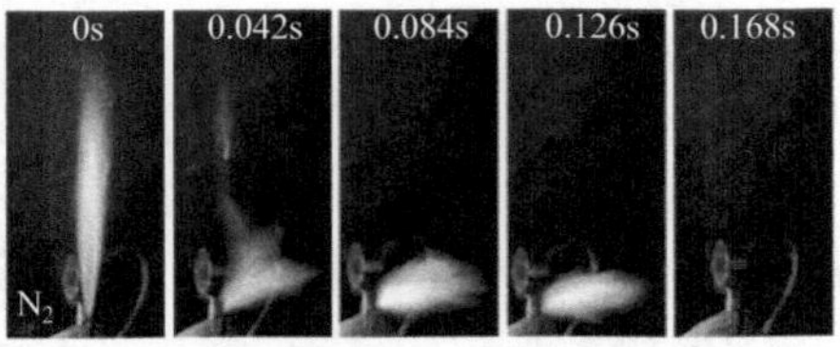


(a)氮气垂直作用于氢气喷口

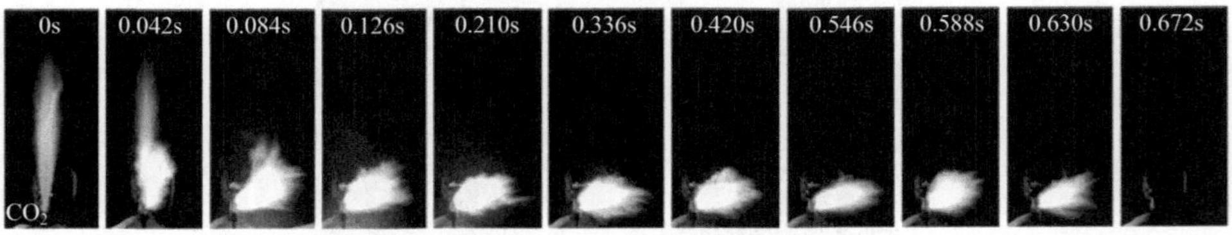


(b)二氧化碳垂直作用于氢气喷口

图 6-37 氮气与二氧化碳对 2mm 口径、1.5 倍大气压的氢气喷射火的抑制效果（另见文后彩图）

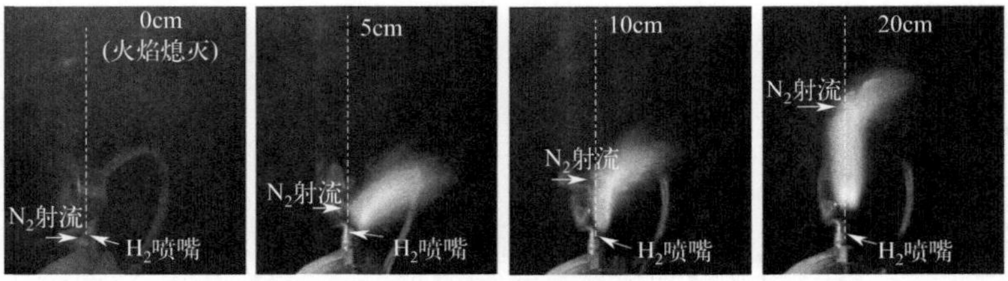


(a)氮气灭火剂

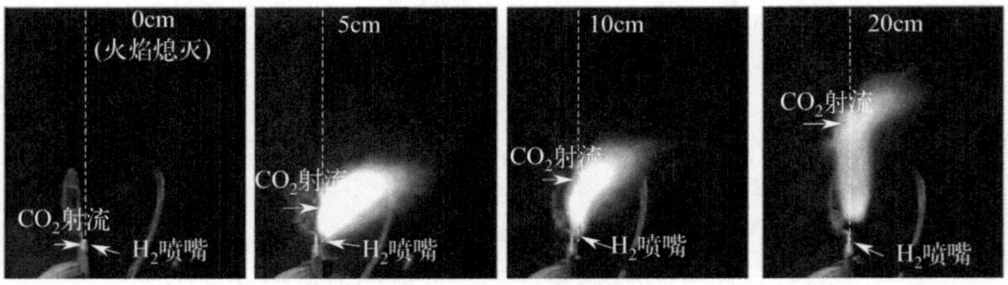


(b)二氧化碳灭火剂

图 6-38 灭火剂在不同喷射高度对氢喷射火抑制效果的对比（另见文后彩图）

#### 6.4.2.5 隔离墙抑制技术

隔离墙通常用于建筑物或隧道内的防火[93，94]。一些学者已经证实，隔离墙可以有效地阻止烟雾或气体的传播。Tchouvelev 等[95]率先研究了隔离墙对降低高压氢气泄漏扩散传播速度的有效性。结果证实，隔离墙的存在能有效地降低墙后方的氢气浓度和可燃气云的尺寸。

在加氢站中安装隔离墙，不仅能有效减缓氢气泄漏扩散的速度，同时也能对氢喷射火焰进行有效抑制。图 6-40 展示了 90MPa 压力条件下通过 8mm 直径的泄漏口形成的喷射火撞击隔离墙后的火焰形态。火焰由动量主导，朝水平方向喷射。图 6-40(a) 中氢气射流出口的高度与隔离墙的高度相等，火焰的下半部分由于受到隔离墙的阻挡，沿壁面向下偏转，上部仍保持其原始方向越过隔离墙，并在墙后方形成燃烧区域。火焰长度相比于自由喷射火焰的长度减小了 29.7%。图 6-40(b) 中隔离墙高出氢气射流出口 1 m。喷射火焰的下部被限制在地面附近，但火焰的上部向上偏转。很明显，当火焰以大角度偏转时，挡墙后面的人员和设备不太可能被喷射火焰点燃，此时隔离墙后方处于安全状态。

### 6.4.2.6　爆炸泄压技术

泄爆是工业中低强度容器和建筑物在爆燃事故中预防爆炸压力上升到不可接受水平的措施，泄爆是使主要爆炸过程发生在敞开安全的地方而非容器或建筑物内的方法来实现上述目的。通过在容器壁面上设计一定的薄弱部位，该薄弱部位在爆炸形成的早期阶段即可打开。燃着的物料以及燃烧产物得以泄放，从而降低容器内的爆炸超压。

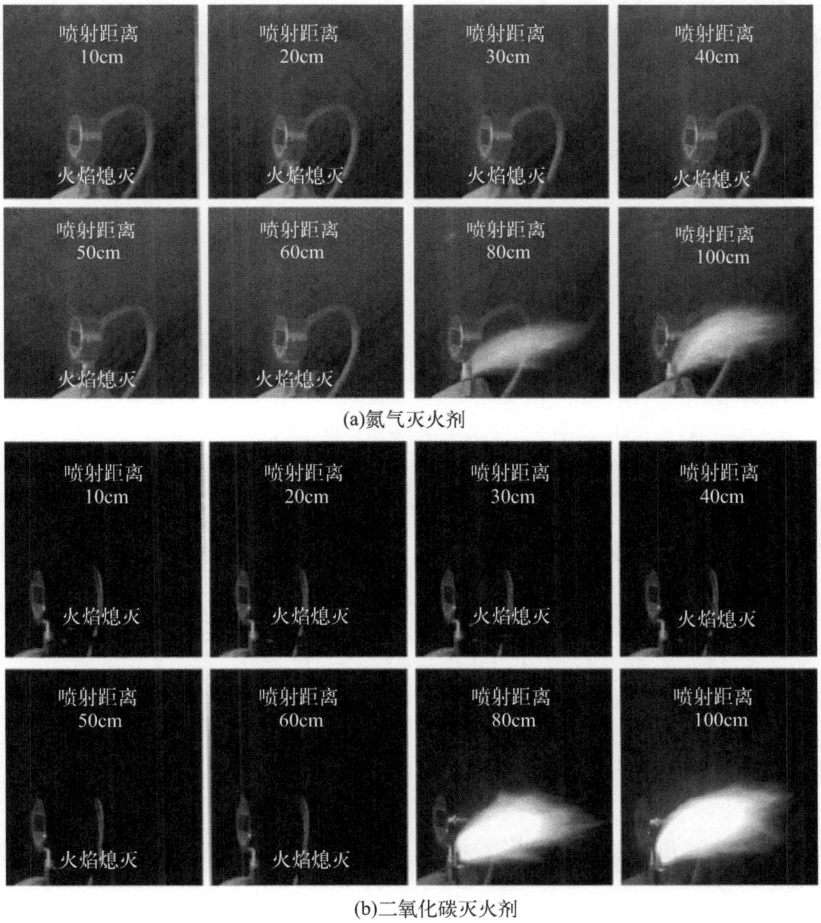


图 6-39　灭火剂在不同喷射距离对氢喷射火抑制效果的对比

爆炸超压计算是泄爆设计中的重要任务。要获得爆炸事故中的超压大小，可以通过开展事故场景的爆炸实验，特别是实际尺度的爆炸实验，也可以通过数值模拟来进行研究。然而大尺度实验需要消耗大量的人力和财力，同时存在一定的风险；而真实场景的氢气泄爆数值模拟研究，由于较大的空间和时间尺度以及复杂的结构，难以准确模拟爆炸火焰面，同时对计算机的性能要求极高。因此，在实际工程应用中，往往采用经验或半经验的氢气泄爆预测

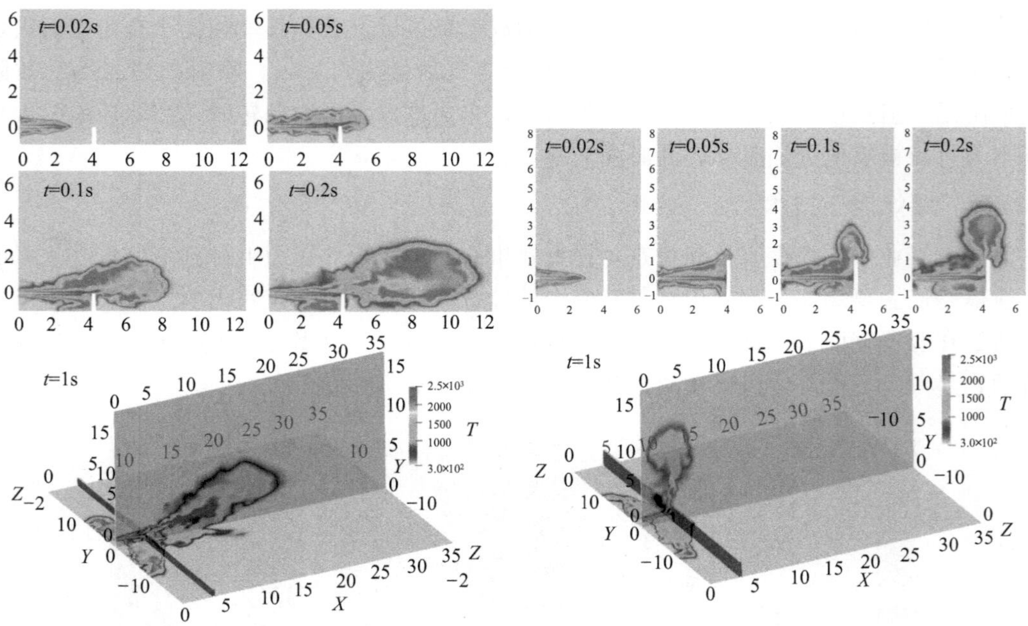


(a)隔离墙与氢气喷嘴等高

(b)隔离墙高出氢气喷嘴1m

图 6-40 隔离墙对氢气喷射火的抑制效果（另见文后彩图）

模型来快速预估最大爆炸超压，同时保证一定的精度。

氢气泄爆超压可以采用 FM Global 公司提出的预测模型[96]，公式为

$$\frac{p}{p_{\mathrm{ext}}}=\frac{p_{\mathrm{ext}}G}{A_{\mathrm{v}}^{*2}+\dfrac{p_{\mathrm{ext}}^{2}G}{p_{c_{\mathrm{v}}}-p_{\mathrm{ext}}}}+1 \tag{6-54}$$

式中，$p$ 是容器内最大爆炸超压；$p_{\mathrm{ext}}$ 是外部爆炸产生的外部压力；$p_{c_{\mathrm{v}}}$ 是定容爆炸压力；参数 $G$ 的计算公式为

$$G=\left(\frac{\gamma+1}{2}\right)^{\frac{\gamma}{\gamma-1}}-1 \tag{6-55}$$

$A_{\mathrm{v}}^{*}$ 的计算公式如下：

$$A_{\mathrm{v}}^{*}=\frac{a_{\mathrm{cd}}A_{\mathrm{v}}}{S_{\mathrm{u}}A_{\mathrm{f}}(\sigma-1)} \tag{6-56}$$

式中，$S_{\mathrm{u}}$ 是火焰速度；$A_{\mathrm{f}}$ 是火焰表面积；$\sigma$ 是膨胀比；$A_{\mathrm{v}}$ 是泄爆面积；参数 $a_{\mathrm{cd}}$ 计算公式为

$$a_{\mathrm{cd}}=C_{\mathrm{d}}\sqrt{\frac{RT_{\mathrm{v}}}{M_{\mathrm{v}}}\gamma\frac{\gamma+1}{2}} \tag{6-57}$$

式中，$C_{\mathrm{d}}$ 是泄放系数；通常取 $C_{\mathrm{d}}=0.61$，$R$ 是普适气体常数；$T_{\mathrm{v}}$ 和 $M_{\mathrm{v}}$ 分别是泄放出的气体温度和摩尔质量；$\gamma$ 是泄放出的气体的比热比。泄放出气体认为是 10% 的未燃气体和 90% 可燃气体的混合物，故泄放出气体的物性参数是其加权平均值。

在计算火焰面积时，中心点火火焰近似为圆形，后端点火火焰近似为半圆形。外部爆炸产生的爆炸压力计算公式为

$$\frac{p_{\text{ext}}}{p_0}-1=\frac{5\gamma(\sigma-1)\sigma r_e S_u AR\sqrt{k_T a}}{c_{ui}^2} \tag{6-58}$$

式中，$p_0$ 是大气压力；$r_e$ 是外部气云半径；$c_{ui}$ 是未燃气体声速；$AR$ 是容器的长径比；$k_T$ 和 $a$ 是计算瑞利-泰勒不稳定性引起的火焰面积增加，其中 $a$ 是计算火焰经过泄爆口火焰速度的增加。外部气云半径计算公式为

$$r_e=\sigma S_u t \tag{6-59}$$

式中，$t$ 是火焰经过泄爆口所需的时间。

在设计容器的泄爆口时，可以参照美国消防协会提出的 NFPA68 模型。NFPA68 模型根据最大超压 $p \leqslant 0.5$bar 和最大超压 $p>0.5$ bar 分别建立了泄爆面积的计算方法。

(i) $p \leqslant 0.5$bar 条件下泄爆面积计算公式为

$$A_v=\frac{A_s C}{\sqrt{p}} \tag{6-60}$$

式中，$A_v$ 是泄爆面积；$A_s$ 是容器的内表面面积；$p$ 是最大泄爆超压；参数 $C$ 根据下式计算

$$C=\frac{S_L \Xi \rho_u}{2G_u C_d}\left[\left(\frac{p_{c_v}+1}{P_0+1}\right)^{\frac{1}{\gamma_b}}-1\right](P_0+1)^{\frac{1}{2}} \tag{6-61}$$

式中，$S_L$ 为混合物层流燃烧速率；$\Xi$ 为湍流和火焰不稳定性因子；$\rho_u$ 为未燃混合物密度；$C_d$ 为泄爆口泄放系数；$G_u$ 为未燃混合物声速流动质量流率；$p_{c_v}$ 为相同混合物在定容条件下反应达到的最大超压；$p_0$ 是初始静压；$\gamma_b$ 是燃烧产物的比热比。

(ii) $p>0.5$bar 条件下泄爆面积计算公式为

$$A_v=A_s\left[\frac{1-\left(\frac{p+1}{p_{c_v}+1}\right)^{\frac{1}{\gamma_b}}}{\left(\frac{p+1}{p_{c_v}+1}\right)^{\frac{1}{\gamma_b}}-\delta}\right]\frac{S_L\rho_u}{G_u}\frac{\lambda}{C_d} \tag{6-62}$$

$\delta$ 定义为

$$\delta=\frac{\left(\frac{p_{\text{stat}}+1}{p_0+1}\right)^{\frac{1}{\gamma_b}}-1}{\left(\frac{p_{c_v}+1}{p_0+1}\right)^{\frac{1}{\gamma_b}}-1} \tag{6-63}$$

式中，$p_{\text{stat}}$ 为静态开启压力。

在计算泄爆面积时，需要先假设一个值，然后进行迭代求解。

在氢气爆炸泄压设计中一般采用 Molkov 模型[97] 进行计算。

Molkov 等通过开展数值模拟研究，基于湍流布拉德利数 $Br_t$ 提出了 Molkov 模型。湍流布拉德利数定义为

$$Br_t=\frac{\sqrt{E_i/\gamma_u}}{\sqrt[3]{36\pi_0}}\times\frac{Br}{\chi/\mu} \tag{6-64}$$

式中，$E_i$ 是燃烧产物在初始条件下的膨胀系数；$\gamma_u$ 是未燃气体比热比；$\pi_0$ 取 3.14；$Br$ 是布拉德利数，计算公式如下

$$Br=\frac{A_{\mathrm{v}}}{V^{2/3}}\times\frac{c_{\mathrm{ui}}}{S_{\mathrm{L}}(E_{\mathrm{i}}-1)} \tag{6-65}$$

式中，$A_{\mathrm{v}}$ 是泄爆面积；$V$ 是容器体积；$S_{\mathrm{L}}$ 是初始条件层流燃烧速度；$c_{\mathrm{ui}}$ 是初始条件声速；$\chi/\mu$ 是 DOI 数，计算公式为

$$\chi/\mu=\Xi_{\mathrm{K}}\times\Xi_{\mathrm{LP}}\times\Xi_{\mathrm{FR}}\times\Xi_{u'}\times\Xi_{\mathrm{AR}}\times\Xi_{\mathrm{O}} \tag{6-66}$$

式中，$\Xi_{\mathrm{K}}$ 是火焰前锋引起的湍流；$\Xi_{\mathrm{LP}}$ 是火焰前导因子引起的湍流；$\Xi_{\mathrm{FR}}$ 是火焰分形引起的火焰面积的增加；$\Xi_{u'}$ 是初始湍流；$\Xi_{\mathrm{AR}}$ 是容器长径比增加导致火焰拉伸引起火焰面积增加；$\Xi_{\mathrm{O}}$ 是障碍物引起的火焰面积和湍流强度的增加。根据无量纲最大爆炸超压和湍流布拉德利数提出了最佳拟合预测公式为

$$\pi_{\mathrm{red}}=0.33Br_{\mathrm{t}}^{-1.3} \tag{6-67}$$

和保守预测公式：

$$\pi_{\mathrm{red}}=0.86Br_{\mathrm{t}}^{-1.3} \tag{6-68}$$

式中，$\pi_{\mathrm{red}}$ 是无量纲最大爆炸超压。

以 1×0.55×1.8 m 长方形容器为例，泄爆面积 0.2 $\mathrm{m}^2$，利用 Molkov 模型计算 25% 氢-空气混合物发生爆炸时的最大超压。经过计算和查阅相关文献，浓度 25%氢-空气混合物的层流燃烧速率为 1.55m/s，燃烧产物的膨胀系数为 6.35，初始状态混合物的层流燃烧速率为 383m/s，火焰临界半径 $R_0=1.2$m，经验常数 $\psi=0.76$；

火焰前锋引起的湍流 $\Xi_K=1.54$；火焰分形引起的火焰面积的增加 $\Xi_{\mathrm{FR}}=0.8$；初始湍流 $\Xi_u{}'=1.0$；容器长径比增加导致火焰拉伸引起火焰面积增加 $\Xi_{\mathrm{AR}}=0.86$；障碍物引起的火焰面积和湍流强度的增加 $\Xi_{\mathrm{O}}=2$；$\Xi_{\mathrm{LP}}=1.81$。

计算可得 $\chi/\mu=3.87$，$Br=9.57$，$Br_{\mathrm{t}}=1.09$，根据公式(6-70) 和公式(6-71) 计算出保守估计和最佳拟合得到的超压预测值分别为 $p=77.5$kPa 和 $p=29.7$kPa。

# 第7章 加氢站的运营与管理

2019年，氢能源首次被写入《政府工作报告》，该历史性事件被认为是中国氢能元年。目前，全球氢气制备还是以化石原料为主，未来建立在可再生能源制氢基础上的绿氢，被认为是氢能革命的最终目标[98]。加氢站是推广氢能燃料电池汽车的前提。

## 7.1 加氢站总体情况

(1) 从建设形式来看，固定式加氢站占比超60%，已成市场主流[12]

我国加氢站主要分为固定式与撬装式。截至2023年底，我国在营固定式加氢站占比达62.4%，如图7-1所示。

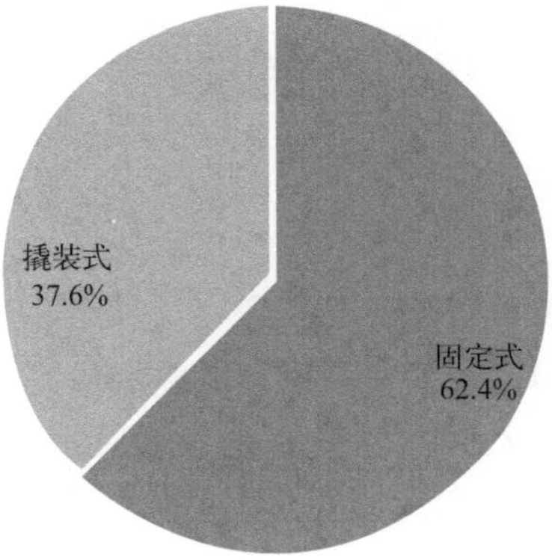


图7-1 截至2023年底中国加氢站站点类型分布情况

(2) 从压力等级来看，35MPa仍是主流，70MPa加速涌现

35MPa加氢站，占比高达90.5%，这与我国燃料电池汽车主要为35MPa商用车的发展现状相一致。近年来，包括上汽集团、一汽丰田、北汽福田、海马汽车等在内的车企纷纷推出70MPa燃料电池汽车。国内70MPa加氢站数量相对较少，但近年来随着技术的不断突破和国产化替代技术的逐渐成熟，70MPa加氢站的建设速度也在快速增长，2023年我国建成加氢站加注压力见图7-2。

(3) 从加注能力来看，加氢站仍以中小规模为主，同时利用率较低

由于我国燃料电池汽车产业尚处于产业化初期，部分地区以中小容量建站方式配合当地燃料电池企业测试或燃料电池汽车小批量示范运营。“站多车少”的局面，也使得我国加氢

站利用效率降低。2023 年新建成加氢站中，氢气加注能力在 500～1000kg/d 区间的加氢站占比近 38%，加注能力在 1000kg/d 及以上的企业合计约 52%，占主要地位，如图 7-3 所示。就我国国情来说，氢交通领域优先发展的是商用车辆，商用车不仅体积大且耗氢量多，大加氢站更适合商用车的运营。

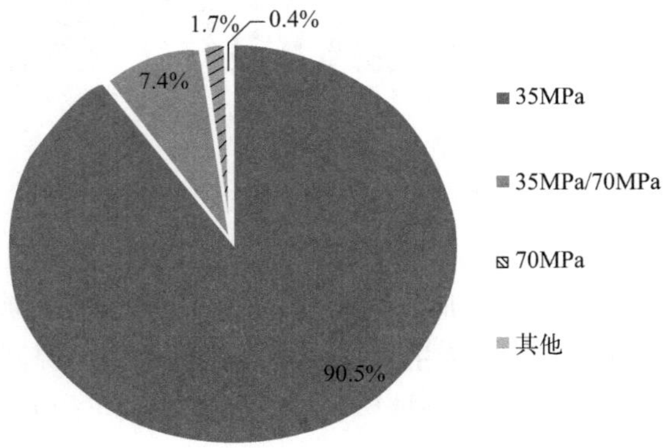


图 7-2　2023 年统计中国加氢站加注压力

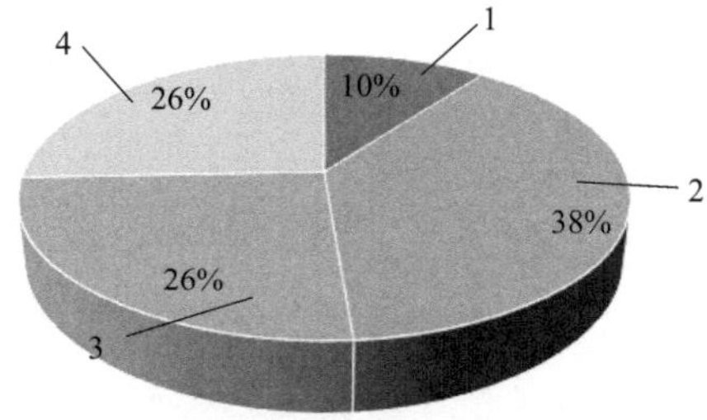


图 7-3　2023 年我国新建加氢站加注能力

1—$x<500$；2—$500\leqslant x<1000$；3—$1000\leqslant x<2000$；4—$x>2000$

（$x$ 表示氢气加注能力）

随着燃料电池汽车规模和加氢需求的不断提升，氢能源行业风口将至。因此，积极推进加氢站的建设布局，是促进我国汽车产业升级、能源结构转型的关键举措之一。国家对氢能立法，是氢燃料电池行业的最大利好，高压及液氢加氢站将成为未来加氢站的主要发展方向[99]。2024 年 11 月《中华人民共和国能源法》确立了氢能的能源属性，为氢能的健康发展提供了坚实基础。

根据国家规划，预计到 2050 年氢能在中国能源体系中的占比约为 10%，氢气需求量接近 6000 吨，年经济产值超过 10 万亿元[28]。加氢站类型逐渐由内部示范运营站向能服务于未来商业化运营的商业加氢站转变，加氢站类型将多元化。另外，站内制氢、油氢合建也将成未来潜力“明星”加氢站类型，更加符合用户体验的固定站数量也将逐渐增多，超高压储氢和液氢加氢站将助力未来商业化运营。

整体而言，中国氢能市场发展初期（2020～2025 年），氢气年均需求约 2200 万吨；氢能市场发展中期（2030 年左右），氢气年均需求约 3500 万吨；氢能市场发展远期（2050 年左右），氢气年均需求约 6000 万吨。相关部门应适时推进 70MPa 高压和液氢加氢技术布局和试点示范，尽快完善相关标准体系建设，以适应商用燃料电池汽车市场规模化发展。

目前，加氢站行业仍存在以下一些问题与挑战。

其一，加氢站行业归口管理问题，国家尚未出台明确的政策[100]。江苏、上海、广东等地将其纳入燃气行业管理，在成都等地则将其列为危险化学品管理，管理要求还存在一定差异。

其二，加氢装备自主化水平需进一步突破。我国已具有 35MPa 加氢站关键技术与装备集成能力，70MPa 加氢站加氢机处于小批量验证阶段；自主压缩机仍需通过批量应用降低故障率，部分关键部件仍采用进口产品组装。液氢加氢站储罐制造技术及工程装备与国外有较大差距，低温阀门依赖进口，液氢泵同样处于样机研制阶段，用于大规模加氢的液氢加氢站技术有待开发。针对国际已开展的氨燃料加氢站，国内尚未开展氨裂解制氢加氢一体站研究。

其三，多数加氢站未实现商业化运营。我国加氢站运营受制于上游氢气供应能力和下游燃料电池汽车数量不足。国内制氢能力分布不均，车用氢提纯企业相对较少，氢气运输以 20MPa 长管拖车为主，导致车用高纯氢来源有限且价格昂贵。加氢站建设运营模式尚在摸索，虽然地方政府相继出台补贴措施，但对于昂贵的建站费用及有限的市场，投资门槛较高。即使加氢站建设运营成功，能有效加氢的燃料电池汽车数量及频率有限、供氢应用场景有限，部分地区加氢站氢气销售价格与到站价格存在倒挂现象，难以维持加氢站正常运营管理。

其四，车用氢气品质检测能力空缺。我国《质子交换膜燃料电池汽车用燃料 氢气》（GB/T 37244—2018）已实施近 4 年，但是在行业实际发展中由于检测标准和技术不到位，多数加氢站采用高纯氢为燃料电池汽车加注。一方面缺乏买卖双方认可的检测条件和产品认证；另一方面，对特定杂质（如一氧化碳与硫）含量关注太少。

其五，低碳清洁氢气占比较低。2020 年 9 月财政部等五部委发布《关于开展燃料电池汽车示范应用的通知》，明確鼓励使用清洁低碳氢气。尽管吉林等地探索利用分布式光伏的制氢加氢一体站，但我国绝大多数加氢站采用工业副产氢为主要氢源。即便是采用站内制氢加氢一体方式的站点，也采用电网电力电解水制氢，支撑交通行业深度减排力度严重不足，需通过燃料电池汽车示范城市群应用，推动低碳清洁氢规模化发展。

我国在加氢站的运营管理方面，缺乏健全的标准体系。2020 年，广东省市场监督管理局、发展和改革委员会、工业和信息化厅、住房和城乡建设厅、应急管理厅联合印发的《广东省氢燃料电池汽车标准体系与规划路线图（2020—2024 年）》是国内首份明确提出的、完善的省级氢燃料电池汽车标准技术体系规划，从整体、宏观的角度指导了广东省氢能燃料电池汽车产业标准化的工作方向。在该标准体系的加氢标准子体系中，虽然提及了加氢站，但更多是关注加氢关键设施设备方面的标准，未具体指出加氢站运营、管理方面的标准化工作方向。

在运营过程中，加氢站资质许可条件、加氢站关键设备的检测监测、加氢站安全运营管理等方面的规范具体实施还处于发展阶段[101]。涉及加氢站具体安全要求、操作流程等的规范还不完善，尚无统一的标准规范，我国亟需建立加氢站安全运行管理方面的标准体系。

表7-1　我国加氢站现行的主要国家标准

| 序号 | 标准号 | 标准名称 | 类型 |
|---|---|---|---|
| 1 | GB 50156—2021 | 汽车加油加气加氢站技术标准 | 设计 |
| 2 | GB 50177—2005 | 氢气站设计规范 | 设计 |
| 3 | GB 50516—2010（2021 年版） | 加氢站技术规范 | 设计 |
| 4 | GB 4962—2008 | 氢气使用安全技术规程 | 安全通用 |

续表

| 序号 | 标准号 | 标准名称 | 类型 |
|---|---|---|---|
| 5 | GB/T 34584—2017 | 加氢站安全技术规范 | 安全通用 |
| 6 | GB/T 29729—2022 | 氢系统安全的基本要求 | 安全通用 |
| 7 | GB/T 40060—2021 | 液氢贮存和运输技术要求 | 安全通用 |
| 8 | GB/T 31139—2014 | 移动式加氢设施安全技术规范 | 加氢设施 |
| 9 | GB/T 34541—2017 | 氢能车辆加氢设施安全运行管理规程 | 加氢设施 |
| 10 | GB/T 31138—2022 | 加氢机 | 加氢设施 |
| 11 | GB/T 30718—2014 | 压缩氢气车辆加注连接装置 | 加氢设施 |
| 12 | GB/T 30719—2014 | 液氢车辆燃料加注系统接口 | 加氢设施 |
| 13 | GB/T 34583—2017 | 加氢站用储氢装置安全技术要求 | 加氢设施 |
| 14 | GB/T 34544—2017 | 小型燃料电池车用低压储氢装置安全试验方法 | 加氢设施 |
| 15 | GB/T 34542. 1—2017 | 氢气储存输送系统 第 1 部分：通用要求 | 加氢设施 |
| 16 | GB/T 34542. 2—2018 | 氢气储存输送系统 第 2 部分：金属材料与氢环境相容性试验方法 | 加氢设施 |
| 17 | GB/T 34542. 3—2018 | 氢气储存输送系统 第 3 部分：金属材料氢脆敏感度试验方法 | 加氢设施 |
| 18 | GB/T 37244—2018 | 质子交换膜燃料电池汽车用燃料 氢气 | 氢质量 |
| 19 | GB/T 40045—2021 | 氢能汽车用燃料 液氢 | 氢质量 |

为了确保加氢站的安全运营，加氢站需要满足一定的资质才可投入使用，首先，加氢站投入运营前应按规定完成相关资质证明和安全评价报告，经过消防审验和防雷检测等相关方面的安全验收合格，依法取得氢气检验许可证和气瓶充装许可证后方可运行。其次，加氢站运营单位应建立质量管理体系和职业健康安全管理体系，并在日常运营过程中，严格执行管理程序的内容。

## 7.2 加氢站设备管理

设备是进行生产活动的物质条件，设备的安全运行是进行安全生产的首要保障。按设备类型分类，设备管理标准子体系主要分为制氢设备、压缩机、储运设备、加氢设备、监控设备和其他设备，主要覆盖加氢站中各类设备的技术要求、安全要求、使用规范和保养检修等方面的相关标准。制氢设备主要包括制氢系统、提纯系统及各零部件等；储运设备主要包括储氢罐、储氢瓶及管道等；加氢设备主要包括加氢机、加氢枪等；监控设备主要包括软件方面的站控系统和硬件方面的中控设备等；其他设备包括阀门、制冷系统、其他电气设备等。

（1）强化设备维保管理，做到早发现，早处理

定期维保是消除设备隐患最有效的一种方式，定期对加氢站的动、静设备进行维修维护及保养，及时发现设备缺陷和隐患，并及时处理。确保设备的状态良好，日常维护保养记录应进行档案存档。设备维修人员应接受有关设备使用和维护的培训，熟知设备的使用操作、维护保养、故障排除等的要求和流程，并严格按照设备维修规程进行维修，确保维修后的设备功能正常、状态良好。另外，加氢站在进行危险作业前，应对操作人员开展培训，并留存培训日志。

（2）严抓设备润滑管理，做到三级过滤

压缩机、冷水机等转动设备应定期更新润滑油、润滑脂。以如皋加氢站压缩机为例，压

缩机首次运行 50h，必须更换润滑油和油滤，设备正常投运后，每运营 1500h，需更换润滑油，必要时清洗油箱[102]。

(3) 落实设备定检管理，确保设备检测到位

根据《固定式压力容器安全技术监察规程》(TSG 21—2016) 要求，加氢站内的压力容器、压力管道每三年进行一次点检，压力表每半年进行一次检测，安全阀、流量计每年进行一次检测。

加氢站作为一个集压缩、高压储存、高压加氢于一体的场所，在运行过程中，还应特别注意运行过程中潜在的泄漏、静电、火灾、爆炸等危险[103]。下面对加氢站内主要设备等的安全措施进行分析。

① 氢气压缩机房：氢气压缩机应设置安全阀，切断阀，温度、压力、流量超限报警，停机装置等安全保护装置。压缩机进、出口管道应设置置换吹扫口。另外，氢气压缩机房的顶棚应平整，不能留有死角，且顶棚与墙体应留有足够空隙，以保持良好通风。氢气压缩机房内可加装排风风机以减少氢气积聚的可能性。

② 储氢罐：储氢罐应设置安全泄压装置。顶部应设置氢气放散管，放散管应设置 2 只切断阀和取样口。在顶部设置放散管的原因是确保在对储氢罐进行吹扫置换时，将密度仅为氮气 1/14 的氢气全部置换；设置 2 只切断阀的目的是考虑到阀门的内漏问题，方便维修和更换；而取样口则是方便分析放散管中气体的组成。应设置压力表、压力传感器，氮气吹扫置换接口，氢气泄漏报警装置，火焰报警探测器，自动喷淋冷却系统。储氢罐要进行耐压及气密性实验，并安排相关人员周期性检查设备、校正安全部件。此外，储氢罐应采取防撞措施。

③ 加氢机：为避免氢气泄漏与空气混合增加爆炸的风险，加氢机不可设置于室内。对于加氢机，国家标准 GB 50516—2010 除规定了加氢机应含有自动切断阀（设置于进气管道上）、拉断阀（设置于加气软管上）、安全泄压装置、防撞柱（栏）外，为了减少加注过程中因流量过大而产生静电的危险，充装氢气质量流量不应大于 5kg/min。根据燃料电池汽车车载储氢瓶常用充装压力，加氢机的额定工作压力一般为 35MPa 或 70MPa。

除以上 3 种核心设备的安全措施外，加氢站还应采取防渗透、防泄漏措施。为了确保超压或泄漏时能第一时间切断气源，加氢站应采用安全联动系统，加氢站进气总管上应设置紧急切断阀，并设置紧急时便于及时切断气源的手动紧急切断阀。为了防静电、防雷，应有防静电设施和防雷保护设施，并采用接地措施，加氢站内的各系统宜共用接地装置，且接地电阻不应大于 10Ω。加氢站还应有火焰报警探测器、紧急放散装置（集中放散管上应设置阻火器）、自动喷淋冷却系统、氮气吹扫装置等各类安全设施。

每台关键设备应根据国家标准 GB 50516—2010 配备足够数量的灭火器，可使用的灭火介质有泡沫、干粉、二氧化碳、细水雾等。需要指出的是，细水雾是通过在火源空间周围形成细微水滴，受热瞬间蒸发形成水蒸气，水蒸气快速占据火源周围的空间，达到隔绝空气而灭火的效果。因此，细水雾技术可以用于氢气火灾的灭火。而普通喷淋系统喷淋的液态水无法将氢气周围的空气隔绝，故加氢站不能用水喷淋的方式来灭火。使用二氧化碳类灭火器时应注意氢气可以将二氧化碳还原为一氧化碳而引起中毒。

站内的设备管理部门应明确管理职责，强化管理职能，提升专业技术管理水平，做好选人用人管理，关键岗位和重要职责均有明文规定和明文考核，驱动管理人员尽责履职。管理层要深入隐患排查治理措施管理，明确隐患治理部门和人员职责，明确隐患治理措施方法，

保障资金来源，明确治理时间和考核要求，明确过期未整改隐患的升级要求。

此外，除设备因素外，加氢站的安全运行应重视制定完善的安全规章制度和严谨的操作规程，加强加氢站员工的培训，提高工作人员安全防范的意识，注意积累加氢站安全运行的经验等。

## 7.3 加氢站运营操作管理

（1）加氢站工艺流程

国内加氢站一般以三级站为主，固定储氢量＜1000kg，日加氢量≤500kg，配套装置一般为 2 台卸氢装置、一台 35MPa 氢气压缩机、3 台储氢设备、1 台加氢机（2 个加氢枪）、必要的辅助设备以及一套工艺控制系统。

站内应配置足够的检查用静电服装、防爆工具、相机等设备。管理决策层应创新安全投入目标管理，配齐站级安全组织，制定详细的安全应急物资投入计划，关键物资要采购到位，隐患治理费用要根据治理方案按需投入，对安全投入的物资采购岗位和审批人员进行专项考核，驱动安全投入落实。

（2）加氢站岗位设置

与传统加油站相比，加氢站以特种设备和压力容器为主，操作要求和危险性更高。此外，氢气充装岗位人员要求取得气体充装资格，根据《特种设备生产和充装单位许可规则》的管理要求，加氢站至少应配备 1 名站长，1 名安全员。加氢操作方面，需要配备 1 名班长兼技术人员，以及 2 名加氢操作人员，实行 1 人操作 1 人监护。

此外，加氢站应设立专职安全管理部门，配备合格的安全管理人员，明确安全管理网络，坚持问题导向，从上而下，分责分权，层层履职，明确安全责任制和直线责任要求，夯实安全责任和安全基础[54]。

（3）加氢站操作管理

规范化的操作管理是加氢站安全运营的基本保障，所以日常的操作中要积极编制标准化岗位操作规程，规范人员操作行为；加强培训确保人员具备持证上岗能力；落实巡检管理，明确巡检相关要求，这样才能规范各岗位人员的行为，保障人的安全。

站内应严肃劳动纪律，从业人员严守公司安全生产规章制度，践行有感领导和直线责任，从自身做起，做好表率，管好自己，管好身边人。同时结合视频监控持续开展交接班查三违，站每日查三违，公司每周查三违，严格安全绩效考核管理，创新管理形式，奖勤罚懒，以书面检讨和会议检讨的形式，帮助教育三违作业人员。

现阶段，我国加氢站在安全操作管理方面只能参考加油站加气站相关内容[104]。因此，在加氢站安全管理方面，应当提高企业的自身安全意识，逐步加强相关制度宣传，并执行到位。同时，加氢站应当按照安全生产标准化要求，建立安全生产责任制，并确定各岗位的安全职责。此外，加氢站应当建立一系列的质量保证体系，保证氢气充装要素控制、人员管理制度、安全操作规程、充装记录以及相关工作见证资料等。

加氢站应具有较强的应急处置能力，设置专业应急抢险队伍及骨干技术人员，操作人员对模拟演练的情况把握到位，对装置异常工况掌握透彻，站经理应具有宏观统筹应急管理的能力。

加氢站在运营过程中，要进行阶段性的安全评价、环保评价和服务评价[105]。一方面，加氢站安全评价包括评价方法标准和评价结果定量标准等，是加氢站辨识危险、处理隐患的重要依据来源。另一方面，通过考核加氢站的服务质量、安全生产、经济运行、绿色低碳等各方面工作，评估得出加氢站的运营质量、安全评级，从而为加氢站后续的工作优化提升提供依据。

## 7.4 加氢站安全管理

近年来各类涉气安全事故时有发生，安全管理长期得不到重视，涉气企业如何创新安全管理，杜绝人的不安全行为引发的事故，保障各类安全风险可控受控，成为迫切需要解决的课题[106]。

加氢站主要危险因素包括行为失控、点火源、氢气泄漏及高压氢脆。明确站内危险因素，制定安全管控要求，才能更好地保证加氢站的安全。

加氢站应保证氢气的品质，加氢站用于质子交换膜燃料电池汽车的氢气质量应符合国家标准 GB/T 37244 的质量要求。加氢站外购氢气生产单位，应具备氢气生产或销售许可资质。提供产品质量合格证明及移动式压力容器重装记录文件。加氢站要对在站的氢气品质进行管理，建立相应的氢气品质管理体系，对外购氢气的品质进行检验，首次开机、更换气源、停产检修后要检测氢气品质、氢气品质检测记录应进行档案存档。

加氢站防止火灾、爆燃或爆炸的关键在于防止氢气泄漏。为达到这个目标，可以在日常检查和隐患排查中采用以下措施。

① 在投入运行前，检修或长期停用前后应当对氢气管道、容器、相关设备进行吹扫置换，吹扫后取样分析，含氢量不超过 0.2%，或含氧量不超过 0.5%。

② 加氢站系统运行过程中，每天应安排专门人员进行室内或涉氢附近氢气浓度测试，当氢气浓度超过规定浓度后，应当及时查明问题原因，并及时处理。

③ 涉氢的容器、管道等设备中产生的冷凝水不应随意排放，废用的氢气必须从排空管排出。

④ 对于氢气浓度报警器及火灾报警探测器发生报警的情况，应及时查明原因，必要时应进行检定或校准。

此外应建立完整的安全管理体系，在应急管理体系方面，加氢站应当制定特种设备事故专项预案，并每年至少演练一次，做出相应记录。同时加氢站应建立事故应急处置领导机构，制定和完善应急预案，并定期修订。预案内容主要包括事故风险分析、组织机构与职责、预防与预警、应急处置程序、应急处置原则和措施等[107]。应急处置专项预案应当包括火灾、爆炸事故专项预案、氢气泄漏专项预案和车辆伤害专项预案。在自然灾害专项预案中，应当包括特种设备专预案和设备故障专项预案。

人员是安全生产管理的基本对象和核心。对于加氢站的人员要求应非常规范，人员管理标准子体系分为劳动卫生与防护、培训考核及作业规范，主要包括加氢站关于人员保护要求、员工资质技能要求以及加氢作业流程规范方面的标准。建立健全覆盖所有工作环节的操作规程和方法标准，规范人员的操作行为，让工作人员有章可循、有法可依，从而实现有效的安全生产管理。安全生产管理归根结底是对人的管理，所以安全生产管理要先管好人，防止人员的错误或疏忽行为，从而避免生产事故的发生。

加氢站应当对全体员工进行培训，并进行定期演练。明确教育培训部门及其职责，用培训矩阵方法有针对性地开展培训工作，根据培训需求调查结果编制培训计划，充分利用各种技术手段（如视频会议系统、QQ群）开展培训工作。将传统“填鸭式”的被动安全教育法过渡到“全员主动参与式”的安全教育方式，广泛开展安全经验分享活动，利用班组长培训、主题班会、员工大会、安全学习会议等形式有计划地安排每名职工进行安全培训。

此外，加氢站应构建安全风险分级管控体系，深入全员、全过程、全天候、全方位安全风险分级管控。全员安全风险是对从业人员的安全环保履职能力评估，对不合格者应坚决剔除关键岗位；全过程是对生产作业过程的有效监管，对人的不安全行为、物的不安全状态进行管控；全天候和全方位分别从时间上不留空档，空间上不留死角。同时采用风险矩阵法有效对所有辨识风险建立清单，深入风险清单的告知和学习，使从业人员按措施分层级有效管控风险。

## 7.5 加氢站成本与政策扶持

加氢站建设的主要困难在于建设成本高昂，且必须广泛分布，否则无法满足燃料电池汽车推广的要求。目前建设一座35MPa，500kg/d固定式加氢站的投资成本约为1500万～2000万元，政府补贴300万～500万元不等。目前，部分地区采取加氢站和加油站捆绑模式，即企业在该地投资一座加氢站，可以获批一座加油站，再以加油站盈利补贴加氢站运营。此外，随着技术升级、关键设备材料价格下降及规模经济发挥作用，预计加氢站的建设成本将有所降低[108]。

（1）加氢站建设成本

加氢站成本大体分为投资和运维两个环节，其中投资成本包括氢气压缩机、储氢罐、氢气加注机、管道及阀门、站控系统以及土建成本等[109]。对于一座加注量为200kg/d的加氢站，氢气压缩机和储氢罐成本接近300万元，占加氢站总成本一半以上；运维环节成本以上游购氢成本为主，其他成本包括场站运维、氢气运输及工作人员工资等，每年运维成本在200万元以上。其次，国内加氢站技术尚不成熟，以北京永丰加氢站和上海安亭加氢站为例，两者均从国外引进核心设备和技术咨询服务，且由于我国示范性加氢站及燃料电池客车车载供氢系统尚处于35MPa压力技术水平，现有加氢站一般采用45MPa隔膜压缩机及储氢罐和35MPa氢气加注机等设备，较低的储运和加注压力导致加氢站运行效率偏低，进一步增加了加氢站运营成本。

2020年氢气的成本最低为20元/公斤，随着大批量规模化运氢，最终可以降低到2030年的9元/公斤以下[110]。按照目前建设规模，小轿车加1kg氢可跑100km，建设一个日加氢能力500kg左右的加氢站约为1500万元。此外，往加氢站运输氢不易，专业的拖车运输效率较低，主要适合200km以内的短途，管道运输单位成本较低，适合长途运氢，但是初始投资成本太高，每公里管道投资额约584万元。

目前，一般2t以上的加氢站成本在1000万元以上，2030年可以降到350万元。按照国家新能源汽车技术路线图的规划以及国家对产业链的调研，随着关键材料和关键零部件的国产化和规模化，2030年加氢站成本可以降低到330万元。

虽然氢燃料电池的发展有很多瓶颈，但氢燃料电池车加氢3min可以实现续航700km，这一特性使得它在客车等商用车方面极具优势，从而避开与纯电乘用车的市场竞争，专攻商用车等公用领域用车。但是由于高昂的基础设施建设成本，碳税等碳排放限制政策并未实质性作用，因此加快加氢站的建设发展仍需要政府支持[111]。

（2）加氢站政策扶持

十九大报告中提到“构建市场导向的绿色技术创新体系，发展绿色金融，壮大节能环保产业、清洁生产产业、清洁能源产业”，为未来推进氢能发展和加氢站建设指明了方向[112]。

2020 年 4 月 9 日，国家能源局发布《关于做好可再生能源发展“十四五”规划工作有关事项的通知》，明确提出将氢能作为提升可再生能源在区域能源供应中比重的重要手段。2020 年 4 月 24 日，国家发展改革委、科技部、工业和信息化部、财政部联合印发《关于完善新能源汽车推广应用财政补贴政策的通知》，要求用 4 年时间建立氢能和燃料电池汽车产业链。2020 年 6 月 22 日，国家能源局印发《2020 年能源工作指导意见》，提出要支持氢能产业规划发展，积极推动氢能技术进步、产业发展及应用示范。此后，国家层面持续强化氢能产业政策布局。2022 年，国家发展改革委与国家能源局联合印发《氢能产业发展中长期规划（2021—2035 年）》，首次明确氢能在未来国家能源体系中的战略定位，提出“十四五”期间初步建立氢能产业体系、“十五五”期间实现规模化应用的目标。2023 年，多部门联合发布《氢能产业标准体系建设指南（2023 版）》，系统构建涵盖“制、储、输、用”全链条的标准体系，为产业健康发展提供制度保障。同年，国家能源局在《2023 年能源工作指导意见》中提出“积极推动氢能应用试点示范，探索多种发展路径和可推广经验”。2024 年，国家发展改革委印发《能源重点领域设备更新与技术改造行动方案》，明确将氢能装备纳入重点支持范围，推动设备标准化与产业升级，并给予财政与金融支持。与此同时，北京、上海、广东、四川等地也相继出台地方性氢能发展规划与补贴政策，加快形成以区域示范带动全国产业化的格局。

为鼓励加氢站基础设施的建设，我国目前政策补贴更加针对大于等于 500kg/d 加注能力的加氢站，国家给与 400 万元/站的财政补贴，未来该类加氢站将成为主流；且除国家补贴外，地方补贴政策也陆续出台。由此可见国家和地区对氢能市场的推进力度。对比全国地方政府加氢站补贴政策现状，目前广东省是对加氢站补贴金额最高的省份，例如《佛山市南海区促进加氢站建设运营及氢能源车辆运行扶持办法（暂行）》明确新建固定式加氢站建设最高补贴 800 万元，是目前我国补贴力度最大城市。补贴政策见表 7-2[111,112]。

表7-2　地方加氢站补贴政策

| 序号 | 省/市 | 补贴政策 |
|---|---|---|
| 1 | 广东佛山 | 对 2018 年建成、2019 年建成、2020—2022 年内建成的加氢站依梯度分别给予 200 万～800 万元补贴 |
| 2 | 广东中山 | 补贴标准为 100 万元/站 |
| 3 | 广东广州 | 对加氢站项目采用后补助支持方式，支持额度不超过项目总投资的 20%，单个项目不超过 200 万元 |
| 4 | 上海 | 加氢压力≥70MPa（含兼容 35MPa），每站补贴 500 万元；加氢压力≥35MPa，每站补贴 200 万元 |
| 5 | 江苏如皋 | 对 70MPa 加氢设施建成运营后，给予加氢设备额 20%的补贴 |

续表

| 序号 | 省/市 | 补贴政策 |
|---|---|---|
| 6 | 江苏张家港 | ≥500kg/d，35MPa 加氢站；≥200kg/d，70MPa 加氢站，按设备投入额的 30% 补贴，最高补贴 300 万元；≥1000kg/d，35MPa 加氢站，以及≥400kg/d，70MPa 加氢站，按设备投入额的 30% 补贴，最高补贴 500 万元 |
| 7 | 江苏苏州 | 设备投资额的 20% 给予一次性补贴，最高补贴 400 万元 |
| 8 | 天津 | 2019—2022 年，对加氢制氢设备给予投资总额 30% 给予补贴，每座加氢站设备补贴不超过 500 万元 |
| 9 | 山东济宁 | 最高给予建设加氢站企业 900 万元建设补贴 |
| 10 | 山东济宁 | 500kg/d 撬装式加氢站补贴 400 万元；固定式加氢站每站补贴 800 万元；对加氢站销售氢气补贴 20 元/kg |
| 11 | 山东青岛 | 加氢站正式运营前三年，按地方经济贡献率的 100% 给予奖励 |
| 12 | 河南洛阳 | 按照加氢站主要设备投资总额的 30% 给予奖励 |
| 13 | 河南新乡 | 日加氢能力 350～500kg 的固定式加氢站，一次性给予 300 万元补贴；加氢能力≥500kg/d 的固定加氢站，一次性给予 500 万元补贴；加氢能力≥200kg/d 的撬装式加氢站，一次性最高补贴 150 万元，最高补贴不超过加氢站总投资的 50% |
| 14 | 吉林白城 | 每站补贴 400 万元，加氢站终端氢气每千克补贴 10 元 |
| 15 | 重庆 | 日加氢 500kg 以上和 350～500kg 的固定式加氢站，分别一次性给予 200 万元和 100 万元补贴；日加氢能力不低于 300kg 的撬装式加氢站，一次性给予 100 万元补贴 |
| 16 | 安徽六安 | ≥400kg/d，35MPa 加氢站，以及≥200kg/d，70MPa 加氢站，按设备投入额的 30% 补助，最高补贴 200 万元；≥1000kg/d，35MPa 加氢站，以及≥400kg/d，70MPa 加氢站，按设备投入额的 30% 补助，最高补贴 400 万元 |
| 17 | 浙江嘉兴 | 对固定式加氢站实际设备投资一次性补助 20% |
| 18 | 浙江宁波 | 日加氢能力 500kg 以上，加氢压力≥70MPa（含兼容 35MPa），按设备投入额 50% 补助，最高补贴 500 万元；加氢压力＞35MPa 的加氢站最高补贴 250 万元；日加氢能力 300～500kg，加氢压力＞70MPa（含兼容 35MPa）按设备投入额 30% 补贴，最高补贴 350 万元。加氢压力≥35MPa 的加氢站最高补贴 200 万元 |
| 19 | 四川成都 | ≥200kg/d 固定式加氢站按建设投资额 30% 给予补贴，最高补贴 500 万元 |

## 7.6 加氢站的绿色运营与可持续发展

随着全球对环境保护和可持续发展的关注，加氢站的绿色运营成为氢能产业发展的重要组成部分。加氢站作为氢能基础设施的关键节点，其运营模式的绿色转型不仅可以提高效率，还能显著减少对环境的影响。本节将探讨加氢站如何通过绿色运营提高资源利用效率、降低碳排放，并分析可持续发展的商业模式及政策支持的作用。

（1）绿色运营的核心目标

绿色运营的核心目标是通过优化资源使用、减少能源浪费、降低碳排放及提高运营效率，实现加氢站的可持续运行。绿色运营不仅关注环境效益，还包括经济效益和社会效益的平衡。在加氢站的设计和运营过程中，绿色运营涵盖了从能源供应、设备使用、废物处理到运输物流的方方面面，所有环节都应朝着低碳、高效、环保的方向发展。

（2）绿色能源的使用与供应链优化

加氢站的绿色运营首先体现在能源的使用和供应链的优化上。氢气的生产和加注过程中所使用的能源类型直接影响加氢站的碳排放和环境影响。为了减少碳足迹，许多加氢站开始采用可再生能源，如风能、太阳能和水力发电等作为主要能源来源。通过与清洁能源供应商的合作，部分加氢站已经实现了全程绿色能源的供应，降低了运营过程中化石能源的依赖。此外，加氢站的能源供应链优化也是绿色运营的重要一环。氢气的生产、运输和储存过程中可能会出现能源浪费和效率低下的情况。为了减少这些损失，部分加氢站采用了能量回收技术，将制氢过程中产生的废热和废气回收利用，提高能源利用效率。此外，绿色供应链管理还包括优化氢气的运输和储存方式，选择低排放和高效的运输工具，减少物流过程中的碳排放。

（3）设备高效化与智能化

提高设备的能效是加氢站实现绿色运营的另一个关键环节。在加氢站的运营过程中，氢气压缩机、储氢容器、加氢机等设备的高效运行直接决定了能源的消耗量和碳排放量。为了提高设备的能效，越来越多的加氢站开始采用智能化设备和系统。这些设备能够根据实时需求调整运行参数，在保证加氢效率的同时减少不必要的能源消耗。例如，智能化氢气压缩机可以根据氢气需求的变化自动调整压缩比和工作周期，避免能源的浪费。加氢机的智能化技术则通过自动识别车辆类型、需氢量以及外部环境条件来优化加氢流程，减少能源的无效消耗。除了设备本身的高效化，智能化运营管理系统也为绿色运营提供了支持。通过大数据分析和物联网技术，运营管理系统可以实时监控加氢站的各项能耗指标，及时发现能源浪费的情况并进行调整。这种智能化管理不仅提高了加氢站的运行效率，还有效降低了能耗，推动了加氢站的绿色转型。

（4）绿色政策支持与可持续发展商业模式

加氢站的绿色运营离不开政策的支持。各国政府和地区性机构对绿色加氢站的建设和运营提供了不同程度的政策支持。政府通过提供财政补贴、税收优惠、绿色贷款等方式鼓励企业在加氢站建设过程中采用清洁能源、绿色技术和环保设备。此外，许多地区已经出台了绿色认证制度，为符合绿色标准的加氢站提供认证，提升其市场竞争力。

在可持续发展的商业模式方面，绿色运营同样提供了商业创新的机会。越来越多的加氢站运营商开始探索综合能源服务模式，除了传统的氢气加注服务，还包括充电桩、能源存储以及与可再生能源的融合等多元化服务。通过这种商业模式，加氢站不仅能提供清洁能源的供应，还能够为车主和企业提供更多元化的能源解决方案，提高自身的盈利能力。

此外，绿色运营还帮助加氢站树立起良好的社会形象，吸引了更多对环境保护有高度关注的消费者和投资者。通过宣传绿色技术和可持续发展实践，许多加氢站已经在市场上获得了较高的认可度，并与政府、科研机构及企业展开了更加深入的合作，推动了氢能产业的可持续发展。

展望未来，加氢站的绿色运营将面临更多机遇和挑战。随着技术的进步和市场需求的增长，加氢站将更加注重绿色技术的应用。例如，氢气的绿色生产技术将进一步发展，电解水制氢和生物质制氢等新型制氢方式将成为主流，以此减少对传统化石能源的依赖。与此同时，碳捕集、利用与封存技术的应用可能会使加氢站的碳排放大幅减少，推动加氢站向零碳排放目标迈进。

## 参考文献


[1] 曹勇．中美氢能产业发展现状与思考 [J]．石油石化绿色低碳，2019，4 (06)：1-6，+19.

[2] 曾静，陈铭韵，孟翔宇．各国争抢氢能产业制高点 [J]．中国石化，2022，(05)：66-71.

[3] 陈秋阳，陈云伟．国际氢能发展战略比较分析 [J]．科学观察，2022，17 (02)：1-12.

[4] 丁瑶瑶．日本的“氢能社会”梦想 [J]．环境经济，2021，(16)：34-37.

[5] 董岩，杜鹤天普．德国绿氢发展战略及启示 [J]．世界环境，2021，(01)：86-87.

[6] 高工．三大原因推动德国加氢站建设提速 [J]．电力设备管理，2020，(01)：149.

[7] 韩笑，张兴华，闫华光，等．全球氢能产业政策现状与前景展望 [J]．电力信息与通信技术，2021，19 (12)：27-34.

[8] 何盛宝，李庆勋，王奕然，等．世界氢能产业与技术发展现状及趋势分析 [J]．石油科技论坛，2020，39 (03)：17-24.

[9] 李勃昕，张华俊，彭红，等．以“双碳”战略构建绿色氢能公路交通运输体系 [J]．中国发展，2022，22 (05)：23-30.

[10] 李浩东．日本“氢能社会”建设经验及对我国的启示 [J]．日本研究，2021，(04)：33-42.

[11] 刘峻，赵汪，高学强，等．全球加氢站产业、技术及标准进展综述 [J]．太阳能学报，2022，43 (06)：362-372.

[12] 刘玮，万燕鸣，张岩，等．2021 年全球与中国加氢基础设施发展评估 [J]．中国能源，2022，44 (08)：55-61.

[13] 毛保华，卢霞，黄俊生，等．碳中和目标下氢能源在我国运输业中的发展路径 [J]．交通运输系统工程与信息，2021，21 (06)：43-234.

[14] 潘相敏，梁阳，刘京京，等．国内外加氢站发展述评及相关建议 [J]．交通与运输，2020，36 (03)：97-101.

[15] 潘相敏，周伟，高顶云，等．燃料电池汽车加氢站的工程实践．2013 年年会暨工业气体供应技术论坛 [C]．中国上海，2014：97-110.

[16] 潘旭芳．上海首座安亭加氢站的安全运营探析 [J]．上海节能，2021，(10)：1075-1078.

[17] 万燕鸣，熊亚林，王雪颖．全球主要国家氢能发展战略分析 [J]．储能科学与技术，2022，11 (10)：3401-3410.

[18] 王坤华．加氢站建设及运营研究．2020 年燃气安全交流研讨会 [C]．中国湖北武汉，2020：332-336.

[19] 王钦，金意，于世晓，等．规划视角下加氢站布局体系与发展策略研究 [J]．城市燃气，2021，(05)：32-35.

[20] 魏凤，任小波，高林，等．碳中和目标下美国氢能战略转型及特征分析 [J]．中国科学院院刊，2021，36 (09)：1049-1057.

[21] 张磊，谢南宏，曹田田，等．氢能在交通领域的应用及燃料电池汽车成本分析 [J]．石油石化绿色低碳，2022，7 (04)：1-5.

[22] 张志芸，张国强，刘艳秋，等．我国加氢站建设现状与前景 [J]．节能，2018，37 (06)：9-16.

[23] 赵青，郑佳．全球主要国家 2019 年氢能发展政策概述 [J]．全球科技经济瞭望，2020，35 (04)：11-20.

[24] 朱彤，李雅卓．德国能源转型进程中氢能发展经验及启示 [J]．世界石油工业，2022，29 (05)：6-11.

[25] 张彦纯．加氢站主要工艺设备选型分析 [J]．上海煤气，2019，(06)：10-13.

[26] 闫百岁．70MPa 隔膜式压缩机优化设计 [D]．徐州：中国矿业大学，2021.

[27] 郝加封，张志宇，朱旺，等．加氢站用氢气压缩机研发现状与思考 [J]．中国新技术新产品，2020，(11)：22-24.

[28] 刘泽坤，郑刚，张倩，等．加氢站用离子压缩机及离子液体简述 [J]．化工设备与管道，2020，57 (06)：47-53.

[29] 黄振辉，聂连升，王向丽，等．加氢站用隔膜压缩机和液驱活塞式压缩机的性能和应用分析 [J]．化工设备与管道，2022，59 (06)：78-82.

[30] 刘玮，董斌琦，刘子龙，等．加氢站氢气压缩机技术装备开发进展 [J]．装备制造技术，2021，(12)：246-250.

[31] 何太碧，邹铖，刘芮言，等．车用加氢站压缩机选型 [J]．天然气技术与经济，2022，16 (04)：67-73.

[32] 叶召阳．外供氢加氢站工艺流程及设备研究 [J]．中国资源综合利用，2020，38 (12)：92-95.

[33] 张奇．加氢站储氢容器优化配置研究 [J]．化工设计通讯，2021，47 (08)：119-121.

[34] 李磊．加氢站高压氢系统工艺参数研究 [D]．杭州：浙江大学，2007.

[35] 郑津洋，马凯，周伟明，等．加氢站用高压储氢容器 [J]．压力容器，2018，35 (09)：35-42.

[36] 段志祥，黄强华，薄柯，等．我国固定式储氢压力容器发展现状综述 [J]．中国特种设备安全，2022，38 (04)：5-10.

[37] 李建，张立新，李瑞懿，等．高压储氢容器研究进展 [J]. 储能科学与技术，2021，10 (05)：1835-1844.

[38] 于海泉，杨远，王红霞．高压气态储氢技术的现状和研究进展 [J]. 设备监理，2021，(02)：1-4.

[39] 陈志伟，贾晓亮，李翔，等．加氢站用高压气态储氢容器标准体系现状分析和若干建议 [J]. 压力容器，2022，39 (07)：50-56.

[40] 郝加封，曲伟强，滕磊军，等．加氢站加氢枪特点与技术研发难点 [J]. 中国新技术新产品，2020，(03)：35-39.

[41] 刘玮，冯沛，张舒燕，等．35MPa 加氢机加注性能优化研究 [J]. 能源科技，2022，20 (04)：55-57.

[42] 商铭恒．加氢站氢气泄漏燃烧爆炸影响因素模拟分析 [D]. 济南：山东建筑大学，2022.

[43] 赵月晶，何广利，缪平，等 35MPa/70MPa 加氢机加注性能综合评价研究 [J]. 储能科学与技术，2020，9 (03)：702-706.

[44] 胡慧敏，何音奇，卢宇昊，等．国内外典型加氢站技术与典型设计 [J]. 中国科技信息，2025，(11)：45-47.

[45] 王明华，张东青．加氢站技术经济性分析 [J]. 能源科技，2023，21 (04)：73-76.

[46] 冯青松．加氢站设备性能优化与能效提升策略 [J]. 石油库与加油站，2025，34 (05)：13-16，53

[47] 李子松，张宏伟，张颖，等．浅谈我国加氢站的发展现状 [J]. 设备管理与维修，2023，(16)：141-143.

[48] 唐潇宇，王目凯，路笃辉，等．浅谈加氢站储氢设备的安全管理技术现状 [J]. 中国设备工程，2025，(S1)：106-108.

[49] 赵俊玮，陈铁嵩，方海峰，等 我国燃料电池汽车加氢站发展现状分析及对策建议 [J]. 汽车工程学报，2019，9 (03)：201-208.

[50] 朱存平，阮晓靓，郭林林，基于 PLC 的加氢站控制系统设计 [J]. 自动化应用，2025，66 (19)：15-17，22.

[51] 王荣仁，殷志祥，丁克勤，等．液氢加氢站监测预警平台设计与开发 [J]. 物联网技术，2025，15 (21)：25-31.

[52] 马建新，刘绍军，周伟，等．加氢站氢气运输方案比选 [J]，2008，(05)：615-619.

[53] 杜嘉利，牛爱军，赵苗苗，等．氢的储存与运输技术现状及可靠性分析 [J]. 焊管，2022，45 (09)：55-63.

[54] 冼静江，林梓荣，赖永鑫，等．加氢站工艺和运行安全 [J]. 煤气与热力，2017，37 (09)：51-56.

[55] 邵文霞．大型低压储罐的设计 [J]. 山东化工，2016，16：157-159.

[56] 李迎．自备制氢加氢站技术方案分析 [J]. 煤气与热力，2020，40 (09)：8-13.

[57] 妙丛，王嘉炜，安刚．氢气制备方法综合分析 [J]. 现代制造技术与装备，2022，58 (07)：73-77.

[58] 李艳李，管延文．天然气制取燃料电池用氢技术的探讨 [J]. 煤气与热力，2006，26 (1)：29-34.

[59] 陈健，姬存民，卜令兵．碳中和背景下工业副产气制氢技术研究与应用 [J]. 化工进展，2022，41 (03)：1479-1486.

[60] 陈健，管英富，伍毅等．西南化工研究设计院有限公司，中国石油四川石化有限责任公司．典型工业副产气模块化净化提纯关键技术及应用 [Z]. 项目立项编号：2006BAE02B00. 鉴定单位：四川兴华章科技有限公司．鉴定日期：2020-05-10.

[61] 童韩杨．加氢加气合建站模式的研究 [J]. 节能，2021，40 (05)：17-19.

[62] 张旭．燃料电池汽车加氢站安全设计要点分析与建议 [J]. 炼油技术与工程，2022，52 (03)：59-64.

[63] 陈志斌，龚兴夏，黄志勇，等．加氢站建设国家标准与 ISO 标准的比较 [J]. 城市燃气，2021，(02)：47-52.

[64] 刘平，沈银杰．氢气充装与加氢站系统工艺研究 [J]. 科技与创新，2018，(13)：39-41.

[65] 俞典，叶子菀．加氢站规划布局的分析与探讨 [J]. 中外能源，2022，27 (11)：17-22.

[66] 黄新文．汽车加油加气加氢站总图专业设计问题的研究 [J]. 城市燃气，2022，(06)：26-31.

[67] 刘哲，李冬．加氢站防爆电气安全设计探讨 [J]. 电气防爆，2019，(04)：7-14.

[68] 王浩辉．浅谈加氢站的供配电设计 [J]. 宁波化工，2020，(2)：33-36.

[69] Cengel Y A，Boles M A，Kanoglu M. Thermodynamics：an engineering approach [M]．New York：McGraw-hill，2011.

[70] Chen H，Zheng J，Xu P，et al. Study on real-gas equations of high pressure hydrogen [J]. International Journal of Hydrogen Energy，2010，35 (7)：3100-3104.

[71] Burgess D R，Manion J A. 70 Years of Evaluated Chemical Kinetics Data in the Journal of Physical and Chemical Reference Data，the National Standard Reference Data System Series，and the NBS Kinetics Data Center [J]. Journal of Physical and Chemical Reference Data，2022，51 (2)．

[72] Chen Z，Zhang J，FU J，et al. Adsorption of methylene blue onto poly（cyclotriphosphazene-co-4,4′-sulfonyldiphenol）nanotubes：kinetics，isotherm and thermodynamics analysis［J］. Journal of hazardous materials，2014，273：263-271.

[73] Schefer R，Houf W，Williams T，et al. Characterization of high-pressure，underexpanded hydrogen-jet flames［J］. International Journal of hydrogen energy，2007，32（12）：2081-2093.

[74] Soave G. Equilibrium constants from a modified Redlich-Kwong equation of state［J］. Chemical engineering science，1972，27（6）：1197-1203.

[75] Birch A，Brown D，Dodson M，et al. The structure and concentration decay of high pressure jets of natural gas［J］. Combustion Science and technology，1984，36（5-6）：249-261.

[76] Birch A，Hughes D，Swaffield F. Velocity decay of high pressure jets［J］. Combustion science and technology，1987，52（1-3）：161-171.

[77] Chen C J，Rodi W. Vertical turbulent buoyant jets：a review of experimental data［J］. NASA Sti/Recon Technical Report A，1980，80.

[78] Veser A，Kuznetsov M，Fast G，et al. The structure and flame propagation regimes in turbulent hydrogen jets［J］. International Journal of Hydrogen Energy，2011，36（3）：2351-2359.

[79] Schefer R W，Houf W G，Willams T. Investigation of small-scale unintended releases of hydrogen：momentum-dominated regime［J］. International Journal of Hydrogen Energy，2008，33（21）：6373-6384.

[80] Qian J Y Li X J，Gao Z X，et al. A numerical study of hydrogen leakage and diffusion in a hydrogen refueling station［J］. International Journal of Hydrogen Energy，2020，45（28）：14428-14439.

[81] Molkov V，Saffers J B. Hydrogen jet flames［J］. International journal of hydrogen energy，2013，38（19）：8141-8158.

[82] Delichatsios M. Transition from momentum to buoyancy-controlled turbulent jet diffusion flames and flame height relationships［J］. Combustion and Flame，1993，92（4）：349-364.

[83] Azarkhail M，Ontiveros V，Modarres M. A Bayesian framework for model uncertainty considerations in fire simulation codes［C］. Proceedings of the International Conference on Nuclear Engineering，Brussels，July12-16，2009：649-656.

[84] Turns S R，Myhr F H，Bandaru R V，et al. Oxides of nitrogen emissions from turbulent jet flames：Part Ⅱ—Fuel dilution and partial premixing effects［J］. Combustion and Flame，1993，93（3）：255-269.

[85] 胡明月，刘萍，董娅楠，等．长三角地区加氢站发展现状［J］. 障碍分析及对策建议．南方能源建设，2023，10（3）：1-10.

[86] Wang X，Ma X. Risk control analysis of safety accident in hydrogen refueling station based on PHAST software［C］. Proceedings of the IOP Conference Series：Earth and Environmental Science，2021.

[87] Suzuki T，Shiota K，Izato Y I，et al. Quantitative risk assessment using a Japanese hydrogen refueling station model［J］. International journal of hydrogen energy，2021，46（11）：8329-8343.

[88] Feliciano G，Ehrhart B D，Muna A B. HyRAM V2.0 User Guide［R］：Sandia National Lab.（SNL-NM），Albuquerque，NM（United States），2019.

[89] Wang Z，Wang X，Huang Y，et al. Experimental study on fire smoke control using water mist curtain in channel［J］. Journal of hazardous materials，2018，342：231-241.

[90] 孙翀，王超．浅谈细水雾灭火机理［J］. 安防科技，2006，(4)：28-30.

[91] 张天巍．含钾盐添加剂细水雾的灭火有效性及机理研究［D］. 北京：北京理工大学，2017.

[92] Seike M，Kawabata N，Hasegawa M，et al. The retarding effect of fixed barriers on smoke propagation in tunnel fires［J］. Tunnelling and Underground Space Technology，2019，85：100-113.

[93] Halawa T，Safwat H. Fire-smoke control strategies in road tunnels：The effectiveness of solid barriers［J］. Case Studies in Thermal Engineering，2021，27：101260.

[94] Tchouvelev A V，Cheng Z，Agranat V M，et al. Effectiveness of small barriers as means to reduce clearance distances［J］. International Journal of Hydrogen Energy，2007，32（10-11）：1409-1424.

[95] Bauwens C，Bergthorson J M，Dorofeev S B. Experimental investigation of spherical-flame acceleration in lean hydrogen-air mixtures [J]. International Journal of Hydrogen Energy，2017，42 (11)：7691-7698.

[96] Molkov V，Dobashi R，Suzuki M，et al. Modeling of vented hydrogen-air deflagrations and correlations for vent sizing [J]. Journal of Loss Prevention in the Process Industries，1999，12 (2)：147-156.

[97] Molkov V，Bragin M. Hydrogen-air deflagrations：Vent sizing correlation for low-strength equipment and buildings [J]. International Journal of Hydrogen Energy，2015，40 (2)：1256-1266.

[98] 苏靖程．中国加氢站现状调研 [J]. 山东化工，2020，49 (23)：74-76.

[99] 刘坚．加氢站的商业化阶段到来了吗 [J]，中国投资（中英文），2019，(13)：44-49.

[100] 刘子龙．关于商业加氢站安全运营的几点思考 [J]. 中国石油和化工标准与质量，2021，41 (24)：64-69.

[101] 艾斌，陈志斌．加氢站安全生产标准体系框架构建 [J]. 中国标准化，2022，(21)：110-114.

[102] 狄伟，刘玮，刘飞，等．商业加氢站的工程实践 [J]. 煤气与热力，2020，40 (04)：21-23.

[103] 中国特种设备检测研究院，国家质检总局特种设备安全监察局，合肥通用机械研究院，等．固定式压力容器安全技术监察规程 [S]. 行业标准-特种设备规范，2009.

[104] 刘飞．商业加氢站全过程项目管理探讨 [J]. 能源科技，2020，18 (10)：78-82.

[105] 娄旭耀，刘鹏鹏．汽车加氢站运营风险及防范 [J]. 中国特种设备安全，2022，38 (05)：44-46.

[106] 蒋文强．涉气企业安全创新管理探讨 [J]. 城市燃气，2019，(09)：40-43.

[107] 王超．国内外天然气管道事故分析 [J]. 化工管理，2016，411 (14)：275.

[108] 商车．宇通：2030 年燃料电池车成本 60 万元，运营成本 0.5 元/公里 [J]. 商用汽车新闻，2018，(06)：14.

[109] 赵俊玮，陈轶嵩，方海峰，等．我国燃料电池汽车加氢站发展现状分析及对策建议 [J]. 汽车工程学报，2019，9 (03)：201-209.

[110] 许渝峰．加氢站行业发展的机遇与问题分析 [J]. 当代石油石化，2020，28 (09)：34-37.

[111] 张磊．我国加氢站发展面临的主要问题 [J]. 中国石化，2019，(05)：22-25.

[112] 王周．我国加氢站建设的发展前景探讨 [J]. 城市燃气，2015，(10)：28-32.

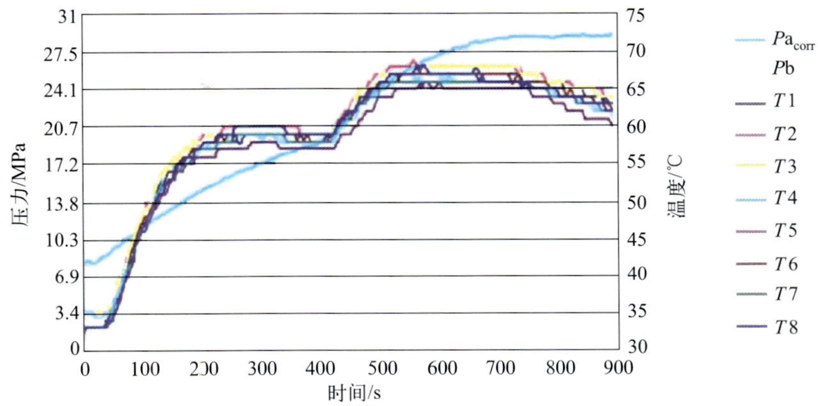


图 5-13　公交车加氢曲线

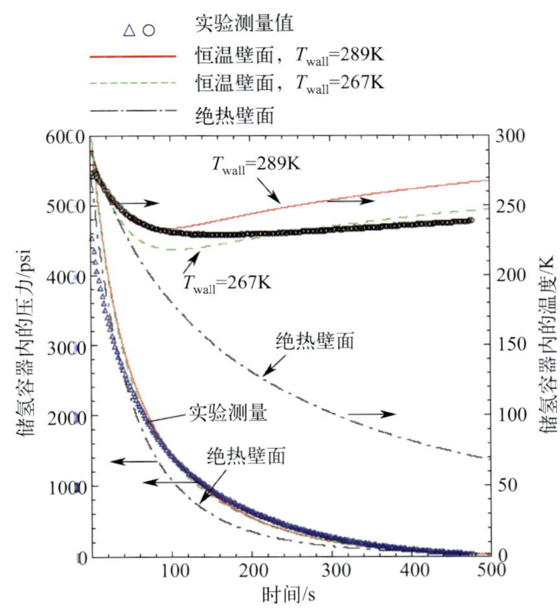


图 6-4　美国桑迪亚国家实验室开展的氢气泄放实验结果与理论计算结果对比

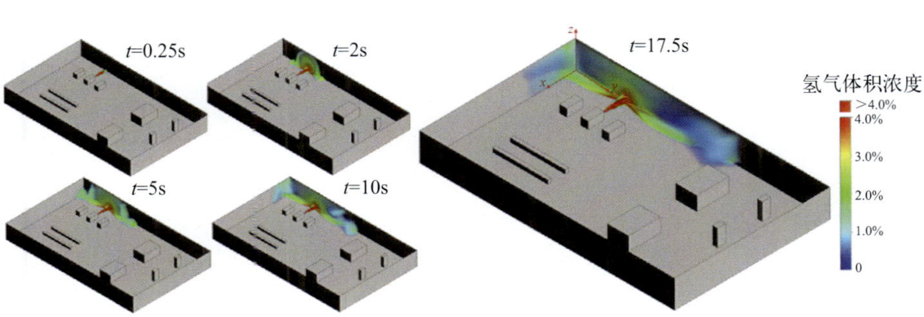


(a) 氢气射流撞击墙壁

图 6-7

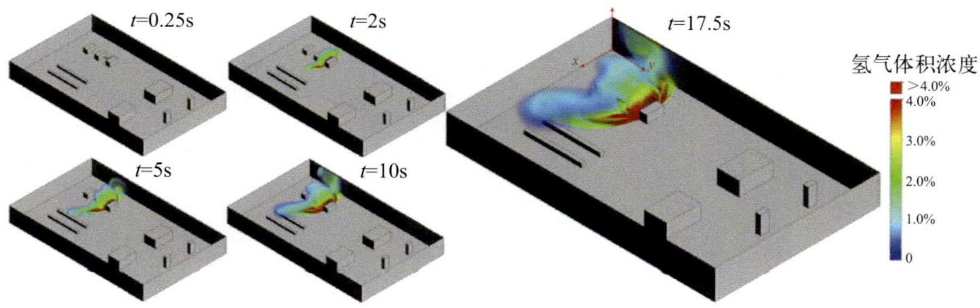


(b) 氢气射流撞击邻近储罐

图 6-7　不同障碍物作用条件下的氢气扩散过程

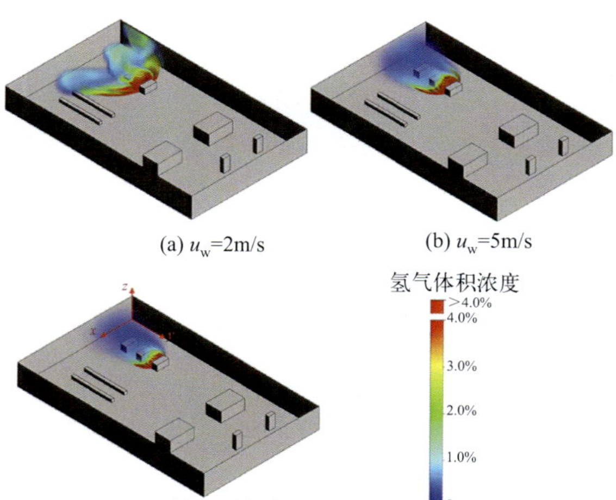


(a) $u_w$=2m/s　(b) $u_w$=5m/s　(c) $u_w$=10m/s

图 6-8　不同风速的环境风作用条件下的氢气扩散

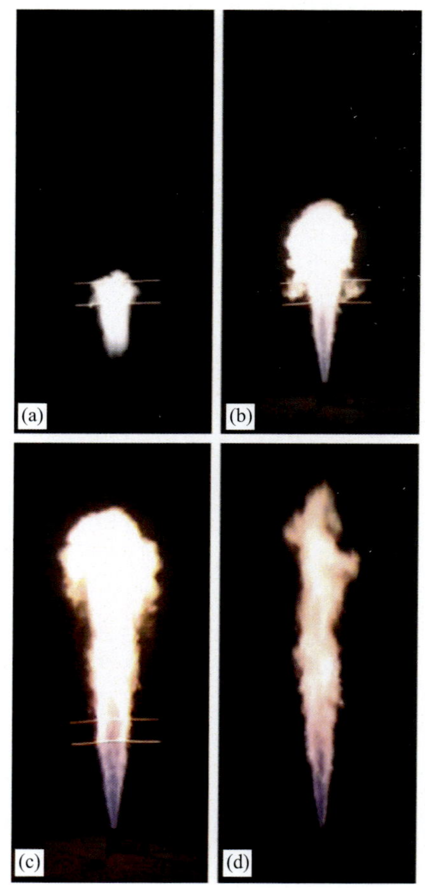


图 6-10　欠膨胀氢喷射火的形态和颜色

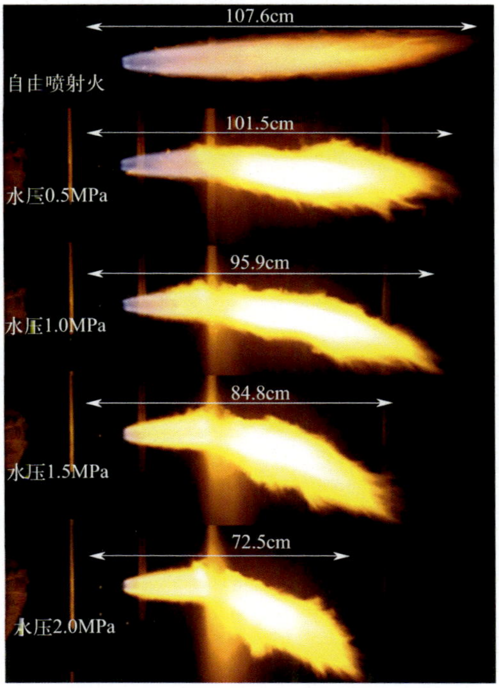


图 6-35　不同细水雾压力下火焰长度的变化

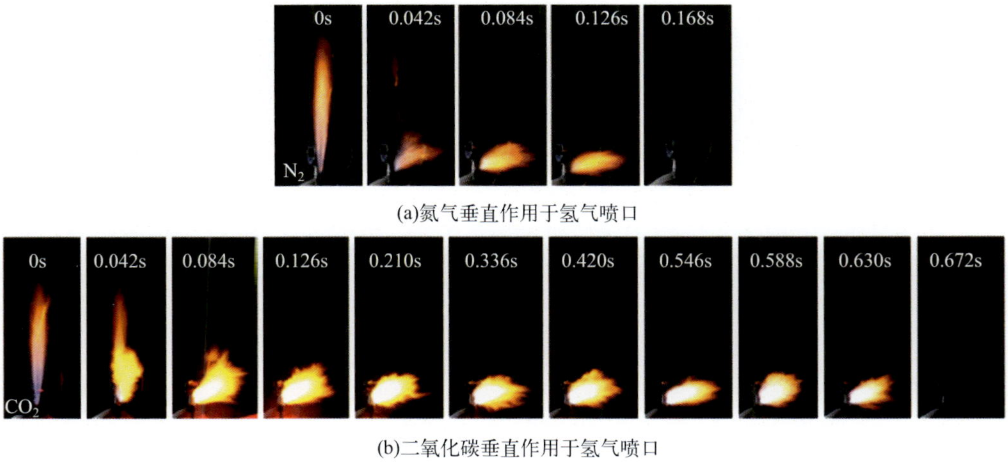


图 6-37　氮气与二氧化碳对 2mm 口径、 1.5 倍大气压的氢气喷射火的抑制效果

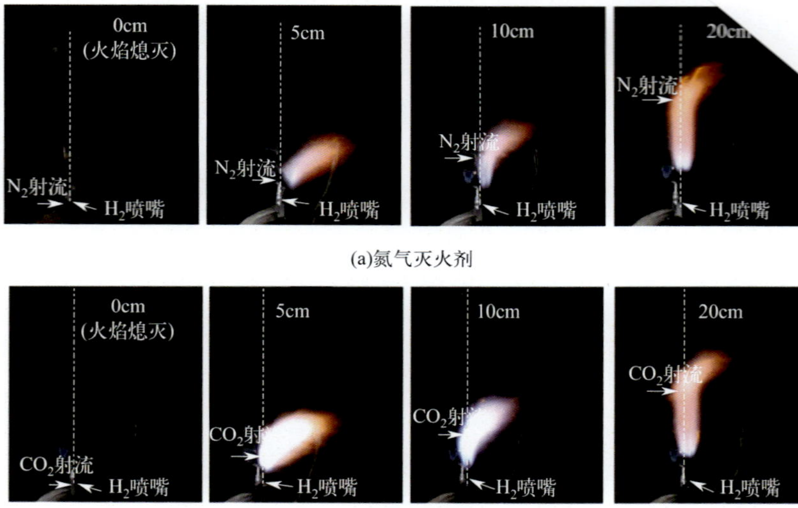


(a)氮气灭火剂

(b)二氧化碳灭火剂

图 6-38 灭火剂在不同喷射高度对氢喷射火抑制效果的对比

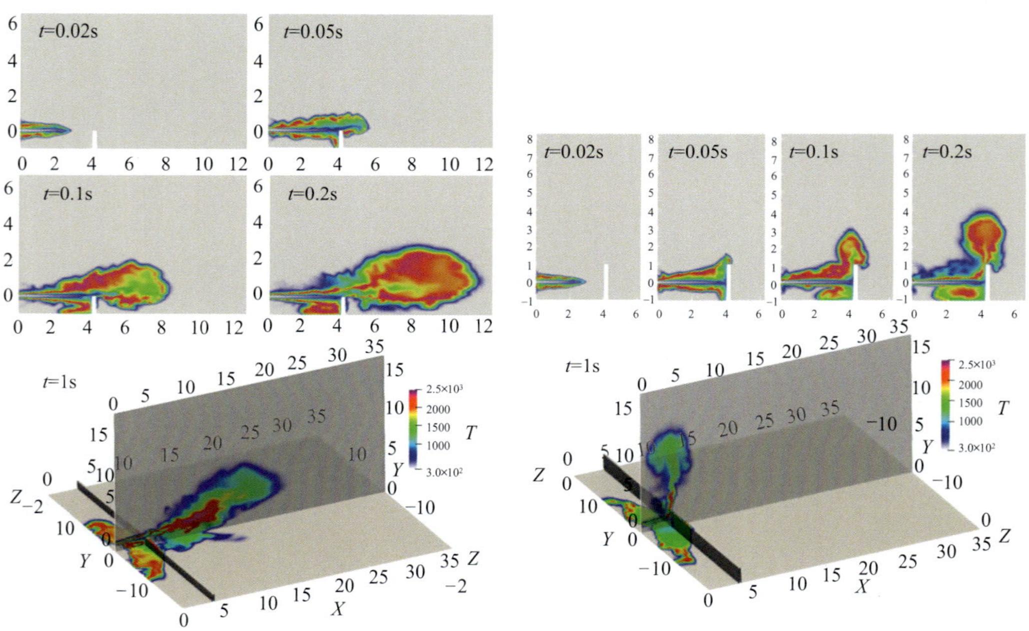


(a)隔离墙与氢气喷嘴等高

(b)隔离墙高出氢气喷嘴1m

图 6-40 隔离墙对氢气喷射火的抑制效果